NORA

QUATRE SAISONS DE FIANÇAILLES – LIVRE 2

ROBERTS

RÊVES EN BLEU

Traduit de l'anglais (États-Unis)
par Cécile Ardilly

Flammarion
Québec

Catalogage avant publication de Bibliothèque et Archives nationales du Québec et Bibliothèque et Archives Canada

Roberts, Nora

    Rêves en bleu

    Traduction de : Bed of Roses.

    Livre 2 de la série Quatre saisons de fiançailles.

    ISBN 978-2-89077-382-0

    I. Ardilly, Cécile. II. Roberts, Nora. Quatre saisons de fiançailles. III. Titre.

PS3568.O24865B4214 2010   813'.54   C2010-942052-7

COUVERTURE
Photo : © Claudio Dogar-Marinesco
Conception graphique : Annick Désormeaux

INTÉRIEUR
Composition : Nord Compo

Titre original : Bed of Roses
Publié par The Berkley Publishing Group,
une filiale de The Penguin Group (USA) Inc.

© Nora Roberts, 2009

Traduction en langue française :
© Éditions J'ai lu, 2010

Édition canadienne :
© Flammarion Québec, 2010

Tous droits réservés
ISBN 978-2-89077-382-0
Dépôt légal BAnQ : 4ᵉ trimestre 2010

Imprimé au Canada
www.flammarion.qc.ca

Aux amies.

*Et j'ai l'intime conviction que chaque fleur
Jouit de l'air qu'elle respire.*

WORDSWORTH

L'amour est une amitié enflammée.

Bruce LEE

Prologue

L'amour embellissait chaque femme et anoblissait chaque homme. Du moins était-ce l'opinion d'Emmaline. Une femme entourée d'amour s'élevait au rang de reine parce qu'on chérissait son cœur comme un trésor.

Des fleurs, la lumière des bougies, une longue promenade au clair de lune dans un jardin secret... À cette seule pensée, un soupir lui soulevait la poitrine. Danser au clair de lune dans un jardin secret. C'était ça, l'idée qu'elle se faisait de l'amour.

Tout lui apparaissait très clairement. Le parfum des roses en été, la musique s'échappant d'une salle de bal par les fenêtres, la lumière habillant tout d'une lueur argentée, comme au cinéma. Son cœur qui battait la chamade (tout comme il battait à présent qu'elle s'imaginait la scène). Il lui tardait de danser au clair de lune dans un jardin secret. Elle avait onze ans.

Et c'est parce qu'elle se représentait si nettement cette scène, qu'elle la décrivit dans ses moindres détails à ses meilleures amies.

Les soirs où elles dormaient les unes chez les autres, elles parlaient des heures entières de tout et de rien, écoutaient de la musique et regardaient des films. Elles pouvaient même rester éveillées toute la nuit, mais aucune n'y était encore parvenue.

Quand elles passaient la nuit chez Parker, elles avaient la permission de jouer sur la terrasse devant sa chambre jusqu'à minuit, s'il faisait bon. Au printemps, sa saison préférée, elle adorait se tenir sur cette terrasse pour inhaler les parfums montant du jardin de la propriété des Brown, ainsi que l'odeur du gazon fraîchement tondu, si le jardinier l'avait coupé ce jour-là.

Mme Grady, la gouvernante, leur apportait des biscuits et un verre de lait. Ou parfois des cupcakes. Et Mme Brown se glissait de temps à autre dans la chambre pour jeter un coup d'œil. Mais, la plupart du temps, elles se retrouvaient juste toutes les quatre.

— Quand je serai une femme d'affaires influente et que j'habiterai à New York, je n'aurai pas le temps d'être amoureuse.

Laurel, dont les cheveux blonds étaient striés de mèches vertes, suite à une teinture, exerçait son sens du style sur la chevelure carotte de Mackensie.

— Mais il *faut* que tu tombes amoureuse, insista Emma.

— Hum.

La langue entre les dents, Laurel s'appliquait à tresser une longue natte fine dans la tignasse de Mac.

— Je serai comme ma tante Jennifer. Elle raconte à ma mère qu'elle n'a pas le temps de penser au mariage, et qu'elle n'a pas besoin d'un homme pour se sentir épanouie et tout. Elle habite dans Upper East Side et elle va à des fêtes avec Madonna. Mon père dit que c'est une castratrice. Alors moi, je serai une castratrice et j'irai à des fêtes avec Madonna.

— Dans tes rêves, marmonna Mac.

Laurel lui tira la natte d'un coup sec. Pour toute réaction, Mac s'esclaffa.

— L'amour, ça va, tant que ça ne nous rend pas idiot. Ma mère, elle, ne pense qu'à ça – en dehors de l'argent.

Peut-être bien aux deux. C'est du genre « Comment trouver l'argent et l'amour en même temps ».

— Ce n'est pas vraiment de l'amour alors, répliqua Emma tout en caressant le genou de Mac avec compassion. Je crois que l'amour, c'est quand on rend service à l'autre juste parce qu'on l'aime. J'aimerais tellement être assez grande pour être amoureuse. Ça doit être un sentiment très agréable, fit-elle avec un profond soupir.

— On devrait embrasser un garçon pour voir ce que ça fait.

Tout le monde se tut pour fixer Parker. Allongée sur le ventre, elle observait depuis son lit ses amies qui jouaient au salon de coiffure.

— On devrait choisir un garçon et faire en sorte qu'il nous embrasse. On a presque douze ans. On a besoin d'essayer pour voir si ça nous plaît.

— Comme une expérience scientifique ? questionna Laurel en fronçant les sourcils.

— Mais on embrasserait qui ? demanda Emma.

— On n'a qu'à faire une liste.

Parker roula à travers le lit pour attraper sur la table de nuit son nouveau cahier.

— On va faire une liste de tous les garçons qu'on connaît et, parmi eux, de ceux qu'on pourrait embrasser ou pas en expliquant pourquoi.

— Ça n'a rien de très romantique, intervint Emma.

Parker lui sourit.

— On doit bien commencer quelque part. Ça aide toujours de faire des listes. Par contre, je pense qu'il faut d'emblée éliminer la famille. Par exemple Del, dit-elle en mentionnant son frère. Ou même les frères d'Emma. De toute façon, ils sont bien trop vieux.

Elle ouvrit son cahier sur une page vierge.

— Alors…

— Parfois, ils mettent leur langue dans votre bouche.

Le commentaire de Mac déclencha une rafale de cris aigus et de ricanements. Parker se glissa au bas du lit et alla s'asseoir par terre, près d'Emma.

— Donc, après avoir fait la liste principale, on peut la diviser en « pour » et « contre ». Ensuite, on choisit à partir de la liste des « pour ». Si on arrive à se faire embrasser par le garçon en question, on doit raconter comment c'était. Et s'il y en a un qui glisse sa langue dans votre bouche, il faudra raconter aussi.

— Et si le garçon qu'on a choisi refuse de nous embrasser ? avança Emma.

— Hein ?

Tout en nouant la dernière natte, Laurel secoua la tête.

— Pour sûr, un garçon ne refusera jamais de t'embrasser. Tu es très jolie et tu les traites comme des gens ordinaires. Certaines filles deviennent stupides dès qu'elles parlent à un garçon, mais pas toi. En plus, tu commences à avoir de la poitrine.

— Les garçons aiment bien la poitrine, répondit Mac d'un ton plein de sagesse. De toute façon, s'il refuse de t'embrasser, alors ce sera toi qui l'embrasseras. Ce n'est pas ça qui compte.

Pour Emma, ça comptait. Du moins, il le fallait.

Elles finirent par établir une liste, ce qui les amusa beaucoup. Laurel et Mac poussèrent le jeu jusqu'à anticiper les gestes de tel ou tel garçon le moment venu, ce qui les fit se rouler de rire si bien que Mister Fish, le chat, se faufila hors de la pièce pour aller se pelotonner dans le salon de Parker.

Au moment où Mme Grady arrivait avec les biscuits et le lait, Parker rangea le cahier. Puis elles décidèrent de jouer au groupe de musique, et se mirent à farfouiller dans l'armoire de Parker pour dégoter les accessoires adéquats à une tenue de scène.

Elles s'endormirent qui sur le sol, qui en travers du lit. Certaines recroquevillées, les autres étalées de tout leur long.

Emma se réveilla avant l'aube. La pièce était plongée dans l'obscurité, que seules brisaient la lumière de la veilleuse et celle d'un rayon de lune par la fenêtre. Comme toujours, quelqu'un l'avait couverte d'un léger plaid et lui avait glissé un oreiller sous la tête.

Attirée par le clair de lune, elle sortit sur la terrasse, à moitié endormie. L'air frais, empli du parfum des roses, lui caressa le visage. Elle contempla le parc aux nuances argentées, où l'on sentait la présence douce et colorée du printemps. Elle pouvait presque entendre la musique, et se voir danser parmi les roses, les azalées et les pivoines dont les pétales parfumés étaient encore retenus dans de petits boutons.

Elle parvenait presque à discerner la silhouette de son partenaire de danse, qui la faisait tournoyer. Une valse, pensa-t-elle dans un soupir. Il faudrait que ce soit une valse, comme dans un roman. C'était cela l'amour. Puis elle ferma les yeux pour mieux respirer l'air de la nuit.

Un jour, elle saurait ce que c'est. Elle s'en fit la promesse.

1

La tête farcie de détails, Emma avait du mal à avoir les idées claires. Une tasse de café à la main, elle vérifia son agenda. Les rendez-vous s'enchaînaient, une perspective presque aussi stimulante que la dose de café fort et sucré. Elle se renversa dans le fauteuil de son confortable bureau et relut les notes qu'elle avait prises sur chaque client.

D'après son expérience, c'était la personnalité du couple – surtout celle de la mariée – qui déterminait le ton de l'entretien et la direction à prendre. Pour Emma, les fleurs étaient la clef de voûte d'une cérémonie de mariage. Raffinées ou fantasques, élaborées ou simples, elles incarnaient l'amour. Or, son travail à elle consistait à offrir au client autant d'amour qu'il le désirait.

Elle poussa un soupir, s'étira, puis, à la vue du petit bouquet de roses posé sur son bureau, elle sourit. Le printemps était la meilleure période de l'année. En cette saison, les mariages tournaient à plein régime, les journées étaient courtes et les nuits longues – passées à créer, à planifier et à ordonner non seulement les cérémonies de ce printemps-là, mais aussi celles du suivant. Elle affectionnait la cadence soutenue du travail autant que le travail en soi.

Tout ça grâce à Vœux de Bonheur. Pour ses trois amies et elle, cette entreprise était un gage d'activité, d'enrichissement personnel et d'accomplissement. Sans oublier qu'elle avait la chance de travailler au quotidien avec les fleurs, de vivre parmi les fleurs, pour ne pas dire de nager dans un bain de fleurs.

Elle examina pensivement ses mains, couvertes de petites coupures et d'entailles. Certains jours, elle y voyait des blessures de guerre ; d'autres fois, des médailles d'honneur. Mais, ce matin-là, elle aurait juste souhaité avoir pris rendez-vous chez la manucure.

Après avoir jeté un œil à l'heure et fait un rapide calcul, elle se leva comme un ressort. Elle fit un détour par sa chambre pour y prendre un sweat-shirt rouge vif qu'elle enfila sur son pyjama. Elle avait le temps de marcher jusqu'au bâtiment principal. Mme Grady aurait sûrement préparé un petit déjeuner, un poids de moins pour Emma. Ensuite seulement, elle songerait à se préparer.

Sa vie, pensa-t-elle en dévalant les escaliers, regorgeait d'avantages. Elle traversa le salon, où elle recevait ses clients, et balaya la pièce du regard avant de sortir. Elle renouvellerait les fleurs avant son premier rendez-vous – oh, les splendides lis orientaux ne s'étaient-ils pas ouverts ?

Elle sortit de chez elle, une ancienne maison d'amis annexée au manoir des Brown, qui abritait désormais son atelier de fleuriste, sa part de Vœux de Bonheur. Elle inspira profondément. L'air printanier la fit frissonner.

Bon sang, pourquoi ne pouvait-il pas faire plus doux ! On était pourtant en avril, nom d'un chien ! C'était l'époque des jonquilles. Comme ces pensées, qu'elle avait rempotées, s'étaient épanouies ! Il bruinait à présent, mais il était hors de question de laisser le froid matinal gâcher son entrain. Elle se recroquevilla sous sa capuche et se dirigea vers le manoir.

Peu à peu, la nature tout entière reprenait vie autour d'elle. Le vert des arbres, si l'on y prêtait attention, augurait bien le retour de fragiles bourgeons dans le cornouiller et le cerisier. Les jonquilles ne demandaient qu'à s'ouvrir ; quant aux crocus, ils étaient déjà en fleur. Peut-être y aurait-il de nouveau de la neige de printemps, mais le pire était passé.

Bientôt, il serait temps de retourner la terre et de sortir de la serre quelques beaux spécimens pour les dévoiler à la vue de tous. Elle avait l'habitude de rajouter bouquets et guirlandes florales mais rien n'égalait Mère Nature pour fournir à une cérémonie le plus époustouflant des décors. Et rien de tel que la propriété des Brown pour accueillir un tel spectacle.

Le parc, véritable œuvre d'art, resplendirait bientôt de mille feux, boutons et senteurs qui inviteraient les visiteurs à se promener le long des sentiers sinueux ou bien à s'asseoir sur un banc, pour se reposer à l'ombre ou au soleil. Parker lui avait délégué la gestion du parc – si tant est que Parker pût déléguer quoi que ce soit. Chaque année, Emma s'amusait donc à planter de nouvelles plantes, ou à superviser l'équipe de jardiniers.

Les terrasses et patios, ravissants, étaient parfaits pour les mariages en extérieur et autres occasions. Réceptions au bord de la piscine, sur la terrasse, cérémonies sous la pergola ou la tonnelle aux roses, ou encore près de l'étang, à l'ombre du saule.

Nous avons tout ici, pensa-t-elle.

Quant à la maison, rien de plus élégant, ni de plus gracieux. La douceur de ce bleu, ces nuances chaudes allant du jaune au blanc cassé. Les multiples tracés de la toiture, la courbure des fenêtres et le dessin crénelé des balcons qui soulignaient le charme de l'architecture. Le portique à l'entrée, tantôt envahi par une luxuriante végétation, tantôt recouvert de couleurs élaborées. Toute petite, elle l'avait comparé à un monde de conte de fées, avec son château. Maintenant, c'était chez elle.

Elle tourna vers l'ancien pavillon de billard, près de la piscine, où vivait sa collègue Mac. Celle-ci y avait installé son atelier photo. Au moment où Emma s'en approchait, la porte s'ouvrit. Son visage s'éclaira d'un sourire. Un homme mince aux cheveux ébouriffés vêtu d'une veste en tweed sortit de la maison. Elle agita le bras vers lui.

— Salut, Carter !

— Bonjour, Emma.

Les familles d'Emma et de Carter se connaissaient depuis toujours. Ancien professeur à Yale, Carter enseignait désormais la littérature au lycée de leur adolescence. Et il était fiancé à l'une de ses meilleures amies. La vie était parfois comme un rêve.

Elle s'avança vers Carter et, le tirant par l'ourlet de sa veste tout en se hissant sur la pointe des pieds, elle lui planta un baiser sonore sur la joue.

— Houla, s'exclama-t-il en rougissant légèrement.

— Hé, toi !

Mackensie se tenait dans l'embrasure de la porte, les yeux encore lourds de sommeil et le visage auréolé d'une chevelure rousse éclatante.

— Tu n'essaierais pas de draguer mon mec ?

— Je te le volerais bien mais tu l'as déjà envoûté.

— Je ne te le fais pas dire !

— Eh bien, dit Carter, un sourire canaille aux lèvres, ma journée commence sous les meilleurs auspices. À présent, j'ai peur de m'ennuyer à mourir à ma réunion des profs.

— Appelle-les pour dire que tu es malade, répliqua Mac d'une voix féline.

— Ah ! Je file.

Dès qu'il eut le dos tourné, Emma ne put s'empêcher de sourire. Elle le regarda se hâter vers sa voiture.

— Mon Dieu, il est tellement craquant !

— N'est-ce pas ?

— Espèce de veinarde.

— Veinarde *et* fiancée. Tu veux revoir ma bague ?

— Waouh ! s'exclama gentiment Emma quand Mac agita l'annulaire sous ses yeux.

— Tu vas prendre ton petit déj' ?

— C'est ce qui était prévu.

— Attends, une minute.

Mac se pencha à l'intérieur pour attraper une veste puis referma la porte derrière elle.

— De toute façon, il ne me restait plus que du café…

Elles se dirigèrent vers la maison principale.

— Je sais ce qui me rend joyeuse même par une matinée aussi minable. Et c'est pour cette même raison que je n'ai pas eu le temps de prendre mon petit déj'. Ça s'appelle « prendre la douche à deux ».

— La veinarde est aussi une vantarde.

— Et fière de l'être. Et toi, qu'est-ce qui te rend si joyeuse ? Tu caches un homme chez toi ?

— Malheureusement non. Mais j'ai cinq rendez-vous qui m'attendent. Ce qui veut dire que la semaine commence bien. Elle vient dignement prendre le relais du week-end et du mariage célébré hier après-midi. C'était adorable, hein ?

— Notre couple de sexagénaires échangeant leurs vœux devant enfants et petits-enfants. Pas seulement adorable mais rassurant. Leur deuxième mariage à tous les deux, et les voici prêts à remettre le couvert, en s'unissant pour la vie. J'ai quelques photos très réussies. Enfin, j'ai le sentiment qu'entre ces deux jeunes fous, c'est parti pour durer.

— En parlant de jeunes fous, il faut vraiment qu'on se mette d'accord sur les fleurs. Je sais que décembre, ce n'est pas tout de suite, mais ça va venir vite, tu t'en doutes.

— Je n'ai même pas commencé à penser aux photos de fiançailles. Ni à la robe ou aux couleurs du mariage.

— Le perle me sied à ravir, dit Emma en papillotant des yeux.

— Un rien t'habille. Même de la toile de jute. Et c'est toi qui me traites de vantarde ?

Mac ouvrit la porte du vestibule et prit soin de s'essuyer les pieds avant d'entrer, se rappelant que Mme Grady était de retour de ses vacances d'hiver.

— Dès que j'ai dégoté la robe, on fait un point sur tout le reste.

— Tu es la première de nous quatre à te marier. Et à célébrer ton mariage ici.

— Oui, on va voir comment on arrive à jongler entre nos rôles d'organisatrices et d'invitées d'honneur !

— Tu peux toujours compter sur Parker pour planifier l'organisation. S'il en est une qui peut gérer la situation en douceur, c'est bien elle.

Elles pénétrèrent dans la cuisine – qui, pour l'heure, ressemblait davantage à un champ de bataille. Tandis que l'imperturbable Maureen Grady s'affairait efficacement aux fourneaux, Parker et Laurel s'affrontaient au milieu de la pièce.

— Il faut le faire, insistait Parker.

— Fadaises !

— Laurel, ce sont les affaires. Il faut veiller à satisfaire le client.

— Je vais te dire ce que j'aimerais lui servir, au client !

— Arrête tout de suite !

Parker se tenait là, son épaisse chevelure châtain ramassée en une queue de cheval impeccable. Ses yeux, dont la couleur s'accordait avec le tailleur bleu nuit « spécial clients », jetaient des éclairs d'impatience.

— Écoute, j'ai déjà dressé une liste de ses exigences, du nombre d'invités, des couleurs qu'elle désire, tu n'auras même pas à lui parler. Je ferai l'intermédiaire.

— Tu sais où tu peux te la mettre, ta liste.

— La mariée…

— La mariée est une enfoirée. La mariée est une crétine, une garce geignarde et capricieuse qui m'a clairement fait comprendre, il y a environ un an, qu'elle n'avait absolument pas besoin de mes services. Et maintenant qu'elle s'est rendu compte de sa bourde, elle peut bien s'en prendre à moi, si ça lui chante, mais elle ne touchera pas à une miette de mon gâteau.

Vêtue d'un bas de pyjama en coton et d'un débardeur, les cheveux toujours en bataille de sa nuit de sommeil, Laurel se laissa tomber sur une chaise dans le coin-repas.

— Calme-toi.

Parker se baissa pour ramasser un dossier. Laurel l'aura jeté par terre, songea Emma.

— Tout ce que tu dois savoir se trouve dans ce dossier, dit Parker en le posant sur la table. J'ai déjà dit à la mariée qu'elle aurait entière satisfaction, donc…

— Donc à moi de créer une pièce montée et de faire en sorte qu'elle soit prête d'ici à samedi, avec le gâteau du marié et tout un assortiment de petits fours sucrés. Assez pour deux cents invités. Le tout, sans avoir été prévenue à l'avance, quand, dans le même week-end, on doit couvrir trois autres occasions – sans compter la soirée prévue dans trois jours !

Les traits empreints de fureur, Laurel saisit le dossier et le laissa délibérément tomber sur le sol.

— Voilà que tu te conduis comme une gamine !

— Ça tombe bien : je suis une gamine.

— Regardez, les filles, vos petites camarades viennent jouer avec vous, les taquina Mme Grady, la voix mielleuse et les yeux rieurs.

— Tiens ! Je crois que quelqu'un m'appelle, s'écria Emma en tentant de s'éclipser.

21

— Non, tu ne bouges pas d'ici, explosa Laurel. Écoute ça ! Le mariage Folk-Harrigan. Samedi soir. Tu n'as sûrement pas oublié l'air dégoûté qu'affichait la mariée à la simple évocation de desserts provenant de notre pâtisserie Vœux de Bonheur ? Son sourire dédaigneux à chacune de mes propositions ? Elle a insisté pour que sa cousine, un chef pâtissier new-yorkais, formé à Paris et créateur de gâteaux pour des événements « de haute importance », se charge de tous les desserts. Tu te rappelles ce qu'elle m'a dit, Emma ?

— Eh bien, je ne me rappelle pas les termes exacts.

— Moi si. Elle m'a dit – avec son sourire dédaigneux – que je pouvais très certainement me débrouiller *en partie*, mais qu'elle voulait ce qu'il y avait de *meilleur* pour son mariage. Prends ça dans les dents !

— Ce qui était très grossier de sa part, sans conteste, intervint Parker.

— Je n'ai pas fini, grommela Laurel. Or, à la dernière minute, il semblerait que la brillante cousine ait pris la poudre d'escampette avec un de ses clients. Ô scandale ! Apparemment, ledit client aurait rencontré la brillante cousine un jour où il lui commandait un gâteau pour ses propres fiançailles. Aujourd'hui, ils manquent tous deux à l'appel et la mariée me demande de lui sauver la mise.

— Et c'est justement notre travail. Laurel…

— Ce n'est pas à toi que je parle, coupa Laurel, pointant Parker du doigt.

Puis elle visa Mac et Emma.

— C'est à elles.

— Hein ? Tu as dit quelque chose ? dit Mac, un large sourire aux lèvres. Désolée, j'ai dû me boucher les oreilles avec l'eau de la douche, ce matin, je n'entends plus rien.

— Espèce de lâche !

— Le petit déjeuner est servi ! intervint Mme Grady. Tout le monde s'assied, dit-elle en désignant le petit groupe. Œufs sur le plat et toasts au pain complet. On s'assied, on s'assied. Et on mange.

— Je n'avalerai rien tant que…

— Asseyons-nous, interrompit Emma, qui essayait de calmer le jeu. Laisse-moi réfléchir. Asseyons-nous toutes et… Oh, madame Grady, ça a l'air délicieux.

Elle attrapa deux assiettes, qu'elle songea à utiliser comme boucliers tandis qu'elle se glissait dans le coin-repas.

— N'oublions pas que nous faisons un travail d'équipe.

— Ce n'est pas toi qu'on insulte et qu'on accable de travail.

— Eh bien si. Moi aussi, j'ai eu plus que ma part de problèmes avec Whitney Folk, la mariée infernale. Si j'analysais mes cauchemars, je découvrirais certainement qu'elle en est à l'origine. Mais c'est une autre histoire.

— Moi aussi, j'aurais des choses à raconter, ajouta Mac.

— Tiens donc, tu n'as plus les oreilles bouchées ? marmonna Laurel.

— C'est une femme grossière, exigeante, gâtée et imbuvable, reprit Emma. D'habitude, quand on organise un événement, malgré les imprévus et les désirs farfelus de certains couples, j'aime à penser qu'on les aide à mettre en scène le début d'une longue vie de bonheur. Mais eux ? Je ne leur donne pas deux ans avant le divorce. Elle t'a manqué de respect et, à mon avis, ce n'était pas un sourire de dédain mais de satisfaction. Je n'aime pas cette femme.

Visiblement, Laurel apprécia le soutien de son amie. Elle offrit un sourire satisfait à Parker puis commença à manger.

— Cela dit, reprit Emma, nous faisons un travail d'équipe. Or, le client est roi, même quand il s'agit d'une garce arrogante. Ces arguments devraient te suffire, continua-t-elle comme Laurel la fusillait du regard. Mais ça n'est pas tout. Tu vas lui montrer, à ce sac d'os arrogant et mal dégrossi, de quoi est capable un vrai chef pâtissier, et en un temps record.

— Parker m'a déjà sorti cet argument-là.

— C'est parce qu'il est valable.

Emma découpa une minuscule portion d'omelette.

— Comme il s'agit d'arrangements de dernière minute, commenta Parker en portant le café à ses lèvres, je lui ai fait savoir que ça lui coûterait vingt-cinq pour cent de plus qu'en temps normal. Elle a accueilli ça comme le Messie et en a pleuré de gratitude.

Une lueur toute nouvelle apparut dans le regard de Laurel.

— Elle a pleuré ?

Parker acquiesça d'un signe de la tête.

— Oui, pourquoi ? dit-elle en haussant un sourcil.

— Ça me réchauffe le cœur de savoir qu'elle a pleuré. Et qu'elle va devoir, en plus, accepter tout sans broncher. Ça me plaît.

— Exactement.

— Tiens-moi au courant des plans, intervint Emma. Je m'occuperai des fleurs et des décorations de table. À quelle heure a-t-elle appelé pour te raconter ses déboires ? demanda-t-elle à Parker d'un ton compatissant.

— À trois heures vingt du matin.

Laurel lui caressa la main à travers la table.

— Désolée.

— C'est mon job. On s'en sortira. On s'en sort toujours.

Elles s'en sortaient toujours, pensa Emma, tout en arrangeant les bouquets de son salon. Elle avait en leur petite troupe une confiance aveugle. Son regard s'égara sur une photographie dans un simple cadre blanc. Trois fillettes jouant à la mariée dans un jardin aux couleurs estivales. Ce jour-là, c'était elle la mariée, un bouquet champêtre à la main, et un voile de dentelle dans les cheveux. Elle avait été aussi charmée que ses amies au moment où le papillon bleu s'était posé sur le pissenlit de son bouquet.

Mac était également présente, bien sûr. Derrière l'objectif, saisissant l'instant. En fin de compte, rien de bien surprenant à ce qu'elles aient transformé un jeu d'enfance plein de fantaisie en un commerce florissant.

Plus vraiment de pissenlits ces jours-ci, songea-t-elle en redonnant forme aux coussins. Mais combien de fois avait-elle eu l'occasion d'observer cette même expression émerveillée sur le visage de la mariée au moment où elle lui présentait le bouquet confectionné pour elle ? Rien que pour elle.

Pourvu que son rendez-vous se conclue sur un mariage au printemps suivant. Et sur cette expression émerveillée de la mariée.

Après avoir mis de l'ordre dans ses dossiers, ses albums et ses books, elle se planta devant le miroir pour vérifier sa coiffure et son maquillage ainsi que le rendu du tailleur qu'elle venait d'enfiler. Chez Vœux de Bonheur, une tenue irréprochable était de rigueur.

Elle quitta la glace des yeux pour répondre au téléphone.

— Atelier floral de Vœux de Bonheur, dit-elle d'une voix enjouée. Oui, bonjour Roseanne. Bien sûr que je me souviens de vous. Mariage en octobre, c'est bien ça ? Non, il n'est pas trop tôt pour prendre de telles décisions.

Tout en discutant, Emma sortit de son bureau un carnet de notes.

— On peut fixer un rendez-vous pour la semaine prochaine, si ça vous va. Vous apporterez une photo de la robe ? Génial ! Si vous avez également choisi les robes des demoiselles d'honneur, ou même leurs tons… ? Hum-hum. On verra tout ça ensemble. On dit lundi prochain à quatorze heures ?

Elle nota le rendez-vous. Puis elle se retourna : une voiture s'était arrêtée devant la maison. Une cliente au bout du fil, une autre sur le pas de la porte. Dieu, qu'elle aimait le printemps !

Emma conduisit sa dernière cliente de la journée dans le salon où étaient disposés, sur des tables et des étagères, compositions de soie, bouquets, et autres échantillons et modèles.

— J'ai mis au point celui-ci après avoir reçu votre mail avec la photo de votre robe, et vos suggestions sur vos fleurs et couleurs que vous aimez. Je sais que vous aviez en tête un grand bouquet en cascade, mais...

Elle saisit sur l'étagère un bouquet de lis et de roses, le tout entouré d'un ruban blanc constellé de perles.

— Je voulais juste vous montrer ceci avant que vous ne preniez une décision définitive.

— C'est très beau – sans compter que ce sont mes fleurs préférées. Mais ça ne me semble pas... comment dire... assez gros.

— Étant donné la coupe de votre robe, la façon dont la jupe tombe, et le magnifique ouvrage en perles du corsage, un bouquet plus contemporain serait sensationnel. Toutefois, je veux que vous ayez exactement ce que vous désirez, Miranda. Voici un modèle qui correspond plus à ce que vous aviez en tête, dit-elle en prenant sur l'étagère un bouquet en cascade.

— Oh ! C'est un jardin entier !

— Oui, on peut le dire. Attendez, je vais vous montrer des photos.

Emma ouvrit un carton posé sur le bar et en sortit deux images.

— C'est ma robe ! Avec les bouquets !

— Ma collègue Mac est une pro de Photoshop. Ça va vous donner une idée de l'effet de chaque bouquet avec votre robe. Pas de piège. C'est à vous de décider. Ce sera votre jour, et chaque détail doit être exactement à votre goût.

— Je pense que vous aviez raison, répondit Miranda après avoir étudié chacun des clichés. C'est comme si le plus gros des bouquets faisait de l'ombre à la robe. Tandis que l'autre s'accorde parfaitement. C'est raffiné tout en étant romantique. Vous ne trouvez pas que c'est romantique ?

— Oui, je le pense aussi. Ici, les lis rehaussent la blancheur des roses, et là quelques touches de vert pastel. La ligne blanche formée par le ruban, l'éclat nacré des perles. Si vous le désirez, nous pourrions nous contenter des lis pour vos demoiselles d'honneur, retenus par un ruban rose ?

— Eh bien…

Miranda porta le bouquet jusqu'à la psyché, placée dans un coin de la pièce. Comme elle étudiait son reflet, son visage s'épanouit.

— J'ai l'impression que ce bouquet a été confectionné par de petites fées pleines d'imagination. Je l'adore.

Emma en prit note dans son carnet.

— J'en suis ravie. On partira du bouquet pour mettre au point tout le reste. Je disposerai des photophores sur la table d'honneur. Comme ça, les bouquets resteront frais et agrémenteront en plus le décor pendant la réception. Voyons voir le bouquet que vous allez lancer aux invités. Je pensais ne garder que les roses blanches, dans un assemblage un peu plus petit, comme celui-ci.

Emma sélectionna un nouveau modèle.

— Noué d'un ruban rose et blanc.

27

— Ça me semble parfait. Je pensais que ça serait beaucoup plus compliqué.

— Les fleurs sont un élément crucial mais elles doivent aussi vous apporter du plaisir. Pas de bon ou de mauvais choix, rappelez-vous. D'après ce que vous m'avez dit, je m'imagine votre mariage comme une cérémonie plutôt moderne.

— Oui, c'est tout à fait cet esprit-là que je recherche.

— Votre nièce a cinq ans, c'est bien ça ?

— Elle a eu cinq ans le mois dernier. Elle est très excitée à l'idée de tapisser l'allée de pétales de roses.

— J'imagine. Nous pourrions utiliser ce genre de corbeille, recouverte de satin blanc, garnie de boutons de roses et tressée de rubans roses et blancs. On pourrait confectionner à votre nièce une auréole de boutons de roses dans les mêmes teintes. Tout dépendra de sa robe et de ce que vous préférez. On peut soit donner dans la sobriété, soit tenter un long ruban tressé qui lui tomberait sur le dos.

— Oui, les rubans, c'est une excellente idée. Elle est très féminine. Elle sera vraiment ravie.

Miranda saisit le modèle d'auréole qu'Emma lui tendait.

— Oh, Emma ! On dirait une petite couronne ! Pour une petite princesse !

— Exactement.

Quand Miranda la posa sur sa tête, Emma se mit à rire.

— Votre petite nièce de cinq ans sera aux anges ! Quant à vous, vous serez sa tante préférée pour le restant de ses jours !

— Elle sera si mignonne. Je dis oui à toutes vos suggestions : panier, auréole, rubans, roses, teintes.

— Parfait. Vous me facilitez la tâche. Maintenant, reste à voir pour votre mère, votre belle-mère et vos grands-mères. On pourrait faire un rappel sur le corsage, au poignet ou bien à l'aide d'une simple broche, avec un lis ou une rose – ou même les deux.

Les yeux de Miranda s'embuèrent. Emma attrapa une boîte de mouchoirs qu'elle gardait à portée de main.

— Merci. Je vais m'asseoir quelques instants pour reprendre mes esprits.

Emma l'accompagna jusqu'au canapé et posa la boîte de mouchoirs à côté d'elle.

— Vous verrez, ce sera magnifique.

— Oui. Même si nous n'avons pas encore parlé de tous les préparatifs, j'imagine déjà ce que ça donnera. Il faut que je vous avoue quelque chose.

— Oui ?

— Ma sœur – mon témoin – a insisté pour qu'on fasse appel à l'entreprise Felfoot Manor pour le mariage. C'est le lieu en vogue à Greenwich, comme vous le savez, et c'est très beau.

— C'est magnifique. Et ils travaillent très bien.

— Entre-temps, Brian et moi, nous sommes tombés sous le charme de Vœux de Bonheur. Le lieu, l'impression qui en émane, votre cohésion à toutes les quatre. Ça nous a convaincus. Et, à chacune de mes visites, je suis confortée dans notre choix. Notre mariage sera inoubliable, dit-elle tout en se tamponnant les yeux. Désolée.

— Voyons, il n'y a pas de quoi, répliqua Emma tandis qu'elle-même saisissait un mouchoir. Vous me flattez. Rien de plus réjouissant que de voir une mariée verser des larmes de bonheur. Que diriez-vous d'une coupe de champagne pour vous détendre avant d'attaquer les boutonnières ?

— Vous êtes sérieuse ? Emmaline, si je n'étais pas raide dingue de Brian, c'est vous que j'épouserais !

Emma éclata de rire avant de se lever.

— J'en ai pour une minute.

Un peu plus tard, Emma raccompagna sa mariée tout excitée et, éreintée, elle s'installa dans son bureau avec du café. Miranda avait raison, pensa-t-elle tandis qu'elle rentrait toutes les données dans l'ordinateur. Son mariage serait inoubliable. Des fleurs à foison, une cérémonie moderne mêlée de romantisme. Bougies, gaze moirée et rubans chatoyants. Dominantes de rose et de blanc auxquelles viendrait s'ajouter un contraste audacieux de bleus et de verts. Des touches d'argenté, et des vases transparents. Enfin, quelques guirlandes lumineuses çà et là.

Tout en rédigeant le premier jet du contrat, elle se félicita de sa journée bien remplie. Le lendemain, elle devrait organiser la soirée fixée en milieu de semaine. Elle filerait au lit de bonne heure.

Non, elle n'irait pas fureter au manoir pour voir ce que Mme G avait préparé pour dîner. Elle allait se faire une salade et des pâtes, regarder un bon film, une pile de magazines à portée de main, et passer un coup de fil à sa mère. De cette façon, elle finirait ce qu'elle avait à faire, se détendrait et serait couchée à vingt-trois heures.

Alors qu'elle relisait le contrat, la sonnerie de sa ligne privée retentit. Elle jeta un coup d'œil au numéro qui s'affichait et sourit.

— Salut, Sam.

— Bonsoir, ma belle. Qu'est-ce que tu fais encore chez toi alors qu'on devait sortir ?

— Je travaille.

— Il est dix-huit heures passées. Il est temps de fermer la boutique, chérie. Il y a une fête chez Adam et Vicki. On peut dîner avant. Je passe te prendre dans une heure.

— Houla ! Attends, attends. J'ai déjà dit à Vicki que je ne pourrais pas ce soir. J'ai eu pas mal de boulot aujourd'hui, et j'ai au moins une bonne heure de travail devant moi avant de…

— Tu vas bien grignoter un truc ? En plus, si tu as travaillé si dur toute la journée, tu mérites de te détendre. Viens t'amuser avec moi.

— C'est gentil, mais...

— Ne me laisse pas aller seul à cette fête. Un petit swing, un verre, une ou deux blagues et, si tu veux, on rentre. Ne me brise pas le cœur, Emma.

Levant les yeux au plafond, elle y vit sa soirée pépère partir en fumée.

— OK pour te retrouver là-bas à vingt heures, mais pas pour le dîner avant.

— Je peux passer te prendre.

— Pour qu'ensuite tu trouves un prétexte bidon pour t'incruster chez moi en me redéposant ? Hors de question. On se retrouve là-bas. Comme ça, si tu t'amuses, et que je veux rentrer, tu pourras rester.

— Si c'est tout ce que j'obtiendrai de toi ce soir, alors je suis preneur. À plus.

2

Après tout, Emma aimait la fête. Voir des gens, faire la conversation. Elle adorait choisir la bonne tenue, se maquiller, se coiffer… En un mot, c'était une fille.

Elle appréciait Adam et Vicki – c'est d'ailleurs elle qui les avait présentés, quatre ans auparavant, après s'être rendu compte que, entre Adam et elle, ça ne collerait pas. Et c'était Vœux de Bonheur qui avait organisé leur mariage.

Quant à Sam, c'était quelqu'un de bien, pensa-t-elle en soupirant. Elle se gara devant la maison à deux étages, et abaissa le miroir de sa visière pour jeter un dernier coup d'œil à son maquillage.

Elle aimait bien sortir en sa compagnie, pour un dîner, une fête ou un concert. Seule ombre au tableau : l'étincelle. Quand elle l'avait vu pour la première fois, elle lui avait attribué un bon sept sur son baromètre du désir, avec un fort potentiel en perspective. En plus, il s'était montré drôle et malin, et elle l'avait trouvé bel homme. Cependant, le premier baiser avait tout gâché. Adieu la flamme, le compteur était retombé à un petit deux.

Rien qu'il puisse se reprocher, admit-elle en descendant de sa voiture. Pas d'électricité entre eux. Rien à ajouter. Elle avait réitéré l'expérience ; elle adorait les baisers. Mais toujours rien. Le baromètre du désir semblait être bloqué sur deux. Et encore, elle était charitable.

33

Pas évident de dire à un homme qu'on n'avait pas envie de coucher avec lui. L'ego masculin était en jeu. Pourtant elle l'avait fait. Le hic, c'est qu'il ne voulait pas vraiment la croire. Peut-être trouverait-elle, à cette fête, une femme à lui présenter ?

Elle pénétra dans l'antre, où musique, voix et lumières se mêlaient. Son humeur changea du tout au tout. Elle aimait vraiment les fêtes. Un rapide coup d'œil à travers la pièce lui permit de repérer au moins une douzaine de personnes de sa connaissance.

En quête de ses hôtes, elle s'arrêtait ici et là pour échanger les salamalecs d'usage. Elle reconnut une cousine par alliance qu'elle salua d'un signe de la main. Addison, songea-t-elle. Elle lui indiqua son intention de revenir lui parler. Célibataire, bonne vivante et d'une beauté à couper le souffle. Nul doute possible : elle s'entendrait bien avec Sam. Emma s'arrangerait pour les présenter.

Dans le coin-cuisine de la vaste pièce, elle débusqua Vicki, occupée à garnir les plateaux de petits fours tout en causant avec des amis.

— Emma ! Je ne pensais pas te voir ce soir.

— Je ne fais que passer. Tu es splendide.

— Toi aussi. Oh ! merci, dit-elle en prenant le bouquet de tulipes bicolores qu'Emma lui tendait. Elles sont magnifiques.

— J'ai décidé qu'on était au printemps, un point c'est tout ! Et les fleurs sont là pour le confirmer. Tu veux un coup de main ?

— Hors de question ! Je te sers un verre de vin ?

— Une larme dans ce cas. Je conduis, et je ne vais pas m'éterniser.

— Alors on dit un demi-verre de cabernet, lança Vicki qui posa les fleurs sur le bar pour se libérer les mains. Tu es venue seule ?

— En fait, je dois plus ou moins retrouver Sam.

— Ah ! s'exclama Vicki.

— Ce n'est pas ce que tu penses.

— Je vois.

— Écoute, donne-moi ça et laisse-moi faire, ordonna-t-elle à Vicki quand celle-ci eut sorti un vase pour les fleurs. Que penses-tu de Sam et d'Addison ? reprit-elle d'une voix plus basse tandis qu'elle arrangeait le bouquet.

— Ils sont ensemble ? Je n'avais rien remarqué.

— Non. Je dis ça comme ça. Je pense qu'ils accroche-raient bien.

— Peut-être. C'est dommage, Sam et toi, vous faites un si beau couple.

Emma préféra ne pas relever la remarque.

— Où est Adam ? Je n'ai pas pu lui mettre la main dessus.

— Sûrement sur la terrasse à boire une bière avec Jack.

— Jack est là ? demanda Emma, d'une voix qui se vou-lait désintéressée, tout en veillant à garder les mains occu-pées. Il faut que j'aille les saluer.

— Aux dernières nouvelles, ils discutaient base-ball. Tu vois le genre.

Emma voyait très bien. Cela faisait plus d'une dizaine d'années qu'elle connaissait Jack. Elle l'avait rencontré quand Delaney, le frère de Parker, et lui partageaient la même chambre, à Yale. Par la suite, Jack avait passé pas mal de temps dans la propriété des Brown. Il avait fini par s'installer à Greenwich pour y ouvrir un cabinet d'archi-tecture de haut standing.

Quand les parents de Del et Parker avaient trouvé la mort dans le crash d'un jet privé, il s'était révélé d'une grande aide. En outre, il leur avait sauvé la mise quand elles avaient décidé de monter leur affaire. Il avait alors dessiné les plans du pavillon de billard et de la maison d'amis au gré des besoins de l'entreprise. Il faisait partie de la famille, pour ainsi dire.

Non, elle ne manquerait pas de le saluer avant de repartir.

Juste au moment où elle se tournait, le verre de vin à la main, Sam pénétrait dans la salle. C'était un homme magnifique. Grand et bien bâti, une lueur perpétuellement allumée dans le regard. Peut-être un tantinet trop soigné, avec ses cheveux toujours parfaitement coiffés et ses vêtements admirablement accordés. Toutefois…

— Tiens, la plus belle ! Salut, Vic.

Il tendit à Vicki une très bonne bouteille de cabernet – toujours parfait dans ses choix de vin –, l'embrassa sur la joue, et gratifia Emma d'un sourire qui en disait long.

— Et voilà celle que je cherchais.

Il saisit Emma pour l'embrasser passionnément, un baiser qui atteignit à grand-peine un niveau correct sur le baromètre.

Elle réussit à se dégager de quelques centimètres avant de placer une main comme un bouclier entre elle et le torse de Sam, au cas où il tenterait un nouvel assaut. Elle lui rendit son sourire agrémenté d'un rire amical.

— Salut, Sam.

Les cheveux ébouriffés par la brise du soir, vêtu d'une veste de cuir ouverte et d'un jean délavé, Jack surgit de la terrasse. Surpris de tomber sur Emma, il écarquilla les yeux.

— Tiens ! Emma. Peut-être que j'arrive au mauvais moment ?

— Jack, dit-elle en repoussant un peu plus Sam du coude. Tu connais Sam ?

— Bien sûr. Quoi de neuf ?

— On fait aller, répondit Sam qui se rapprocha d'Emma et la prit par les épaules. Et toi ?

— Je n'ai pas à me plaindre.

Jack prit un nacho et le trempa dans la sauce. Puis s'adressant à Emma :

— Comment ça se passe chez les Brown ?

— Nous avons du pain sur la planche. Le printemps, c'est la saison des mariages !

— Le printemps, c'est la saison du base-ball. J'ai croisé ta mère l'autre jour. Elle est magnifique. La plus belle femme jamais créée.

Le sourire désinvolte d'Emma s'illumina.

— C'est vrai.

— Elle refuse toujours de quitter ton père pour moi, mais je ne perds pas espoir. Bon, à plus tard.

Jack n'avait pas tourné les talons que Sam en profita pour se coller un peu plus à Emma. Mais elle connaissait la musique : elle se tourna en même temps pour éviter de se retrouver prise en sandwich entre lui et le bar.

— J'avais oublié qu'on avait tant d'amis en commun, Adam, Vicki et moi. Je connais presque tout le monde ici. Il faut juste que je fasse un tour de salle pour prendre des nouvelles. À propos, il y a quelqu'un que je dois absolument te présenter.

Pleine d'entrain, elle tira Sam par la main.

— Tu ne connais pas ma cousine Addison ?

— Je ne pense pas.

— Ça fait des mois que je ne l'ai vue. Trouvons-la que je te la présente.

Elle l'entraîna au cœur de la fête.

Muni d'une poignée de cacahuètes, Jack bavardait avec un groupe d'amis. Du coin de l'œil, il épiait Emma qui trimbalait son jeune cadre à travers la foule d'invités. Elle était belle à en couper le souffle.

Sexy, plantureuse, le teint doré, une épaisse chevelure bouclée, une bouche pulpeuse. On en mourrait pour moins que ça. Par-dessus le marché, elle dégageait une chaleur et un éclat sans pareil. C'était un sacré lot. Malheureusement, elle était aussi, à titre honorifique, la sœur de son meilleur ami.

De toute façon, il était quasiment impossible de la rencontrer seule. Elle était toujours accompagnée de son gang de copines ou de sa famille. Ou, comme ce soir-là, d'un gars lambda. Avec une fille comme Emmaline Grant, il y avait toujours un gars lambda dans les parages.

Toutefois, rien ne lui interdisait de jouir du spectacle. Il était homme à apprécier les lignes et les courbes – aussi bien celles des bâtiments que celles des femmes. D'après son œil expert, Emma avait une silhouette quasi parfaite. Faisant mine de suivre la discussion, les cacahuètes à la main, il l'observait qui se mouvait à travers la salle.

Elle adoptait une attitude qui se voulait désinvolte. Sa manière de s'arrêter, d'échanger des politesses, d'écouter, de rire et de sourire. Mais, au fil des années, il avait eu l'occasion de l'étudier. Ses mouvements étaient toujours méticuleusement calculés.

Pris de curiosité, Jack quitta discrètement son groupe pour se fondre dans un autre, et la garder dans sa ligne de mire.

Caresses dans le dos et enlacements d'épaules : Sam, le gars lambda, n'avait pas les mains dans les poches. Quant à Emma, elle ne tarissait pas de sourires à son intention, tout en levant vers lui des yeux de biche.

Mais rien dans son langage corporel – qu'il avait longuement analysé – n'indiquait que le gars lui plaisait.

Elle héla une certaine « Addison ! » et partit dans un de ses éclats de rire à vous faire tourner la tête tandis qu'elle saisissait dans ses bras une jolie blonde.

Les jeunes femmes se mirent à bavarder. Toutes deux se jaugèrent, resplendissantes, avant de finir par s'échanger – Jack en aurait mis sa main au feu – des compliments sur leur mine fabuleuse.

« Tu es magnifique. Tu as perdu du poids, non ? J'adore ta coupe de cheveux. » D'après son expérience, ces rituels féminins, s'ils acceptaient de petites variations, se déclinaient toujours sur le même thème.

Emma se tourna alors de façon à ce que le gars lambda et la jolie blonde se retrouvent face à face.

Ça y est ! Il avait compris son manège. Elle recula légèrement, fit mine d'agiter la main vers un type avant de lui tapoter l'avant-bras. Elle avait l'intention de larguer le gars lambda et comptait bien sur la blonde pour le distraire.

Quand il la vit s'esquiver vers la cuisine, Jack leva son verre en signe de toast. Chapeau, Emmaline !

Il mit les voiles de bonne heure. Le lendemain, il commençait avec un petit déjeuner professionnel à huit heures, suivi d'une journée de visites de chantiers et d'inspection des travaux. Il faudrait, entre autres, qu'il arrive à se poser devant sa planche à dessin. Il devait trouver des idées pour Mac, qui cherchait à agrandir le pavillon du billard maintenant que Carter vivait avec elle.

Il visualisait clairement les changements à apporter au bâtiment sans pour autant en rompre l'équilibre d'ensemble. Mais, avant d'en faire part à Mac, il préférait coucher ses idées sur le papier et jouer avec les lignes.

Il ne s'était pas encore vraiment fait à l'idée que Mac allait se marier. Avec Carter, par-dessus le marché ! Certes, on ne pouvait qu'apprécier Carter.

En plus de cela, il avait le don d'illuminer le regard de Mac. Un argument de taille.

La radio à fond, il tournait et retournait dans sa tête diverses idées d'agrandissement pour que Carter ait un bureau à domicile pour faire... ce que faisaient les professeurs dans le bureau de leur domicile.

Comme il roulait, la pluie qui était tombée par intermittence tout au long de la journée reprit sous forme de minuscules flocons de neige. Les joies du mois d'avril en Nouvelle-Angleterre !

Ses phares éclairèrent soudain une voiture arrêtée sur le bas-côté de la route. Une femme se tenait devant le capot relevé, les mains sur les hanches.

Il se rangea sur l'accotement, descendit, puis se dirigea d'un pas nonchalant vers Emma.

— Ça fait un bail !

— Bon sang ! Elle vient de s'arrêter. Comme ça, d'un seul coup.

Dans sa frustration, elle agitait les mains dans tous les sens. Il recula prudemment pour éviter d'être assommée par la lampe-torche qu'elle brandissait.

— En plus, il neige ! Tu te rends compte ?

— Je vois ça. Tu avais vérifié ton niveau d'essence ?

— Ce n'est pas une panne d'essence. Je ne suis pas stupide. Ça doit être la batterie – ou le carburateur. Ou un de ces trucs en forme de tuyau. Ou même la courroie. Que sais-je !

— Eh bien, ça limite les possibilités, ironisa-t-il.

— Enfin, Jack ! s'exclama-t-elle, exaspérée. Je suis fleuriste, pas mécanicienne !

Il ne put s'empêcher de rire.

— Bien dit. Tu as appelé un dépanneur ?

— Je vais le faire. Je pensais juste jeter un coup d'œil à l'intérieur au cas où le problème sauterait aux yeux. Pourquoi les moteurs ne sont-ils pas simples et évidents pour les conducteurs ?

— Pourquoi les plantes portent-elles des noms latins bizarroïdes que personne ne peut prononcer ? Telle est la question. Laisse-moi jeter un œil, dit-il en lui prenant la lampe des mains. Nom d'un chien, Emma ! Tu es gelée.

— Je me serais couverte davantage si je m'étais doutée un seul instant que je finirais sur le bord de la route, en pleine nuit, sous une tempête de neige !

— C'est à peine s'il tombe trois flocons.

Il se défit de sa veste et la lui tendit.

— Merci.

Elle s'emmitoufla pendant qu'il regardait sous le capot.

— À quand remonte ton dernier contrôle technique ?

— Je ne sais pas. À un certain temps.

De ses yeux gris, il lui lança un regard dur.

— Un certain temps. Tu veux peut-être dire jamais ? Tes câbles de batterie sont tout rouillés.

— Qu'est-ce que ça veut dire ? dit-elle en se rapprochant de lui pour glisser sa tête sous le capot. Tu peux le réparer ?

— Oui…

Il tourna le visage vers elle. Troublé par ses yeux de velours bruns, il perdit ses repères, l'espace d'un instant.

— Qu'est-ce qu'il y a ? s'étonna-t-elle.

La chaleur de son haleine vint se fondre sur sa bouche.

— Quoi ? répéta-t-il.

Qu'est-ce qu'il lui prenait ? Il se recula pour sortir de la zone de risques.

— Ce que… ce que je peux faire, c'est recharger la batterie pour que tu puisses rentrer chez toi.

— D'accord. C'est une bonne nouvelle.

— Ensuite, il faut que tu prennes rendez-vous pour un contrôle.

— Pas de problème. Demain. À la première heure. Promis.

Sa voix grelottante lui rappela qu'il faisait froid.

— Rentre dans la voiture. Je m'en charge. Ne démarre pas le moteur, ne touche à rien tant que je ne t'ai pas fait signe.

Il gara sa voiture face à la sienne. Comme il sortait ses câbles, elle descendit de son auto et vint le rejoindre.

— Je veux voir comment tu t'y prends. Au cas où j'aurais un jour à le faire.

— D'accord. Câbles. Batterie. Ici, la borne positive. Là, la borne négative. Il est préférable de ne pas les confondre, parce que si tu les branches mal...

Il fixa un câble à la batterie, puis se mit à pousser un cri étouffé en gesticulant. Au lieu de hurler, Emma s'esclaffa et lui claqua le bras.

— Idiot ! J'ai des frères, j'ai l'habitude de ces petits jeux.

— Tes frères auraient dû t'apprendre à recharger une batterie de voiture.

— Ils ont probablement essayé sans grand succès. J'ai les mêmes câbles dans le coffre, avec d'autres outils de dépannage. Inutile de te dire qu'ils ne m'ont jamais servi. Le tien est plus propre que le mien, acheva-t-elle en reluquant son moteur.

— Je suis à peu près sûr que même le gouffre de l'Enfer est plus propre que ton moteur.

Elle pouffa de rire.

— Maintenant que je l'ai vu de mes yeux, je ne peux pas nier !

— Monte dans la voiture, amorce le contact. S'il démarre, ne l'éteins surtout pas.

— Compris.

Une fois au volant, elle croisa les doigts et tourna la clef. Le moteur crachota, toussota, crissa – ce qui fit grimacer

42

Jack –, puis reprit vie dans un grondement. Elle passa la tête par la fenêtre, l'air ravie.

— Ça a marché !

L'idée – saugrenue – lui traversa l'esprit qu'avec un tel pouvoir de séduction, son sourire aurait pu ranimer des centaines de batteries mortes.

— Laissons la batterie se recharger quelques minutes ; ensuite je t'escorte jusque chez toi.

— Ne te sens pas forcé ! Ça t'oblige à faire un grand détour.

— Je te suis. Comme ça, je serai sûr que tu ne cales pas en route.

— Merci, Jack ! Sans ton intervention inopinée, j'aurais pu rester coincée ici toute la nuit. Je me maudissais d'être allée à cette fichue soirée. Moi qui voulais juste paresser devant un film et me coucher tôt !

— Dans ce cas, pourquoi tu y es allée ?

— Parce que je suis faible, rétorqua-t-elle avec un haussement d'épaules. Sam refusait d'y aller seul. Et puis j'aime bien les fêtes. Je me suis dit que ça ne me tuerait pas d'y faire un saut pour le voir.

— Ouais. Comment ça s'est fini entre la blonde et lui ?

— Comment ça ?

— La blonde que tu lui as refourguée.

— Je ne lui ai « refourgué » personne, contesta-t-elle, le regard fuyant, avant de se raviser. D'accord, j'admets, mais seulement parce que je pensais qu'ils accrocheraient. Ce qui a été le cas. Cette BA aurait largement justifié ma sortie de ce soir. Sauf que j'ai fini sur le bord de la route. C'est plutôt injuste. Et assez embarrassant puisque tu avais remarqué mon manège.

— Au contraire, tu m'as impressionné. Je vais retirer les câbles. Voyons voir si la batterie tient le coup. Si c'est le cas, attends que je sois dans ma voiture pour partir.

— D'accord, acquiesça-t-elle. Jack ? Je te dois une fière chandelle.

— Ça, c'est sûr, lança-t-il en s'éloignant, un sourire aux lèvres.

Comme le moteur d'Emma continuait de ronronner, il rabattit les deux capots. Une fois les câbles jetés dans le coffre, il s'installa à son volant et lui fit des appels de phares pour qu'elle reprenne la route.

En la suivant à travers la neige fine, il s'efforça de ne pas repenser à l'instant où, à l'abri du capot, il avait senti son souffle chaud lui effleurer les lèvres.

Une fois parvenue au chemin privé de la propriété des Brown, Emma donna un gentil coup de klaxon. Il ralentit jusqu'à l'arrêt pour regarder les feux arrière de sa voiture luire dans la nuit, puis disparaître au tournant de la maison d'amis.

Il resta encore un peu sur le bord de la route, dans le noir, avant de faire demi-tour pour rentrer chez lui.

Emma jeta un coup d'œil au rétroviseur : Jack s'était arrêté au bout de l'allée. Elle hésita. Peut-être qu'elle aurait dû lui proposer de venir prendre un café.

Elle aurait dû – c'était la moindre des choses – mais maintenant c'était trop tard. Et c'était mieux comme ça. Sans regrets.

Pas très prudent de recevoir seule, chez soi, en pleine nuit, un vieil ami de la famille. Un ami pour qui on entretenait une flamme secrète et qui, sur votre baromètre du désir, décrochait un dix détonnant. Surtout quand votre cœur chavirait à la seule pensée de cet instant grotesque, sous le capot d'une voiture, où vous aviez failli vous ridiculiser en tentant une approche. Ça serait comme jouer avec le feu.

Si seulement elle pouvait tout raconter à Parker, à Laurel ou à Mac – mieux encore : aux trois ! Mais, là aussi, ce serait délicat. Il y avait des choses qu'on ne partageait pas, même avec les meilleures amies. Sans compter que Mac et Jack avaient sans doute fricoté ensemble à une époque.

En fait, Jack avait dû fricoter avec pas mal de femmes.

Rien de mal à ça, se dit-elle en garant la voiture. Elle-même aimait la compagnie des hommes. Elle aimait les plaisirs de la chair. Parfois, l'un entraînait l'autre. En outre, comment trouver l'homme de sa vie sans le chercher activement ?

Elle coupa le moteur, se mordilla la lèvre, et l'enclencha de nouveau. Il émit une série de sons étranges, indécis, puis partit dans une pétarade.

C'était sans doute bon signe, décida-t-elle avant de couper le contact. Elle déposerait quand même la voiture au garage – dès que possible – et demanderait des conseils en mécanique à Parker. Car Parker savait tout.

Une fois rentrée, elle dégota une bouteille d'eau qu'elle monta dans sa chambre. Grâce à Sam et à cette fichue batterie, elle avait manqué le couvre-feu de vingt-trois heures qu'elle s'était imposé. Au moins, elle serait au lit pour minuit. Donc pas d'excuse pour manquer le cours de gym matinal du lendemain. Pas d'excuse, se sermonna-t-elle.

Elle déposa la bouteille sur sa table de chevet, à côté du petit vase de freesias, et commença à se dévêtir. Alors seulement, elle se rendit compte qu'elle portait toujours la veste de Jack.

— Zut !

Le vêtement sentait si bon. Le cuir et le parfum de Jack. Ce parfum-là risquait de lui faire passer une nuit mouvementée. Elle posa la veste sur le dossier d'une chaise. Elle allait devoir la lui rendre – mais elle s'en soucierait plus tard.

Peut-être qu'une des filles avait prévu d'aller en ville ? Dans ce cas-là, elle pourrait déposer la veste en passant. Ce n'était ni par lâcheté ni par couardise, mais par souci d'efficacité.

Non, cela n'avait rien à voir avec de la lâcheté. Elle rencontrait Jack tout le temps. *Tout* le temps. Quel intérêt de faire le trajet juste pour ça si quelqu'un d'autre avait déjà prévu de faire le déplacement ? Et puis, il avait sûrement une autre veste. Ce n'était pas comme s'il avait besoin de celle-ci en particulier dans la seconde. S'il y tenait tant, pourquoi ne pas l'avoir récupérée sur-le-champ ? Après tout, c'était sa faute.

Et ne s'était-elle pas dit qu'elle s'en soucierait plus tard ? Elle revêtit une nuisette et s'enferma dans la salle de bains pour procéder à son rituel du soir. Peau démaquillée, tonifiée et hydratée ; cheveux démêlés et dents brossées. D'habitude, cette cérémonie, dans sa jolie salle de bains, réussissait à la détendre. Elle raffolait de sa baignoire ancienne et de la peinture aux teintes joyeuses, de l'étagère chargée de bouteilles d'un vert pastel où elle disposait des fleurs au gré des saisons.

De petites jonquilles, pour célébrer le printemps. Mais ce soir-là, leur air joyeux semblait lui rire au nez. Dans un geste d'énervement, elle éteignit les lumières.

Le rituel consistait ensuite à débarrasser du lit la montagne de coussins. Elle se glissa sous la couette et se blottit dans les draps soyeux, se délectant de leur contact sur sa peau. Le parfum délicat des freesias emplissait l'air, et…

Mince ! L'odeur de la veste lui chatouillait encore les narines.

Et alors ? Elle fantasmait sur le meilleur ami du frère de sa meilleure amie ? Ce n'était pas un crime. Fantasmer, c'était tout à fait normal et convenable. En fait, fantasmer, c'était une bonne chose ; c'était sain. Elle *aimait* fantasmer !

Pourquoi une femme normalement constituée ne pourrait-elle pas fantasmer sur un beau gosse sexy, au corps de rêve, aux yeux de brume ? Elle serait folle de rester de marbre devant son charme. D'accord, passer à l'acte serait pure folie, mais rien ne l'empêchait de rêvasser.

Comment aurait-il réagi si elle avait franchi les quelques centimètres qui les séparaient, sous le capot, et l'avait embrassé ? La réponse était simple : c'était un homme. Il lui aurait rendu son baiser dans la foulée, pensa-t-elle. Et enlacés, ils se seraient dévorés sur le bord de la route sous la fine pluie de neige. La chaleur de leurs corps, leurs cœurs battant la chamade, la neige les encerclant, et...

Non, non, et non ! Voilà qu'elle se mettait à idéaliser la scène. Il fallait toujours que ses fantasmes prennent une tournure romantique. C'était ça, son problème. Et à l'origine, sans aucun doute, la merveilleuse histoire d'amour de ses propres parents. Comment ne pas vouloir la reproduire ?

Oublie tout de suite, s'intima-t-elle. Pas de fin joyeuse avec Jack. Pas de « ils vécurent heureux et eurent beaucoup d'enfants ». Contente-toi de fantasmer.

Ils auraient donc mêlé la chaleur de leurs corps sur le bord de la route. Mais une fois la fougue du baiser enflammé passée, ils se seraient sentis mal à l'aise. Puis ils auraient eu à se présenter des excuses, ou bien ils auraient tenté de plaisanter. Tout aurait été étrange et forcé.

Quoi qu'il en soit, il était trop tard pour les fantasmes. Ils étaient amis, presque comme frère et sœur. Pas question de flirter avec un ami ou un frère. Elle était mieux, bien mieux, même, seule. Elle garderait son fantasme pour elle et continuerait sa quête. Sa quête du grand amour.

Le genre d'histoire qui durait toute une vie.

3

La mort dans l'âme, Emma se traîna jusqu'à la salle de gym, aménagée dans le bâtiment principal. L'agencement de la pièce reflétait l'incontestable bon goût de Parker, ainsi que son indéniable sens pratique. Deux qualités qui irritaient Emma.

CNN en arrière-fond sur l'écran plat, son casque sur la tête, Parker accumulait les kilomètres au compteur du vélo d'intérieur.

À la vue de l'appareil de fitness, Emma fit une grimace. Elle retira son sweat-shirt et tourna le dos à la machine et au vélo. Elle bouda également la rangée d'haltères et l'étagère remplie de DVD où des entraîneurs allègres torturaient les spectateurs avec leurs séances de yoga, de Pilates, ou de tai-chi.

Elle préféra dérouler un tapis de sol, où elle s'assit avec l'intention de s'échauffer, mais elle se contenta de rester allongée.

— Bonjour, lança Parker en jetant un coup d'œil vers elle sans interrompre son rythme respiratoire. Tu t'es couchée tard ?

— Ça fait longtemps que tu t'escrimes sur cette chose ?

— Tu veux la place ? J'ai presque fini. J'en arrive à la phase de décélération.

— Je déteste cette salle. Sol reluisant et peintures gaies ou pas, une chambre de torture reste une chambre de torture.

— Tu te sentiras mieux après deux ou trois kilomètres.

— Pourquoi ? lança Emma, toujours allongée sur le ventre, dans un geste d'abandon. Qui a soudain décrété qu'il est vital de courir chaque jour pendant des bornes, ou que se contorsionner dans toutes sortes de positions douloureuses était bon pour la santé ? Sans doute ceux qui vendent ces horribles machines, et tous ceux qui créent d'adorables petits ensembles de gym – comme celui que tu portes.

Emma lorgna la tenue de Parker, un pantacourt bleu ardoise flanqué d'un top rose et gris vif.

— Combien d'ensembles de cet acabit as-tu dans ta garde-robe ?

— Des milliers, rétorqua sèchement Parker.

— Tu vois. Et si on ne t'avait pas convaincue qu'il fallait courir pendant des heures ou t'agiter – tout en flattant le regard –, tu n'aurais sûrement pas dépensé autant d'argent dans d'adorables petits ensembles. Tu l'aurais plutôt investi dans des causes louables.

— Mais ce pantalon de yoga me fait un superbe derrière.

— Je ne dirai pas le contraire. Malheureusement, je suis la seule à en profiter. Alors à quoi bon ?

— Jouissance personnelle.

Parker ralentit, puis s'arrêta. Elle quitta la machine d'un bond, et dénicha une lingette alcoolisée pour nettoyer l'engin.

— Qu'est-ce qui t'arrive, Emma ?

— Je te l'ai déjà dit : je déteste cette salle et tout ce qu'elle représente.

— J'avais compris. Mais tu es irascible, ce qui est très rare.

— Je ne suis pas plus irascible qu'une autre.

— Faux, contredit Parker qui s'épongea le visage et but une gorgée d'eau minérale. Tu es quasiment tout le temps de bonne humeur, optimiste et bonne pâte, même quand tu te plains.

— Vraiment ? Bon sang, je dois vous taper sur les nerfs à la longue !

— Très rarement.

Parker se harnacha à l'appareil de fitness et commença à travailler son buste. Elle avait l'air de faire ça les doigts dans le nez. Emma, elle, savait que l'exercice était loin d'être facile. Prise d'une nouvelle bouffée d'animosité, elle se redressa.

— C'est vrai, je suis irascible aujourd'hui. Une véritable boule de nerfs. La nuit dernière…

Elle s'interrompit quand Laurel apparut, les cheveux noués, son corps svelte vêtu d'une brassière de sport et d'un short de cycliste.

— Je coupe CNN, déclara-t-elle. Que ça vous plaise ou non.

Elle piqua la télécommande et éteignit la télé pour lancer un morceau de hard rock qui martela les enceintes.

— Baisse le volume, au moins, l'enjoignit Parker. Emma est sur le point de nous expliquer pourquoi elle en veut au monde entier ce matin.

— Emma n'en veut jamais à personne, rétorqua Laurel qui prit un tapis de sol et le déroula. C'est agaçant, d'ailleurs.

— Tu vois, répliqua Emma, qui décida que, quitte à être allongée par terre, autant faire des étirements. Mes meilleures amies ! Et toutes ces années vous m'avez laissée agacer mon entourage.

— Il n'y a sûrement que nous que ça énerve, argumenta Laurel, tandis qu'elle commençait une série d'abdos. C'est avec nous que tu passes la majeure partie de ton temps.

— Ce n'est pas complètement faux. Dans ce cas, allez vous faire voir. Mince alors ! Vous faites vraiment ces exercices tous les jours, vous deux ?

— Parker, oui, parce que c'est une maniaque. Quant à moi, je viens trois fois par semaine. Parfois quatre si je suis particulièrement en forme. D'habitude, aujourd'hui, c'est repos, mais j'ai trouvé une idée de pâtisserie pour la mariée geignarde et ça m'a boostée.

— Quelque chose que tu pourrais me montrer ? demanda Parker sur un ton persuasif.

— Tu vois ? Une maniaque, insista Laurel. Plus tard. Pour l'heure, j'ai envie d'entendre l'histoire d'Emma l'irascible.

— Comment arrivez-vous à faire de telles prouesses ? aboya Emma. C'est comme si on vous tirait vers le haut à l'aide d'un fil invisible.

— Des abdos en béton, chérie.

— Je vous déteste.

— On ne peut pas t'en vouloir. Dis-moi, irascible rime habituellement avec homme, déduisit Laurel. J'exige donc des détails.

— Eh bien…

— Houla ! Que se passe-t-il ici ? Un rassemblement général au club de gym Brown ? interrompit Mac qui entrait, laissant tomber son sweat-shirt à capuche.

— C'est le jour des calendes grecques, apparemment, répliqua Laurel qui s'était arrêtée en pleine action. Qu'est-ce que tu fiches dans cette salle ?

— Figure-toi que ça m'arrive de temps à autre.

— Tu veux dire que ça te prend de regarder une photo de la salle de gym. Comme ça, tu as l'impression d'avoir fait de l'exercice ?

— J'ai pris de nouvelles résolutions. Pour mon bien-être physique.

— De qui te moques-tu ? répondit Laurel avec un sourire.

— D'accord, j'ai menti. Je suis à peu près certaine de porter une robe bustier pour mon mariage. Je veux des épaules et des bras qui en jettent.

Elle se tourna vers la glace.

— C'est déjà pas mal, je vous l'accorde. Toutefois, je peux encore m'améliorer. Zut ! Voilà que je parle comme une de ces mariées chipoteuses et obsédées, ajouta-t-elle avec un soupir en enlevant son bas de jogging. Je me fais horreur.

— Oui, mais tu seras une mariée chipoteuse et obsédée à qui sa robe ira à merveille, rétorqua Parker. Tiens, tu vois ce que je fais ?

— Pour voir, je le vois, mais j'ai comme l'impression que ça ne va pas me plaire, dit Mac, le visage renfrogné.

— Contente-toi de trouver un rythme régulier. Je vais légèrement réduire le niveau de résistance.

— Tu sous-entends que je suis une femmelette ?

— Je vais au-devant du drame. Si tu commençais à mon niveau, tu passerais la journée de demain à geindre de douleur. N'oublie pas que je m'entraîne trois fois par semaine.

— C'est vrai que tu as des épaules toniques. Et je ne parle pas des bras.

— Et des fesses incroyables dans ce pantalon, d'après une certaine source d'autorité. Voilà, garde un rythme lent et régulier. Trois séries de quinze, annonça Parker, tapotant Mac. Bon, espérons qu'on ne soit pas encore interrompues. Emma, tu as la parole. Si tu t'es levée du mauvais pied, ce matin, c'est parce que… ?

— La nuit dernière, j'ai fait un saut chez Adam et Vicki – les MacMillian –, une décision de dernière minute. J'avais eu une journée chargée, et rebelote le lendemain – aujourd'hui. Ça s'était très bien terminé avec ma dernière cliente. J'ai pris le temps de rédiger les contrats et de revoir mes notes. Puis j'ai opté pour un dîner léger, un film, et hop, au lit.

— Quel est celui qui t'a convaincue de sortir ? demanda Mac, que la première série d'exercices avait renfrognée.

— Sam.

— Sam, intervint Laurel, le fou d'informatique sexy avec ses lunettes à la Buddy Holly ?

— Non, corrigea Emma. Tu confonds avec Ben. Sam, c'est le publicitaire au sourire radieux.

— Que tu ne voulais plus fréquenter ? précisa Parker.

— Oui. Sauf que ça n'était pas exactement un rencard. J'ai décliné l'invitation à dîner et j'ai pris ma propre voiture. Mais… j'admets, j'ai dit oui pour la fête. Je devais le retrouver là-bas.

» Il y a deux semaines, je lui ai dit de but en blanc que je ne coucherais jamais avec lui, mais il n'a pas eu l'air de me croire. Heureusement, Addison s'est trouvée là – une cousine au troisième degré, du côté de mon père. C'est une fille super, tout à fait son genre. Donc, j'ai pu les présenter, et ça s'est bien passé.

— On devrait proposer un forfait « rencontres amoureuses » chez Vœux de Bonheur, suggéra Laurel qui étirait maintenant le bas du corps. Même en se contentant de caser les gars qu'Emma a envoyés promener, il y aurait moyen de doubler notre chiffre d'affaires.

— Je n'envoie promener personne ! Je réoriente, c'est différent. Bref, revenons-en à nos moutons. Jack était là.

— Notre Jack ? demanda Parker.

— Oui, comme un cadeau du ciel, vous allez comprendre pourquoi. J'ai mis les voiles de bonne heure. À mi-trajet, la voiture claque. Crachotements, toussotements, et puis plus rien. Il neige, il fait nuit noire. Je gèle sur place, et ce segment de la route est bien évidemment désert.

Comme les exercices de jambes de Laurel paraissaient plutôt supportables, Emma se mit à l'imiter.

— Il faudrait vraiment que tu te fasses installer le GPS, lui conseilla Parker. Je vais me renseigner pour toi.

— C'est un peu flippant, non ? Qu'on puisse te localiser n'importe où, n'importe quand. Je suis sûre qu'en plus tu es sur écoute, même pas besoin d'appuyer sur le bouton, affirma Mac qui en était à sa troisième série.

— C'est sûr. Ça leur plaît d'entendre les gens chanter faux au son de la radio, ironisa Parker. Le rayon de soleil de leur sombre journée. Donc qui as-tu appelé à ta rescousse ?

— Je n'ai pas eu à lever le petit doigt. Jack est apparu avant même que je ne sorte mon téléphone. Il jette un œil à la voiture, localise le problème, recharge la batterie. Oh, il m'a aussi prêté sa veste, que j'ai oublié de lui rendre. En guise de soirée pépère, je me retrouve à esquiver les lèvres de Sam, tenter de le recaser, pour finir frigorifiée sur le bord de la route. Tout ce que je voulais, c'était une bonne grosse salade et une comédie romantique. Et maintenant, il faut que je dépose ma voiture au garage, et que je fasse un saut chez Jack pour lui rendre sa veste. Je ne suis pas dans mon assiette. Pas la force de le faire. Donc, si je me suis levée du mauvais pied, c'est…

Elle hésita légèrement, roulant sur le flanc opposé pour étirer l'autre jambe.

— J'ai mal dormi. Je me faisais du mouron pour le boulot. Et je me suis maudite d'avoir accepté de sortir.

Elle expira.

— Évidemment, maintenant que je le raconte, ça n'a pas l'air si terrible.

— Tomber en panne, c'est toujours la poisse. Alors tomber en panne en pleine nuit, sous la neige, il y a de quoi péter les plombs. Tu as le droit d'en vouloir au monde entier.

— Jack ne s'est pas gêné pour me remonter les bretelles. Le pire, c'est qu'il a raison. Je n'ai jamais fait réviser la voiture. Ça m'a énervée, mais il m'a sauvé la mise. Et il m'a prêté sa veste. Et m'a escortée jusqu'à la maison pour s'assurer que j'arriverais sans encombre. Bref, maintenant c'est du passé. Je dois m'occuper de faire réviser la voiture. Je pourrais évidemment demander à un de mes frères de s'en occuper. Mais je n'ai pas envie d'un autre sermon, comme quoi je néglige ma voiture. Donc, Parker, je t'écoute. Où me conseilles-tu de l'apporter ?

— Moi je sais ! s'écria Mac, essoufflée, en arrêtant ses mouvements. Tu devrais l'apporter au type qui avait remorqué la voiture de ma mère, l'hiver dernier. Celui que Del aime bien. C'est simple, qu'un homme ait le cran de dire à ma mère de fermer son clapet quand elle se met à pester, et je le porte dans mon cœur à jamais.

— Je suis tout à fait d'accord, approuva Parker. Et c'est vrai qu'il bénéficie de l'approbation de Delaney Brown. Del est un vrai maniaque dès lors que ça touche à sa voiture. Le garage Kavanaugh. Je te transmettrai les coordonnées.

— Malcolm Kavanaugh, le proprio, ajouta Mac. Très sexy.

— Vraiment ? Eh bien, je vais essayer de prendre rendez-vous pour la semaine prochaine. En attendant, quelqu'un va-t-il en ville, près du bureau de Jack ? Je suis coincée ici toute la journée.

— Tu n'auras qu'à lui rendre sa veste samedi, suggéra Mac. Il est sur la liste des invités de la soirée.

— Ah, d'accord. Puisque je suis ici, autant transpirer un peu, ajouta-t-elle en lançant un regard de dégoût au vélo.

— Et moi ? demanda Mac. J'ai une silhouette de rêve, ça y est ?

— La métamorphose est saisissante. On passe aux haltères, ordonna Parker. Je te montre l'exemple.

Sur le coup de neuf heures, Emma, douchée et habillée, était installée devant son plan de travail, au beau milieu des fleurs. Elle n'aurait pas souhaité être ailleurs.

Pour célébrer les noces d'or de leurs parents, les clients avaient expressément demandé à Emma de reproduire un décor identique à celui de leur mariage et de la réception en plein air qui avait suivi, cinquante ans auparavant.

Sur un tableau, elle avait épinglé des doubles de leurs photos de mariage. Elle y avait ajouté des croquis et des diagrammes de son cru, une liste de fleurs, d'accessoires et de récipients. Sur un autre tableau, elle avait accroché l'esquisse du gâteau que Laurel avait conçu. Une pièce montée sur trois niveaux d'une élégante simplicité, cerclée de jonquilles jaune vif et de tulipes rose pastel. À côté, une photo des garnitures commandées par la famille. Des figurines représentant le couple, le jour de leur mariage, jusqu'au détail de la jupe dentelée de la mariée.

Cinquante ans de vie commune, songea-t-elle, plongée dans l'étude de la photo. Tant de jours et de nuits, de Noëls et d'anniversaires. De naissances, de morts, de chamailleries et de fous rires. C'était plus romantique encore que les châteaux des contes de fées. Elle allait faire renaître le jardin de leur jeunesse.

Elle commença par les jonquilles, qu'elle mit en pot, et qu'elle agrémenta de tulipes, de jacinthes et de narcisses. Çà et là, elle ajouta des traînées de pervenches. Chargeant alors une brouette, elle fit une douzaine d'allers-retours à la chambre climatique.

Elle mélangea terreau et eau qu'elle vida dans de gros pots cylindriques en verre. Elle dénuda les tiges, les élagua, les passa sous le robinet, avant de se consacrer aux pieds d'alouettes, aux giroflées et aux mufliers ; puis vint le tour des gypsophiles paniculées et des fougères *plumosus*. Un mélange de coloris doux et vifs. Afin de créer l'illusion d'un jardin de printemps, elle les arrangerait à différentes hauteurs.

Les minutes s'écoulaient comme des secondes. Une courte pause lui permit de relâcher la tension dans ses épaules, de s'étirer le cou et les doigts. Saisissant la mousse florale, elle l'enveloppa de fleurs de citronnier afin de créer un socle qu'elle vaporisa d'un peu d'éclat pour feuilles, pour les vernir.

Puis elle rassembla quelques roses pour le bouquet de la mariée, ôta les épines à l'aide d'un sécateur, s'entailla les mains – se retint de jurer –, puis élagua les fleurs dans la longueur pour faire une cinquantaine de bouquets identiques à celui de la mariée un demi-siècle plus tôt.

Elle commença par le centre du socle en mousse, s'appliquant à figer chaque tige à l'aide de ruban adhésif. Dénuder, élaguer, ajouter. Elle put apprécier le choix de différents coloris de roses fait par la mariée. Une fois le socle placé dans le grand vase en verre, elle trouva cela charmant.

— Plus que quarante-neuf !

Tout d'abord une pause ; ensuite seulement, elle s'y remettrait.

Une fois les déchets végétaux jetés au compost, elle essaya de retirer les traces de verdure incrustées sous ses ongles en se récurant les mains dans l'évier.

En guise de récompense pour cette matinée de travail ardu, elle s'offrit une salade de pâtes arrosée d'un soda qu'elle alla déguster sur le patio attenant à la maison. Son jardin n'était rien en comparaison de celui qu'elle était en train de créer. Mais, pour sa défense, l'heureux couple s'était marié en Virginie du Sud. « Qu'on me donne quelques semaines », songea-t-elle. Le spectacle des bulbes printaniers en plein déploiement et du feuillage réconfortant des arbres vivaces la fit sourire.

La neige de la nuit précédente n'était plus qu'un mauvais souvenir. Le thermomètre était au beau fixe et le ciel d'un bleu azur.

Sur une terrasse attenante au bâtiment principal, elle repéra Parker au milieu d'un groupe de clients potentiels. Avec de grands gestes, elle pointait la pergola et la tonnelle à roses. Aux clients d'imaginer les roses foisonnantes, la glycine luxuriante. Toutefois, les vases de pensées et de pervenches officinales qu'elle avait composés faisaient très bonne figure, Emma n'en doutait pas. Auprès de l'étang, orné çà et là de nénuphars, les saules commençaient à bourgeonner.

Les futurs mariés auraient-ils à leur service une fleuriste affairée qui leur confectionnerait une cinquantaine de bouquets pour célébrer leur anniversaire de mariage ? Emma s'interrogeait. Auraient-ils des enfants, des petits-enfants et des arrière-petits-enfants les aimant assez pour leur faire cadeau d'une telle fête ?

Dans un grognement de douleur due aux courbatures de la gym, elle souleva ses jambes pour les poser sur la chaise d'en face, offrit son visage au soleil et ferma les yeux. Elle renifla l'odeur de la terre et du paillis qui la couvrait. Un oiseau gazouillait non loin d'elle.

— Ça bosse dur, à ce que je vois.

Elle sursauta – s'était-elle endormie ? – et cligna des yeux en découvrant Jack penché au-dessus d'elle. Le cerveau encore engourdi, elle l'observa piquer une nouille dans son assiette et la porter à sa bouche.

— Pas mauvais. Il t'en reste un peu ?

— Quoi ? Nom de Dieu ! s'écria-t-elle dans un élan de panique, avant de regarder sa montre, puis de pousser un soupir de soulagement. J'ai dû m'assoupir – l'espace de quelques minutes. J'ai encore quarante-neuf bouquets à composer.

— Vous préparez une cérémonie pour quarante-neuf mariées ? dit Jack, sur un ton railleur, les sourcils froncés, le regard ténébreux.

— Euh, non, répondit-elle en secouant la tête pour s'éclaircir l'esprit. Nous célébrons des noces d'or. Pour chaque année de mariage, une reproduction du bouquet de la mariée. Qu'est-ce qui t'amène ?

— Je viens récupérer ma veste.

— Ah, bien sûr. J'ai oublié de te la rendre hier soir. Désolée.

— Il n'y a pas mort d'homme. J'avais un rendez-vous dans les parages, répondit-il en prenant une autre nouille. Il t'en reste un peu ? Je n'ai pas eu le temps de déjeuner.

— Oui. Je te dois bien ça. Assieds-toi. Je vais te chercher une assiette.

— Adjugé. En passant, je n'aurais rien contre une dose de caféine. Chaude ou froide.

— Pas de souci, acquiesça-t-elle en rejetant une mèche rebelle. Tu n'as pas vraiment l'air en forme, hasarda-t-elle après l'avoir observé de plus près.

— J'ai eu une matinée éprouvante. Et un autre chantier à voir dans environ trois quarts d'heure. Tu te trouvais à mi-chemin…

— Tu as bien fait. Attends, j'en ai pour une minute.

Ce n'était pas la grande forme. Il étira les jambes. Non pas à cause du travail, ni même de l'inspecteur casse-pieds qui avait croisé son chemin ce matin-là. Un incident qu'il aurait mieux géré s'il n'avait pas passé une nuit blanche.

À se tourner et se retourner dans son lit tout en s'efforçant de ne pas penser à une certaine jeune femme aux yeux bruns. Il y avait de quoi être épuisé.

Évidemment, il fallait qu'il soit bien stupide – et masochiste aussi – pour passer par là avec l'excuse de la veste. Elle était sexy en diable quand elle dormait au soleil. Qui l'eût soupçonné ?

Lui. À présent. Ça n'allait pas apaiser ses nuits. Il fallait penser à autre chose. Peut-être qu'un rencard avec une blonde ou une rouquine l'aiderait. Disons plutôt plusieurs rencards avec plusieurs blondes et plusieurs rouquines. Jusqu'à ce qu'il arrive à réinscrire Emma sur la liste des proies interdites. À laquelle elle appartenait.

Elle réapparut, la veste dans une main, un plateau dans l'autre. Elle était d'une beauté à laisser un homme sans voix. Quand elle souriait, comme elle le faisait à présent, il sentait une décharge électrique lui traverser le corps. Il tenta de se représenter mentalement un panneau d'interdiction.

— Il me reste un peu de pain aux olives que ma tante Terry a fait. C'est délicieux. Et j'ai opté pour le café froid.

— Ça fera l'affaire. Merci.

— De rien. C'est sympa d'avoir de la compagnie pendant ma pause, répliqua-t-elle en s'asseyant. Tu travailles sur quoi ?

— Tu avais raison. Ce pain est un délice.

— Recette top secret de Tante Terry. Tu disais que tu surveillais un chantier dans les parages ?

— Plusieurs en fait. Celui où je vais après est interminable. Au départ, il y a deux ans, la cliente avait signé pour une rénovation de la cuisine. Puis ça s'est transformé en réfection complète de la salle de bains, équipée maintenant d'une baignoire japonaise, d'un jacuzzi et d'une douche à vapeur pour six personnes.

Elle haussa les sourcils et prit une bouchée de nouilles.

— La classe.

— Je m'attends presque à ce qu'elle me demande d'agrandir encore la maison pour couvrir la piscine en longueur. Enfin, pour le moment, elle s'est mis en tête qu'il lui fallait une cuisine d'été près de la piscine. Elle est tombée sur une photo dans un magazine, et elle ne peut plus vivre sans.

— Qui le pourrait ? ironisa Emma.

Jack sourit.

— Elle a vingt-six ans. Son mari cinquante-huit. Il roule sur l'or et cède volontiers à tous ses caprices. Elle fait *beaucoup* de caprices.

— Je suis sûre qu'il l'aime. S'il a les moyens de la rendre heureuse, pourquoi s'en priver ?

— Moi, ça me va, rétorqua Jack avec un haussement d'épaules. Ça subventionne mon stock de nachos et de bières.

— Quel cynique tu fais ! s'écria-t-elle en le pointant avec sa fourchette avant d'embrocher une nouvelle portion de nouilles. Pour toi, ce n'est qu'une bimbo que le mari, un crétin d'âge mûr, trimballe comme un trophée de chasse.

— C'est probablement ce que pense son ex-femme. Pour ma part, ce sont juste des clients.

— La différence d'âge ne devrait pas entrer en ligne de compte quand il s'agit de mariage ou d'amour. L'important, c'est ce qu'ils ressentent l'un pour l'autre. Peut-être qu'elle lui donne l'impression d'avoir de nouveau vingt ans, et qu'elle a réveillé en lui un sentiment enfoui. Si c'était juste une histoire de sexe, pourquoi l'aurait-il épousée ?

— Sans vouloir entrer dans les détails, une femme de son genre possède des arguments très persuasifs.

— Peut-être bien. Cependant, nous avons célébré beaucoup de cérémonies ici, où la différence d'âge était considérable.

Il remua sa fourchette, puis embrocha une portion de nouilles.

— Une cérémonie n'est pas un mariage.

Elle se renversa sur sa chaise et tambourina des doigts d'un geste nerveux.

— D'accord, tu as raison. Mais la cérémonie est un prélude, c'est un rite qui marque le début symbolique du mariage, donc…

— Ils se sont mariés à Las Vegas, l'interrompit-il tout en continuant à manger.

Se retenant de rire, il observa la réaction d'Emma.

— Beaucoup de couples se marient à Las Vegas. Ça ne veut pas dire pour autant qu'ils ne passeront pas de longues et heureuses années ensemble.

— C'est un travesti se prenant pour Elvis Presley qui les a mariés.

— Tu me fais marcher ! Et même si tu disais vrai, ce genre de… détails prouve que les mariés ont un certain sens de l'humour, ce qui constitue un élément essentiel à la réussite d'un mariage.

— Tu as le sens de la repartie. Et, soit dit en passant, tes nouilles sont excellentes.

Il jeta un coup d'œil en direction de Parker, qui était assise sur la grande terrasse avec des clients.

— On dirait que les affaires marchent.

— Cinq événements cette semaine sur place, et un enterrement de vie de jeune fille à l'extérieur.

— Je serai de la partie pour l'événement de samedi soir.

— Parmi les amis de la mariée ou du marié ?

— Du marié. La mariée est un vrai tyran.

— C'est bien vrai, acquiesça Emma avant d'éclater de rire. Elle m'a apporté une photo du bouquet de mariée de sa meilleure amie. Non pas parce qu'elle voulait le même. Son bouquet est d'un style très différent. Cependant, elle avait compté les roses et m'a expressément demandé de rajouter à son propre bouquet une fleur supplémentaire – en m'avertissant qu'elle les compterait !

— Fais-lui confiance, elle le fera. Et quel que soit le degré de perfection de ton travail, elle trouvera toujours une faille, tu peux me croire.

— Oui, je m'en doute. Ça fait partie de mon boulot. Bon, j'arrête de parler de cette chipie. La journée est trop belle pour la gâcher stupidement.

Elle était sincère. Elle semblait décontractée, et elle rayonnait. Comme toujours.

— Elle est trop belle parce que tu as cinquante bouquets à confectionner ?

— D'une part, et d'autre part parce que celle qui fête ses noces d'or va adorer mon travail, je le sais. Cinquante ans de mariage. Tu t'imagines ?

— Absolument pas. Cinq décennies, pour moi c'est inimaginable.

— Quand tu construis un bâtiment, tu dois bien te projeter cinquante ans plus tard, voire beaucoup plus.

— Tu marques un point. Mais il s'agit d'un édifice.

— Tout comme le mariage. On édifie des vies. Ça requiert du travail, de l'attention, et de l'entretien. Or, comme nous le prouve le couple qui fête ses noces d'or, c'est réalisable. À ce propos, le travail m'appelle. La récréation est finie.

— Pareil pour moi. Laisse-moi t'aider, dit-il en saisissant le plateau comme ils se levaient. Au fait, tu travailles en solo aujourd'hui ? Où sont passés tes elfes ?

— Ils seront là demain. Ça va être un véritable chaos. On commence les préparatifs des fleurs pour les événements du week-end. Aujourd'hui, c'est juste moi, environ trois mille roses, et un silence bienheureux, conclut-elle en lui ouvrant la porte.

— Trois mille ! Tu plaisantes ? Tes doigts vont finir par tomber.

— Mes doigts sont très résistants. Et si besoin est, une de mes copines viendra me donner un coup de main.

Il déposa le plateau sur le bar de la cuisine. Comme toujours, dans l'air de la maison flottait un parfum champêtre.

— Bon courage et merci pour le déjeuner.

— Je t'en prie.

Elle le raccompagna jusqu'à la porte, où il marqua un arrêt.

— Et ta voiture ?

— Oh, Parker m'a filé l'adresse d'un mécano. Le garage Kavanaugh. Je vais le contacter.

— Il fait du bon travail. Ne tarde pas trop à l'appeler. À samedi.

Au volant de sa voiture, il se la représenta parmi ses roses. Assise pendant des heures, à s'imprégner de leur parfum, tandis qu'elle ôtait les épines des tiges, et faisait… toutes ces choses qui allaient avec la confection de bouquets.

Puis il la revit assoupie au soleil, le visage tendu vers le ciel, les yeux clos, les lèvres délicieusement entrouvertes, comme si elle rêvait à quelque chose de très agréable. Sa chevelure relevée en un chignon, des boucles d'oreilles argentées encadrant son visage.

L'idée lui avait alors traversé l'esprit de se baisser pour capturer sa bouche. Il aurait pu faire passer ça sur le ton de la plaisanterie, blaguer sur le thème de la Belle au Bois dormant. Elle avait de l'humour, elle en aurait probablement ri avec lui. En même temps, elle avait aussi son caractère. Elle ne s'emportait pas très souvent, mais elle avait du tempérament.

De toute façon, ça n'avait plus d'importance. Il avait laissé l'occasion lui filer entre les doigts. L'essaim de blondinettes et de rouquines semblait une bien meilleure idée que de passer à l'acte avec Emma. Car les amis sont les amis. Les amants, des amants. Un ami pouvait se transformer en amant, mais le terrain était miné.

Il avait presque atteint le chantier quand il se rendit compte qu'il avait oublié la veste dans le patio.

— Et zut !

Voilà qu'il ressemblait à ces imbéciles qui oublient délibérément quelque chose chez une femme pour y retourner et tenter de conclure. Pourtant ça n'était pas le cas...

Peut-être bien que si, après tout.

4

Samedi. Quatorze heures pétantes. Pour convertir le joyeux décor caribéen du mariage de l'après-midi en ce qu'elle nommait intérieurement le Flamboyant Paris, Emma avait rassemblé ses troupes.

— Tout doit disparaître, annonça-t-elle en se hissant sur la pointe de ses baskets. La mariée veut tout récupérer : vases, corbeilles et milieux de table. Nous allons aider à remballer tout ce que les invités ont épargné. Beach et Tiffany, vous vous occupez de démonter les guirlandes et les festons. Commencez par le portique et ensuite passez à l'intérieur. Tink, tu me suis ; nous allons d'abord transformer le grand salon de réception. Une fois que le portique sera prêt pour la nouvelle déco, qu'on me prévienne. Les suites des mariés ont déjà été réarrangées. La mariée est attendue à quinze heures dans sa suite pour procéder au maquillage, à l'enfilage de la robe et aux photos. Il faut qu'à quinze heures vingt nous ayons terminé l'entrée et le hall. Le grand salon de réception à seize heures. Terrasses, pergola et patios à seize heures quarante-cinq. La salle de bal, à dix-sept heures quarante-cinq. Si vous avez besoin d'aide, n'hésitez pas à m'appeler ou à biper Parker. Au travail !

Emma partit comme une fusée, Tink sur ses talons. On ne pouvait compter sur cette dernière que les deux tiers du temps – c'est-à-dire quand elle le voulait bien. Mais, en contrepartie, Emma n'avait pas à lui répéter deux fois les choses. C'était une fleuriste douée – quand elle le voulait bien. D'une force terrifiante.

Tink était menue et tout en muscles, une chevelure noir de jais coupée à la va-vite et méchée de rose bonbon pour l'effet. Elle se précipita comme une furie sur le manteau de cheminée. Elles démontèrent, emballèrent, traînèrent, soulevèrent et débarrassèrent bougies orange et blanches, guirlandes de bougainvilliers, fougères et palmiers.

Tink fit une bulle avec son chewing-gum et plissa le nez. Le piercing argenté qui s'y trouvait étincela.

— Si on veut se marier avec des palmiers et tout le tra-lala, pourquoi ne pas aller directement à la plage ?

— Si tel était le cas, nous ne toucherions pas d'argent pour créer le décor.

— Tu marques un point.

Quand on lui fit signe que le portique était prêt, Emma déserta le grand salon et sortit. Elle entremêla des kilomè-tres de tulle, pour ensuite en faire des guirlandes, et arran-gea des hectares de roses blanches afin d'accueillir les mariés et leurs invités en grande pompe. Elle substitua aux pots d'hibiscus et d'orchidées bigarrées une énorme vasque blanche contenant une jungle de lilas.

— Mariés n° 1 et tous leurs invités expédiés, lui fit savoir Parker, vêtue d'un tailleur gris d'une élégante sim-plicité, son Blackberry à la main, le bipeur accroché à sa poche et son casque en place. Mon Dieu, Emma, tu fais du bon travail !

— Oui, ça prend forme. Pour commencer, la Mariée tyrannique avait rechigné sur les lilas – une fleur trop simple à son goût – mais j'ai fini par mettre la main sur une photo de composition qui l'a convaincue, expliqua Emma en se reculant pour apprécier son œuvre. Excellent.

— Elle devrait être là dans vingt minutes.

— Nous serons fin prêtes.

Emma fila dans la maison comme une flèche pour demander à Tink et Tiffany de s'occuper de l'escalier. Davantage de tulle et de roses blanches, le tout entrelacé de guirlandes lumineuses ; ajoutez à cela de longs festons de roses suspendus tous les vingt-cinq centimètres. C'était parfait.

— Beach, tu t'occupes des milieux de table. Nous pouvons également commencer à débarrasser les caisses du grand salon.

— Je pourrais éventuellement appeler Carter à la rescousse, intervint Parker en pianotant sur son bipeur. J'avais l'intention de l'utiliser pour arranger la salle de bal, mais je peux toujours le libérer.

— Quelle veine que Mac soit en couple avec un homme dévoué et costaud ! Je suis preneuse.

Avec l'aide du dégingandé Carter et de la robuste Beach, Emma débarrassa pots, vases, corbeilles, branchages, guirlandes, festons et bougies.

— La M.T. fait son entrée, prévint Parker dans l'oreillette.

Emma laissa échapper un grognement. La Mariée tyrannique ! Elle finit d'arranger la cheminée, en y plaçant une montagne de bougies blanches et argent, de roses blanches, et du lisianthus lavande, avant de filer mettre son grain de sel dans les arrangements extérieurs.

Elle disposa d'autres vasques encore, dans lesquelles elle rajouta du lilas, déplaça de gigantesques corbeilles en argent remplies de lis calla dans les tons blanc et aubergine. Sur les chaises drapées de blanc situées le long des allées, elle suspendit des cônes de fleurs dégoulinant de rubans argentés. Puis, morte de soif, elle vida une bouteille d'eau minérale.

— C'est tout ce que tu as dans le ventre ?

Occupée à se masser le creux des reins, Emma fit volte-face.

Jack se tenait là, les mains dans les poches de son magnifique costume gris, et une paire de lunettes de soleil sur le nez.

— Eh bien, la mariée désirait quelque chose de simple.

Il éclata de rire et secoua la tête.

— C'est époustouflant. À la mode française.

— C'est exactement l'effet que je recherchais. Hé, attends une minute ! ajouta-t-elle, saisie de panique. Que fais-tu ici ? Quelle heure est-il ? Nous n'avons quand même pas pris autant de retard ? Parker m'aurait…

Elle s'interrompit pour vérifier sa montre.

— Dieu merci ! C'est toi qui es très en avance.

— Oui. Parker a dit à Del de me faire venir plus tôt pour mettre la main à la pâte. Donc, me voilà.

— Viens avec moi. Tink ! je dois aller chercher les bouquets. Dès que tu as fini – dix minutes max –, tu t'attaques à la salle de bal.

— Ça marche.

— Oui, Parker, reprit-elle dans son micro, je vais les récupérer maintenant. Eh bien, tu n'as qu'à glisser un calmant dans son champagne. Tu me rendrais un grand service. Je ne peux pas aller plus vite que la musique. Donne-moi dix minutes. Demande à Mac de la divertir.

Au pas de course, elle atteignit la camionnette réservée aux transports de marchandises et sauta au volant.

— Ça vous arrive souvent de droguer la mariée ? demanda Jack.

— Jamais, cela dit, avec certaines mariées, ce n'est pas l'envie qui nous manque. Ça soulagerait tout le monde, vraiment. La Mariée tyrannique exige son bouquet dans la minute. S'il n'est pas à son goût, ça va barder pour nous.

Laurel est passée la voir en coup de vent un peu plus tôt. D'après Mac, elle a fait pleurer sa coiffeuse et s'est battue avec son témoin. Bien entendu, Parker a réussi à calmer le jeu.

D'un bond, Emma s'extirpa de la camionnette pour ensuite se précipiter dans son atelier. Elle ouvrit la porte de la chambre climatique.

— On embarque tout ce qui se trouve sur la droite. Le bouquet de roses en cascade, et les douze bouquets, je dis bien douze – compte-les bien –, destinés aux demoiselles d'honneur.

Puis elle tapa sur une des caisses.

— Tu sais ce que c'est ?

— Un bouquet. Une espèce de machin pourpre. J'aime assez. Je n'ai jamais rien vu de pareil avant.

— C'est du chou.

— Tu plaisantes ?

— Du chou ornemental.

— Du chou pour la mariée ! Tu le lui as dit ?

— J'ai attendu qu'elle ait été conquise par le bouquet. Je récapitule : les compositions, les bouquets de corsage et boutonnières, les deux couronnes de roses blanches et de lavande pour les petites demoiselles d'honneur, et les vases à fleurs. On embarque ça, ça et ça. Allez, on charge la camionnette.

— Tu ne te lasses jamais des fleurs ? demanda Jack tandis qu'ils transportaient les caisses de bouquets.

— Jamais.

— Imaginons qu'un type t'invite à sortir. Disons que c'est un premier rendez-vous. Il t'offre des fleurs. Tu te dis : « Ah ! Encore des fleurs. Super… » ?

— J'apprécierais l'attention. Bigre ! Qu'est-ce que je ne donnerais pas pour un bon bain chaud et un verre de vin ! s'exclama-t-elle en s'étirant le dos, tandis que Jack refermait les portières de la camionnette. Allez, nous allons en jeter plein la vue à la Mariée tyrannique. Oh, attends. La veste – celle que tu m'as prêtée –, elle est dans la maison.

— Je la récupérerai plus tard. Au fait, a-t-elle finalement obtenu une rose de plus que son amie ?

Emma ne comprit pas tout de suite, puis elle se souvint qu'elle lui avait parlé des bouquets.

— Dix roses de plus. Tu verras, elle se prosternera devant moi. Oui, Parker, je suis en chemin, répondit-elle à son micro.

Au même moment, son bipeur sonnait.

— Quoi encore ? Tu peux le lire pour moi ? Je ne peux pas l'attraper en conduisant. C'est accroché à ma jupe, juste en dessous de ma veste, de ton côté.

Jack souleva le pan de la veste, comme il inclinait le bipeur dans sa direction, il lui effleura la peau juste au-dessus de la taille. Emma, qui sentit le contact de ses doigts, resta concentrée sur la route.

— Ça dit : « A.M.M.T. Mac. »

— A.M.M.T. ? répéta Emma, très distraite par le contact persistant des doigts de Jack sur sa taille. Ah ! À mort la Mariée tyrannique !

— Tu veux répondre ? Lui suggérer une méthode, peut-être ?

— Pas maintenant. Merci.

— Jolie veste, remarqua-t-il avant de la rabattre.

La camionnette s'arrêta devant la maison.

— Si tu m'aides à monter tout ça, je promets de ne rien dire à Parker quand tu iras boire une bière en douce dans la salle de réception avant le mariage.

— Marché conclu.

Ils portèrent les caisses dans le vestibule. Il s'arrêta un instant pour jauger l'endroit.

— Tu as abattu un sacré travail. Si elle ne se prosterne pas devant toi, c'est qu'elle est encore plus stupide que je ne le pensais.

— Chut ! somma-t-elle, étouffant un rire et levant les yeux au ciel. Imagine que quelqu'un de la famille ou du mariage se trouve dans les parages. Sait-on jamais, à cette étape des préparatifs.

— Elle sait très bien que je ne peux pas la voir en peinture. Ce n'est pas un secret d'État.

— Jack ! s'exclama-t-elle avec un rire franc cette fois, en se dépêchant de gravir les marches. Ne la cherche pas. Avant de parler, pense donc au sort que te réserverait Parker.

Emma ouvrit la porte de la suite de la mariée.

— Enfin, vous voilà. Emmaline, comment suis-je censée me faire prendre mon portrait de mariage sans mon bouquet ? Je suis à bout. Vous saviez très bien que je voulais le voir à l'avance pour pouvoir faire des changements au cas où il ne me plairait pas. Vous vous rendez compte de l'heure ?

— Je suis navrée, Whitney, je n'ai pas entendu un traître mot de ce que vous venez de dire. J'étais subjuguée par votre beauté.

Emma n'exagérait pas. Des kilomètres d'étoffe, une constellation entière de perles qui donnaient à la traîne et au corsage un aspect moiré, et la chevelure blonde méchée savamment relevée et couronnée d'un diadème. La Mariée tyrannique était sublime.

— Merci. Pourtant, cette histoire de bouquet m'a contrariée. S'il n'est pas parfait…

— Je pense qu'il est à la hauteur de vos espérances.

Avec mille précautions, Emma sortit de la caisse l'immense bouquet de roses blanches en cascade. Quand elle vit les yeux de la mariée s'ouvrir grand, elle sauta de joie – mentalement – mais garda un ton très professionnel.

— Pour que les roses ne s'ouvrent pas complètement, j'ai légèrement modifié la température de conservation. Et pour mettre en valeur les boutons : quelques perles argentées par-ci, une touche de feuillage par-là. Vous désiriez des traînées de rubans argentés, cependant cela aurait diminué l'effet des fleurs, gâté l'architecture du bouquet. Mais, si vous préférez, je peux les rajouter en un rien de temps.

— Les rubans argentés auraient donné du brillant. Néanmoins, vous n'avez peut-être pas tort.

Elle saisit le bouquet. À côté d'elle, sa mère joignit les mains en signe de prière et les porta à ses lèvres. C'était plutôt bon signe.

Whitney se tourna pour étudier son reflet dans la psyché. Elle sourit. Emma la rejoignit pour lui murmurer quelques mots à l'oreille. Le sourire s'élargit.

— Vous pourrez les compter tout à l'heure, suggéra Emma, mais maintenant, je vous laisse entre les mains de Mac.

— Mettons-nous là-bas, près de la fenêtre, Whitney. Il y a un excellent éclairage, déclara Mac levant un pouce vers Emma pour la féliciter, dans le dos de la mariée.

— Mesdames, c'est à votre tour, dit Emma.

Elle distribua aux demoiselles d'honneur les bouquets de corsage, puis désigna la mère du marié comme responsable des petites demoiselles d'honneur. S'écartant du groupe, elle lança un regard à Jack.

— Ouf ! Je respire de nouveau.

— Le « vous n'avez peut-être pas tort ». Venant d'elle, c'est un sacré compliment.

— J'ai cru comprendre. À présent, je peux me débrouiller seule. Va te chercher une bière. Carter ne doit pas être loin. Déprave-le.

— Ce n'est pas faute d'essayer, mais cet homme-là est inflexible.

Emma reprenait déjà sa course.

— Il me reste encore les boutonnières. Ensuite je file inspecter la salle de bal. On est pile dans les temps, reprit-elle après avoir consulté sa montre. C'est grâce à toi. Je serais en retard si tu ne m'avais pas aidée à transporter les caisses.

— Je peux apporter les boutonnières à l'étage. L'occasion pour moi de voir Justin et de sortir deux ou trois mauvaises vannes sur le mariage, la corde au cou…

— Bonne idée. Je te laisse t'en occuper.

Ce qui lui permit de glaner quelques minutes supplémentaires. Elle en profita pour filer sur la terrasse en passant par le grand salon.

Après quelques retouches, elle rejoignit son équipe dans la salle de bal. Elle retroussa ses manches et mit la main à la pâte.

Pendant ce temps-là, Parker faisait des pointages réguliers de l'avancée du programme. Le compte à rebours était enclenché. « Arrivage de retardataires au compte-gouttes. Autres convives assis dans le salon ou en terrasse. Portraits prénuptiaux terminés. Mac se prépare. Grands-parents escortés dans deux minutes. »

— Je fais descendre les hommes. Laurel, tiens-toi prête à prendre le relais.

— Reçu cinq sur cinq, confirma Laurel sur un ton grave. Emma, la pièce montée est prête à être disposée sur la table avec les décorations.

— Hommes passés sous la direction de Laurel, annonça Parker l'instant d'après, tandis qu'Emma finissait d'arranger les hortensias. Demoiselles d'honneur en file indienne. Changement de musique à mon signal.

Emma retourna dans le hall et ferma les yeux quelques secondes. Puis elle ouvrit les portes donnant sur le parc et, d'un regard, embrassa une vue d'ensemble.

Flamboyant Paris, pensa-t-elle. Des nuances de blanc, d'argent et de pourpre, rehaussées par des touches de verdure ; toute cette végétation luxuriante, envahissante et jaillissante, miroitant sous ce ciel d'avril parfaitement dégagé. Le marié et sa suite prenaient place sous la pergola noyée de fleurs.

Emma se tourna vers sa main-d'œuvre.

— Les amies, nous avons assuré. Vous êtes libres. Allez donc en cuisine pour grignoter un bout et vous rafraîchir.

Une fois seule, elle fit un dernier tour de salle. Parker donnait le départ aux demoiselles d'honneur. Emma soupira, se massa le dos, la nuque et les mains. Puis elle partit enfiler ses talons au moment où Parker donnait le signal à la mariée.

Chaque fois, tout finissait par se dérouler à la perfection. Pour Jack, c'était un vrai mystère. Certes, il lui arrivait d'être embauché pour donner un coup de main, à l'occasion d'un événement. Débarrasser, faire le service au bar, et même transporter des tables à la dernière minute. En plus d'être rémunéré, on le laissait piocher dans les réserves d'alcool et de nourriture. En somme, le travail n'était pas pour lui déplaire.

Or, malgré sa participation aux préparatifs, il n'avait toujours pas saisi comment elles parvenaient à accomplir un tel miracle.

Parker avait un don d'ubiquité. Elle agissait avec tant de discrétion qu'il était impossible d'imaginer qu'elle faisait répéter le témoin du marié d'un côté, consolait la mère de la mariée de l'autre, et coordonnait en même temps l'organisation du repas dans le grand salon, comme un général coordonnerait ses troupes. Mac, elle aussi, était partout à la fois. Elle se mêlait aux invités pour prendre des instantanés, indiquait aux couples la pose à prendre, le tout avec non moins de discrétion que son amie. Quant à Laurel, elle allait et venait, utilisait le casque pour donner des instructions, et Dieu seul sait quels autres ressorts elle employait également pour communiquer avec le groupe. La télépathie, peut-être ? C'était à envisager.

Et enfin Emma, toujours là où il fallait, qui rappliquait en deux temps trois mouvements si un convive renversait un verre de vin sur une nappe ou si le jeune porteur d'alliances taquinait une des petites demoiselles d'honneur.

Personne ne pouvait se douter que cette organisation reposait uniquement sur quatre jeunes femmes, jonglant avec les préparatifs, usant d'autant de grâce et d'habileté que des quaterbacks de la National Football League se passant la balle.

De même, personne n'eût pu imaginer la complexité qu'impliquait un transfert d'invités du grand salon à la salle de bal.

Jack resta en arrière. Laurel aidée d'Emma et de son équipe s'activait sur la table d'honneur, où elles rassemblaient bouquets et vases.

— Vous avez besoin d'un coup de main ? demanda-t-il à Emma.

— Hein ? Non, merci, nous gérons la situation. Tink, six de chaque côté, et la corbeille de bout de table. On laisse tout le reste ici pendant deux heures. Ensuite on remballe et on charge. Beach et Tiff, vous soufflez les bougies et vous réduisez l'éclairage des plafonniers.

— Je peux me charger de ça, dit Tink à Emma, quand cette dernière saisit le bouquet de la mariée.

— Une seule rose abîmée, et la mariée sort les griffes. Non, il vaut mieux que ce soit moi qu'elle réduise en charpie. Allons-y, le bal vient d'être ouvert.

Alors qu'on transportait les fleurs par l'escalier de service, Jack se dirigea vers l'escalier principal. Il se glissa dans la salle de bal au milieu de la première danse. Les mariés avaient choisi *I will always love you*, une chanson bien trop rabâchée à son goût. Les invités se tenaient soit debout parmi les fleurs, soit assis à l'une des tables agencées avec stratégie autour de la piste de danse.

Les portes qui donnaient sur la terrasse étaient grandes ouvertes, invitant ainsi les convives à s'aventurer à l'extérieur. Ce que Jack avait l'intention de faire après s'être servi un verre de vin.

À ce moment-là, il vit Emma s'éclipser et se ravisa. Muni de deux verres de vin, il emprunta l'escalier de service.

Assise à hauteur du premier étage, elle sursauta au son de ses pas.

— Ah, c'est toi !

— Moi et un verre de vin.

Elle soupira et dessina une auréole sur sa tête.

— Chez Vœux de Bonheur, boire pendant le travail est passible d'une lourde peine… Tant pis, je battrai ma coulpe demain. Donne-moi le verre.

Il s'assit près d'elle et lui tendit le vin.

— Comment ça se passe ?

— C'est plutôt à moi de te le demander. Après tout, tu es ici en tant qu'invité.

— Tout est beau, tout est bon, tout sent bon. Les gens s'amusent et sont loin d'imaginer que tout est minutieusement calculé.

— C'est le but, répondit Emma, qui avala une gorgée de vin, puis ferma les yeux. Mon Dieu ! C'est délectable.

— Comment se comporte le tyran ?

— Pas trop mal, en fait. C'est dur de râler quand tout le monde vous complimente et vous félicite. Elle a fini par compter les roses de son bouquet et a jubilé ! Parker a su prévenir quelques crises, et Mac a obtenu un léger signe d'approbation pour le portrait des mariés. Si le dessert et la pièce montée de Laurel remportent son assentiment, nous pourrons alors considérer que l'affaire est dans le sac.

— Il y aura les fameuses petites crèmes brûlées au menu ?

— Oh que oui !

— Tu es une perle. Tiens, d'ailleurs, les fleurs ont fait jaser.

— Sans rire ?

— J'ai même entendu des gens suffoquer – de stupeur.

— Alors le jeu en valait la chandelle, répondit-elle en étirant les épaules.

Jack monta sur la marche supérieure pour se mettre à califourchon derrière Emma.

— Ne te sens pas obligé de… Peu importe, dit-elle en lui abandonnant son dos. Continue.

— Tu as de sacrés nœuds, Emma.

— J'ai environ soixante heures de boulot dans le dos.

— Tu oublies les trois mille roses.

— Si tu ajoutes les autres événements, on pourra facilement doubler les chiffres. Sans exagérer.

Avec ses pouces, il lui massa la nuque, jusqu'à lui extirper un murmure, au son duquel l'estomac de Jack se crispa.

— Comment se sont déroulées les noces d'or ?

— C'était charmant, vraiment. Quatre générations réunies. Mac a fait de très belles photos. Quand le couple s'est mis à danser, tout le monde avait la larme à l'œil. Ça fait désormais partie de mes meilleurs souvenirs avec Vœux de Bonheur. Tu ferais mieux d'arrêter maintenant. Entre le vin et tes doigts magiques, je risque de piquer du nez sur place.

— Tu as encore du travail ?

79

— Tu rigoles ? Il faut que je récupère le bouquet que la mariée lancera, que j'aide à servir le gâteau. Et dans une heure, on commence à nettoyer le salon.

Au fur et à mesure qu'il la massait, sa voix se faisait plus pesante et plus engourdie.

— Hum… Ensuite nous chargeons les caisses et les cadeaux. Nous emportons les décorations extérieures. Et demain, nous avons un événement l'après-midi. Donc il faut aussi démonter le décor de la salle de bal.

Au fur et à mesure qu'il baladait ses doigts des bras aux épaules, Jack sentait la tension monter.

— Alors, mieux vaut en profiter pour te détendre tant que tu en as l'occasion.

— Et toi, tu devrais profiter de la fête.

— Je me sens très bien là où je suis.

— Moi aussi. Bon, il faut que j'y retourne pour prendre le relais et libérer Laurel.

Elle tendit le bras derrière elle pour caresser sa main avant de se lever.

— Une trentaine de parts de gâteau à découper.

Il se releva au moment où elle s'apprêtait à partir.

— Quel genre de gâteau ?

Elle s'arrêta, virevolta, pour se retrouver à sa hauteur. Elle avait le regard – ce beau regard de velours – endormi, tout comme sa voix.

— Laurel a baptisé sa pâtisserie le Printemps parisien. Un magnifique bleu lavande pastel, couvert de roses blanches, de brins de lilas, et enrubanné d'un chocolat au lait tendre et…

— C'est surtout l'intérieur qui m'intéresse.

— Eh bien, c'est une génoise mélangée à un beurre de crème. À ne pas manquer.

— Peut-être même meilleur que la crème brûlée ?

Elle dégageait un parfum fleuri, comme un bouquet mystérieusement enivrant. Ce regard profond et velouté, et cette bouche… n'aurait-elle pas une saveur aussi délicieuse que le gâteau de Laurel ? Et puis tant pis !

Il la saisit par les épaules et la serra doucement contre lui. À l'instant de poser ses lèvres contre les siennes, il vit ses yeux d'un brun profond s'écarquiller de surprise.

Elle ne chercha pas à se dégager, ni même à le prendre sur le ton de la plaisanterie. À la place, elle émit un murmure, le même qu'elle avait eu quand il lui avait massé le cou – légèrement plus haletant.

Elle l'enlaça, et ses lèvres pulpeuses s'entrouvrirent.

Tout comme son parfum, le goût de sa bouche était mystérieusement féminin. D'une sensualité chaude et obscure. Puis il sentit les mains d'Emma lui caresser le dos, et il devint plus entreprenant.

Il changea son approche, s'aventura toujours un peu plus loin. Elle soupira de plaisir. Il songea à la soulever pour la porter dans une pièce sombre.

Tout à coup, le bipeur retentit. Ils sursautèrent. Emma poussa un cri étouffé puis, d'un geste convulsif, elle saisit l'appareil, le décrocha de sa taille et lut le message qu'il affichait.

— C'est Parker. Je dois… me sauver, parvint-elle à dire.

Puis elle se tourna et grimpa les marches quatre à quatre.

Abandonné à son sort, Jack se rassit sur une marche et, lentement, avala le restant de son vin. Il décida de troquer la fin de la réception contre une longue promenade dans le parc.

Grâce au ciel, Emma était trop affairée pour avoir le temps de réfléchir. Elle aida à nettoyer le petit porteur d'alliances, suite à un léger incident impliquant un éclair au chocolat. Puis elle livra le bouquet à la mariée pour qu'elle le lance, remit de l'ordre dans la décoration de la pièce montée et participa au nettoyage du grand salon.

Elle emballa milieux de table et autres arrangements qui devaient être transportés, et supervisa le chargement des récipients.

Quand s'acheva la dernière valse, elle procéda de la même manière pour ranger la terrasse et le patio.

Aucune trace de Jack.

— Tout va bien ? demanda Laurel.

— Pardon ? Oui, bien sûr. Tout s'est bien passé. Je suis juste sur les rotules.

— Ne m'en parle pas. Au moins, l'événement de demain sera une sinécure comparé à celui de ce soir. Tu as vu Jack ?

— Quoi ? s'exclama Emma en bondissant sur place comme si elle avait reçu une décharge électrique. Pourquoi ?

— Je l'ai perdu de vue. J'avais prévu d'acheter son aide avec des pâtisseries. Il a dû s'échapper.

— Sûrement. Je n'ai pas fait gaffe.

Menteuse. Pourquoi racontait-elle des bobards à sa meilleure amie ? Ça n'augurait rien de bon.

— Parker et Mac raccompagnent les derniers invités, commenta Laurel. Elles feront un tour d'inspection. Tu as besoin d'aide pour rapporter tout ça chez toi ?

— Non, je me débrouille.

Emma embarqua les dernières décorations. Elle disposerait tout dans la chambre climatique, en donnerait la plupart à l'hôpital de la ville, et démonterait le reste pour en faire des arrangements plus petits dont elle décorerait sa propre maison, ou celles de ses amies.

Elle referma les portes de la camionnette.

— À demain matin.

Elle ramena le véhicule chez elle et le déchargea. Elle avait beau s'intimer de garder son calme et de faire le vide dans sa tête, elle était sans cesse assaillie par la même pensée : Jack l'avait embrassée. Qu'est-ce que ça signifiait ? Pourquoi est-ce que ça devrait avoir de l'importance ? Après tout, ce n'était rien de plus qu'un baiser.

Elle se prépara pour la nuit, tout en essayant de se convaincre de la légèreté de l'événement. Mais, quand un baiser réveillait votre étincelle, vous enflammait au point de faire exploser votre échelle du désir, il était dur de n'y voir rien de plus.

Elle ignorait comment réagir. Et c'était frustrant car elle savait toujours comment agir quand il était question d'hommes, de baisers et d'étincelles. Elle savait toujours.

Elle se glissa dans son lit. Puisque de toute façon elle ne pourrait pas fermer l'œil, autant s'allonger dans le noir jusqu'à ce qu'une idée surgisse.

Mais, exténuée, il ne lui fallut que quelques secondes pour sombrer dans un profond sommeil.

5

Emma survécut aux réceptions du dimanche, aux rendez-vous du lundi, et prit de nouvelles dispositions pour d'autres événements, les futures mariées ayant changé d'avis.

Elle annula deux rendez-vous avec des hommes sympathiques, car l'idée de sortir avec eux ne la tentait plus du tout. À la place, elle passa ses soirées à inventorier puis à commander des rubans, des épingles et des boîtes Et à se demander si elle ne devait pas appeler Jack pour faire habilement allusion au baiser – ou pour faire comme si de rien n'était.

Une troisième option aurait consisté à se rendre chez lui pour lui sauter dessus. À tant hésiter, elle ne fit rien, sauf se prendre la tête.

Un après-midi, remontée contre sa propre lâcheté, elle débarqua en avance à une réunion. Elle coupa par la cuisine, où Laurel était occupée à disposer des cookies sur une assiette, ainsi que du fromage et des fruits sur un plateau.

— Je suis à court de Coca light, annonça Emma, en se servant dans le frigo. D'ailleurs, c'est l'ensemble de mes réserves qui est quasiment épuisé. Tout ça parce que je ne suis pas fichue de me mettre dans le crâne que ma batterie de voiture est bel et bien morte.

— Tu as appelé le garage ?

— Ça, c'est fait. Il y a dix minutes environ. Quand j'ai confessé au mécano – après un interrogatoire poussé – que ça faisait quatre ans que j'avais ma voiture, et que jamais je ne l'avais fait réviser, que je ne me souvenais même pas de la date de la dernière vidange, s'il y en eut jamais une, ni même d'un quelconque contrôle du système électronique de la voiture, ou quelque chose de ce genre, il a accepté de venir la chercher.

Avec une moue boudeuse, elle ouvrit l'opercule de la cannette et la but d'un seul trait.

— C'est comme si j'avais gardé ma voiture en otage tout ce temps, et qu'il venait enfin la délivrer. Je me suis sentie encore plus stupide qu'avec Jack. Il me faut un cookie.

— Fais comme chez toi.

Emma en choisit un.

— Et maintenant, plus de voiture jusqu'à ce qu'il se décide à me la rendre. S'il me la rend un jour. Qui me dit qu'il en a vraiment l'intention ?

— Voyons, Emma, ça fait plus d'une semaine que tu ne peux pas la démarrer.

— Peut-être, mais au moins j'avais l'impression d'avoir une auto. Parce qu'elle était là. À présent, il ne me reste plus d'autre choix que de prendre la camionnette pour aller à l'épicerie et partout où je dois me rendre dans la semaine. En fait, ça me fait flipper. Je viens de me rendre compte que la camionnette a un an de plus que la voiture. Et si elle se rebellait à son tour ?

Laurel saupoudra les cookies de pépites à la menthe.

— Peut-être que ça va te sembler dingue mais, une fois que tu auras récupéré ta voiture, tu peux peut-être t'arranger pour que le garage révise la camionnette ?

— C'est ce que le mécanicien a suggéré, répliqua Emma en grignotant son cookie. J'ai besoin de réconfort. Ça te dit une soirée dîner plus DVD ?

— Tu n'as pas un rencard ?

— J'ai annulé. Je ne suis pas d'humeur.

Emma ouvrit des yeux grands comme des soucoupes.

— Tu n'es pas *d'humeur* pour un rencard ?

— Je commence tôt demain. Six bouquets plus un pour la mariée. Ce qui en fait sept. J'en ai bien pour six ou sept heures de boulot. Tink vient me donner un coup de main après le déjeuner, ce qui va me faire gagner du temps. Mais il reste tous les préparatifs pour l'événement de vendredi soir. J'ai passé toutes mes matinées à préparer les fleurs.

— Jusque-là, ça ne t'a jamais freinée. Tu es sûre que tu te sens bien ? Tu n'as pas l'air dans ton assiette.

— Non, tout va bien. Seulement… je ne suis pas d'humeur à voir un homme.

— Tu ne me comptes pas dans le lot, j'espère.

Delaney Brown venait d'entrer dans la pièce. Il souleva Emma pour lui planter un baiser sonore sur la joue.

— Miam. Tu sens le cookie.

— Bas les pattes ! répondit Emma dans un éclat de rire.

Il en attrapa un sur le plateau et fit un grand sourire à Laurel.

— Considérons que ça fait partie de mes honoraires.

Laurel sortit un sachet zippé qu'elle commença à remplir de biscuits.

— Tu te joins à nous pour la réunion ?

— Non, je suis juste passé voir Parker pour une histoire de papiers.

La cafetière se trouvant sous son nez, Del en profita pour se servir une tasse.

Comme Parker, il avait les cheveux bruns et les yeux d'un bleu profond. Pour Laurel, les Brown se distinguaient par la finesse de leurs traits, mais Del avait le visage un peu plus marqué que celui de Parker. Avec son costume gris à fines rayures, ses chaussures de fabrication italienne

87

et sa cravate Hermès, il avait tout du brillant avocat. L'héritier de la branche Brown du Connecticut.

Laurel en ayant fini avec les préparatifs du déjeuner, elle dénoua son tablier pour le suspendre à la patère. Del s'appuya sur le bar.

— J'ai entendu dire que vous aviez assuré ce week-end au mariage Folk.

— Tu les connais ? demanda Emma.

— Les parents sont des clients. Malheureusement, je n'ai pas eu le plaisir – même si, d'après Jack, c'est beaucoup dire – de faire la connaissance de la nouvelle Mme Harrigan.

— Tu auras l'occasion de la rencontrer quand elle divorcera, railla Laurel.

— Toujours aussi optimiste.

— Cette femme est un cauchemar ambulant. Ce matin, Parker a reçu une longue liste de doléances. Envoyée de Paris par e-mail. Pendant sa lune de miel.

— Tu rigoles ! intervint Emma. Il n'y avait rien à redire. C'était nickel.

— Le champagne aurait pu être plus frappé, le service plus rapide, le ciel plus bleu et la pelouse plus verte.

— Eh bien, c'est une vraie garce. Et moi qui lui ai rajouté dix roses à son bouquet. Pas seulement une, mais *dix*, insista Emma en secouant la tête. Toutes les personnes présentes à la réception, et un tant soit peu humaines, savent que c'était parfait.

— Voilà qui est bien lancé ! approuva Del en lui portant un toast.

— Bref, tu parlais de Jack, tu l'as vu ? Enfin, tu as prévu de le voir ?

— Demain. Nous allons assister à un match de base-ball en ville.

— Tu pourrais peut-être lui rapporter sa veste. Il l'a oubliée. Ou bien, c'est moi qui ai oublié de la lui rendre. Bref, j'ai sa veste, et il veut sûrement la récupérer. Je peux aller la chercher. Dans mon bureau.

— J'irai moi-même en repartant.

— Bien. C'est cool. Puisque tu vas le voir.

— Pas de problème. Il faut que je file, dit-il en prenant le sachet de biscuits qu'il agita sous le nez de Laurel. Merci pour les cookies.

— Il y en a treize, en comptant celui que tu as mangé. Ça sera déduit de tes honoraires.

Il lui adressa un large sourire avant de sortir d'un pas nonchalant. Laurel attendit encore quelques secondes puis elle pointa l'index sur Emma.

— Jack.

— Quoi ?

— Jack.

— Non, répondit lentement Emma la main sur la poitrine. Moi, c'est Emma. *Emma.*

— Ne fais pas la maligne, je lis en toi comme dans un livre ouvert. Tu bafouillais en répétant « bref » je ne sais combien de fois en moins d'une minute.

— Bien sûr que non, nia Emma avant de se raviser. Et après ?

— Que se passe-t-il entre Jack et toi ?

— Rien. Absolument rien. Ne dis pas de bêtises, s'emporta-t-elle tout en sentant, sur sa langue, le goût aigre du mensonge. OK. Auparavant, tu dois me promettre de ne rien dire à personne.

— C'est donc qu'il y a quelque chose ?

— Non, il n'y a rien. Tout du moins, je ne le crois pas. C'est juste moi qui me monte la tête. Zut ! s'écria-t-elle en enfournant dans sa bouche le reste du cookie.

— Et maintenant tu manges comme une personne normale ! Quelque chose ne tourne pas rond.

— Avant, tu dois me jurer de ne rien dire à Mac ou à Parker.

— Tu m'en demandes beaucoup, répliqua Laurel en se signant. D'accord, je te le promets.

— Il m'a embrassée. Enfin, nous nous sommes embrassés. Mais c'est lui qui a fait le premier pas, et Dieu seul sait ce qui se serait passé si Parker ne m'avait pas bipée. Je suis partie comme une flèche, et lui, il est parti de son côté. Fin de l'histoire.

— Doucement, tout ce que j'ai entendu, c'est que Jack t'avait embrassée.

— Arrête ! C'est sérieux, dit-elle en se mordant la lèvre. Ou peut-être pas. Qu'est-ce que tu en penses ?

— Ça ne te ressemble pas, Emma. Les hommes, les histoires d'amour, le sexe, c'est ton rayon. D'habitude, tu gères comme une pro.

— Je sais ! Mais là, c'est différent, il s'agit de Jack. Je ne suis pas censée… maîtriser la situation, s'exclama-t-elle en agitant les bras en l'air. Peut-être que je me monte la tête pour rien. Après tout, ce n'était qu'une impulsion. C'est du passé. Ça ne signifie plus rien.

— Emma, tu as une fâcheuse tendance à idéaliser les relations potentielles, mais généralement, tu ne te prends pas le chou.

— Parce que c'est Jack ! Imagine que tu sois occupée à cuisiner et que, sans crier gare, Jack vienne t'embrasser. Ou Del plutôt. Comment réagirais-tu ? Ça te turlupinerait, non ?

— S'ils viennent traîner ici, c'est juste pour piquer de la bouffe – la preuve, tu as vu Del à l'instant. Dis-moi quand c'est arrivé. La nuit où tu es tombée en panne ?

— Non, mais presque. Ce soir-là, il s'est produit quelque chose... l'espace d'une seconde. C'est cette nuit-là qui a dû mettre le feu aux poudres. Ça s'est passé samedi, pendant la réception.

— Ah oui ! Tu as mentionné que Parker t'avait bipée. Alors, c'était comment ? Combien sur le célèbre baromètre du désir d'Emmaline Grant ?

Emma souffla, leva les pouces, puis dessina une ligne imaginaire.

— Zone rouge violemment heurtée ; le compteur a failli exploser.

— J'ai toujours soupçonné Jack d'être capable de faire vibrer la zone rouge, acquiesça Laurel, les lèvres pincées. Tu penses faire quoi maintenant ?

— Je n'en ai pas la moindre idée. J'ai perdu tous mes repères. J'attends de retomber sur mes pieds avant de prendre la moindre décision.

— Tu me tiendras au courant. Tu me diras aussi quand la loi du silence prend fin.

— D'accord, mais d'ici là, bouche cousue, répondit Emma qui attrapait le plateau de fromages. Allez, c'est l'heure de nous métamorphoser en femmes d'affaires.

La salle de réunion de Vœux de Bonheur n'était autre que l'ancienne bibliothèque. Aux quatre coins de la pièce, des étagères couvertes de livres, et, de-ci de-là, quelques photos et pense-bêtes. Bien que la pièce servît de lieu de travail, elle n'en était pas moins accueillante et élégante.

Parker était assise à la grande table marquetée, ordinateur portable et Blackberry à portée de main. Puisqu'elle en avait fini avec les visites guidées pour la journée, elle avait abandonné sa veste sur le dossier de sa chaise. Mac était installée en face d'elle, les jambes déployées, vêtue de l'éternel ensemble jean-sweat-shirt dont elle ne se séparait jamais pendant le travail.

Quand Emma eut posé le plateau sur la table, Mac se redressa pour piquer une grappe de raisin.

— Vous êtes en retard, les filles.

— Del a fait un tour par la cuisine. Avant de passer aux choses sérieuses, qui serait tenté par une soirée dîner plus DVD ?

— Moi, moi, s'écria Mac en levant la main. Carter a un truc de prof, et ça me donnera une excuse pour ne pas bosser jusqu'à son retour. Je suis cent pour cent partante ce soir.

— Je n'ai rien de noté sur mon agenda, ajouta Laurel qui disposait l'assiette de cookies près du plateau de fromages.

Parker saisit le combiné du téléphone, appuya sur un bouton.

— Bonjour, madame G. Pouvez-vous gérer quatre personnes à dîner ce soir ? Oui, ça me semble parfait. Merci, dit-elle avant de raccrocher. Poulet au menu.

— À moi, ça me va, répondit Mac en croquant un grain de raisin.

— Parfait. Tout d'abord, à l'ordre du jour : Whitney Folk Harrigan, aussi connue sous le nom de Mariée tyrannique. Comme Laurel le sait déjà, j'ai reçu d'elle un e-mail où elle dresse une liste des points que nous devrions améliorer.

— La garce, intervint Mac qui se penchait cette fois pour étaler du fromage de chèvre sur un cracker au romarin. Ce mariage fut notre chef-d'œuvre On en a bouché un coin à tout le monde.

— On aurait mieux fait de clouer le bec à la mariée, commenta Laurel.

— D'après Whitney – les remarques apparaissent pêle-mêle –, continua Parker en dépliant l'e-mail imprimé, le champagne n'était pas à la bonne température, le service du dîner était trop lent, le parc manquait de couleurs et de fleurs, la photographe a passé plus de temps que nécessaire à prendre des clichés des invités, au détriment de la mariée ; quant aux desserts proposés, ils n'étaient pas assez variés et leur présentation laissait à désirer. Elle ajoute qu'à certains moments, elle s'est même sentie bousculée et délaissée par les organisatrices du mariage. Elle espère que nous saurons tirer parti de ces considérations.

— Et voici ma réponse... répliqua Mac en levant son majeur.

— C'est fin, répondit Parker. Bref, je lui ai répondu que nous la remerciions pour ses commentaires et lui souhaitions un agréable séjour à Paris.

— Lèche-bottes, marmonna Laurel.

— Tu plaisantes ? J'aurais très bien pu répondre : « Chère Whitney, nous n'avons que faire de vos conneries. » Ce qui fut ma première réaction. Je me suis retenue. Toutefois, je l'ai promue au rang de Mariée garce.

— Elle est probablement très malheureuse. Sérieusement, ajouta Emma alors que tous les regards se tournaient vers elle. Une femme qui est capable de détruire point par point un mariage de cette qualité ne peut être que fondamentalement malheureuse. J'aurais pitié d'elle si je n'étais pas déjà furieuse. En fait, j'aurai pitié d'elle une fois ma fureur passée.

— Furieuses ou navrées, on s'en fout ! Grâce à cet événement, nous avons réussi à avoir quatre nouveaux contacts. Et ce n'est qu'un début.

— Parker a dit « on s'en fout », releva Mac, sur le point d'avaler un autre grain de raisin, un large sourire aux lèvres. Elle est très, très en colère.

— Ça me passera. Surtout si on décroche quatre contrats suite au travail remarquable de samedi. Pour le moment, je me contenterai d'imaginer Whitney enfermée dans mon nouveau placard maléfique où tout ce qu'elle porte la grossit, et où seuls sont autorisés les tissus à petits pois de couleur puce et kaki.

— C'est très cruel, commenta Laurel. J'adore.

— Passons à autre chose. J'ai vu Del pour aborder des questions d'ordre financier et juridique relatives à notre société. Nous allons bientôt renouveler notre accord de partenariat, qui stipule que le pourcentage touché par chaque partie lors d'événements extérieurs doit être reversé à Vœux de Bonheur. Or, si l'une de vous désire revoir l'accord et les pourcentages, qu'elle prenne la parole.

— Le système fonctionne très bien, non ? dit Emma en s'adressant à ses amies. Au départ, aucune d'entre nous n'aurait pensé aller si loin avec Vœux de Bonheur. Non seulement au plan financier – j'aurais certainement beaucoup moins bien gagné ma vie si j'avais ouvert ma propre boutique. Mais nous nous sommes également bâti une solide réputation. Le pourcentage reversé est un juste retour des choses. Quant à Del, la part qu'il perçoit est bien en deçà de ce qu'il serait en droit de réclamer. Somme toute, nous exerçons un travail que nous aimons, entourées de nos amis. En gagnant confortablement notre vie.

— Je pense que ce qu'Emma essaie de nous dire, c'est qu'elle signe, dit Mac en prenant un autre grain de raisin. Idem pour moi.

— Moi aussi, ajouta Laurel. Il y aurait des raisons de revenir sur l'accord ? demanda-t-elle à Parker.

— À mon avis, non. Cependant, Del – en tant qu'avocat de la société – a conseillé que chacune d'entre vous le relise, au cas où il y aurait la moindre réserve ou suggestion à apporter.

— Je suggère que Del élabore le contrat pour qu'on le signe, et qu'on ouvre ensuite une bouteille de dom Pérignon.

— Motion adoptée ! approuva Mac.

— Nous avons donc une majorité de « oui », annonça Laurel.

— J'en informerai Del. Il faut aussi que nous ayons un mot avec notre comptable.

— Il vaut mieux que tu t'en charges, dit Laurel.

— Certes, répondit Parker, un sourire aux lèvres. Jusque-là, nous avons fait un bon trimestre. Si nous continuons ainsi, nous aurons réalisé douze pour cent de bénéfice net en plus que l'année passée. On m'a conseillé de réinjecter une partie de ce bénéfice dans notre société. Donc si l'une d'entre vous a une lubie qui viserait à améliorer son propre business, ou serait bénéfique à Vœux de Bonheur, je l'écoute.

Emma ne se fit pas prier.

— J'y ai pas mal pensé. Au printemps prochain, avec le mariage Seaman, nous allons devoir organiser l'événement le plus important jusqu'à présent. Rien qu'avec les fleurs, ma chambre climatique sera pleine à craquer. Il faudra que j'en loue une autre pour quelques jours. Peut-être que j'arriverai à en débusquer une d'occasion. À long terme, ça sera plus rentable que la location.

— C'est une bonne idée, approuva Parker, qui prit des notes. Renseigne-toi sur les prix.

— Au vu de ce gros événement et de notre marge de bénéfices, il est peut-être temps d'acheter l'équipement que nous avons l'habitude de louer. Les meubles de jardin, par exemple. Comme ça, quand nous organiserons une réception en plein air, nous louerons directement le matériel au client et on empoche les honoraires. Et…

— Tu ne plaisantais pas quand tu disais que tu avais cogité, commenta Mac.

— Je me suis trituré les méninges. Puisque Mac a déjà prévu d'agrandir sa maison pour les besoins de son couple, pourquoi ne pas en profiter pour étendre son studio photo ?

Elle aurait grand besoin de davantage de place pour stocker son équipement, et d'un vrai dressing au lieu de son cagibi actuel. Pendant que j'y suis, maintenant qu'on a un vestibule dépendant de la cuisine principale, celui contigu à la cuisine de Laurel est devenu superflu. Elle pourrait le convertir en cuisine auxiliaire avec un autre four, une autre chambre froide, et plus d'espace de stockage.

— Champ libre à Emma pour les suggestions, intervint Laurel.

— Quant à Parker, elle a besoin d'un système de sécurité électronique pour contrôler tous les espaces de la maison ouverts au public.

— À ce rythme, je pense que tu as liquidé l'équivalent de plusieurs bénéfices nets, dit Parker après un moment de silence.

— L'argent est fait pour être dépensé. Toi, fais ta Parker, et empêche-nous de faire n'importe quoi. Mais je pense vraiment qu'il faut réaliser certains de ces projets. Quant au reste, nous ferons une liste pour plus tard.

— Je suis Parker, donc je dis que l'achat d'une chambre climatique est justifié. Comme nous allons devoir consulter Jack pour savoir comment intégrer la chambre climatique à ta maison, autant lui demander comment agrandir le studio de Mac et réaménager le vestibule de Laurel.

Tout en parlant, elle prenait des notes.

— Quant à moi, j'avais pensé à l'achat de meubles. Je me suis renseignée sur les prix. Quand j'aurai fait une estimation, nous saurons à quoi nous en tenir. À ce moment-là, nous verrons par où commencer.

Puis d'un signe de la tête, elle passa au second ordre du jour.

— Voyons maintenant les événements qui nous aideront à réaliser nos rêves. Les fiançailles de vendredi soir.

Quand elle pensait à ses parents, à leur rencontre, leur coup de foudre, Emma s'imaginait un véritable conte de fées.

C'était l'histoire d'une jeune femme qui avait un jour décidé de quitter Guadalajara pour New York, à l'autre bout du continent, où son oncle tenait une société d'aide à domicile. Toutefois, Lucia aspirait à une autre vie, où une jolie maison remplacerait son appartement, avec un jardin calme au lieu de rues bruyantes. Elle travailla d'arrache-pied avec la perspective de pouvoir s'offrir son propre chez-soi, une petite boutique où, avec un peu de chance, elle vendrait de jolies choses.

C'est alors que son oncle lui avait parlé d'une de ses connaissances, un homme qui vivait à des kilomètres de là, dans un endroit qu'on appelait le Connecticut. Veuf, il élevait seul son petit garçon. Il avait abandonné la ville pour une vie plus tranquille – et peut-être, avait alors pensé Lucia, parce que son ancienne demeure lui rappelait trop la vie qu'il avait eue avec sa femme. Écrivain, il avait besoin de sérénité et, toujours sur la route, il lui fallait une personne de confiance pour s'occuper de son fils. La femme qui avait gardé l'enfant pendant les trois années qui avaient suivi le décès de son épouse souhaitait retourner vivre à New York.

C'est ainsi que Lucia avait troqué son appartement pour une somptueuse maison. Celle de Phillip Grant et de son fils, Aaron.

Cet homme était beau comme un dieu et adorait son fils. On décelait pourtant, dans son regard, une note mélancolique, qui sut toucher Lucia. Quant à Aaron, du haut de ses quatre ans, il avait connu tant de bouleversements qu'il était d'une timidité maladive. Elle leur fit la cuisine, prit en charge la maisonnée et s'occupa d'Aaron quand son père écrivait.

Aaron finit par l'adopter, même s'il n'était pas toujours un enfant modèle. Le soir venu, Phillip et elle discutaient des heures durant de son fils, de livres, de choses et d'autres. Quand il s'absentait pour des voyages d'affaires, Lucia se languissait de leurs conversations – et de sa présence. Certains jours, par la fenêtre, elle observait le père et le fils qui jouaient. Et son cœur s'emballait.

Elle ignorait alors que Phillip faisait pareil. Car il était tombé amoureux d'elle, et elle de lui. Il n'osait pas le lui avouer, de peur qu'elle ne les quitte. Quant à Lucia, elle avait les mêmes craintes.

Un beau jour de printemps, sous un cerisier en fleur, tandis que le petit garçon jouait sur la balançoire, Phillip lui avait pris la main et l'avait embrassée.

L'automne suivant, quand les feuilles du cerisier revêtirent une couleur mordorée, ils s'unirent, puis ils vécurent heureux et eurent beaucoup d'enfants.

Quoi d'étonnant à ce qu'elle soit une romantique dans l'âme ? songea Emma en garant sa camionnette dans l'allée où habitaient ses parents, ce dimanche soir-là. Comment grandir avec de tels parents sans désirer soi-même vivre la même chose ?

Cela faisait trente-cinq ans que ses parents s'aimaient. Ensemble, ils avaient élevé quatre enfants dans leur grande maison victorienne. Ils s'étaient construit une belle vie, stable et durable. Elle n'en espérait pas moins pour elle-même.

Elle sortit de la camionnette le bouquet qu'elle avait créé pour ce dîner en famille, et se dirigea vers la maison. Elle était en retard, certes, mais elle les avait prévenus. Le vase sous le bras, elle poussa la porte et entra dans la maison aux murs colorés – des couleurs que sa mère avait choisies. Elle se hâta vers la salle à manger bruyante.

Autour de la grande table étaient réunis ses parents, ses deux frères, sa sœur, ses belles-sœurs, nièces et neveux – et sur le meuble se trouvait assez de nourriture pour la petite troupe.

— Maman.

Elle se dirigea d'abord vers sa mère, qu'elle embrassa ; puis elle déposa le vase sur le buffet et contourna la table pour aller saluer son père.

— Papa.

— Maintenant, la famille est au complet, déclara Lucia d'une voix où résonnait encore la chaleur mexicaine. Assieds-toi donc avant que ces morfals n'engloutissent tout.

L'aîné des neveux imita le grognement du cochon en faisant un grand sourire à Emma qui s'assit près de lui. Elle prit le plat que lui tendait Aaron.

— Je meurs de faim, avoua-t-elle tout en acceptant le vin que lui offrait son frère Matthew. Posez vos fourchettes, que je puisse vous rattraper.

— Tout d'abord, la grande nouvelle.

Sa sœur, Celia, prit la main de son mari. Mais avant même qu'elle n'ouvre la bouche, Lucia l'interrompit en poussant un cri de joie.

— Tu es enceinte !

— Et tant pis pour la surprise ! répliqua Celia en éclatant de rire. Rob et moi attendons notre troisième – et dernier ! – bébé pour novembre.

Les félicitations fusèrent des quatre coins de la pièce. Du haut de sa chaise à bébé, le benjamin de la famille en profita pour frapper sa cuiller avec enthousiasme, tandis que, d'un bond, Lucia alla embrasser sa fille et son gendre.

— Rien de plus réjouissant qu'une grossesse ! Phillip, nous allons avoir un autre bébé !

— Tout doux ! La dernière fois que tu m'as dit ça, Emmaline pointait le bout de son nez neuf mois plus tard.

Dans un élan d'enthousiasme, Lucia le rejoignit pour l'enlacer par-derrière et presser sa joue contre la sienne.

— Maintenant, ce sont les enfants qui font tout le sale travail, et nous qui en profitons.

— Emma ne s'est pas encore mise à l'œuvre, releva Matthew qui cherchait à la taquiner.

— Elle attend de trouver un homme aussi beau que son père, et moins agaçant que son frère, répliqua Lucia, qui lança un regard plein de reproche à son fils. Ça ne se trouve pas à tous les coins de rue.

Emma afficha un sourire de satisfaction à l'adresse de son frère et découpa une fine tranche de rôti de porc.

Après le départ des autres invités, elle fit le tour du jardin en compagnie de son père. C'est de lui qu'elle tenait sa passion pour les plantes, c'est lui qui lui avait appris à les aimer.

— Comment avance le livre ?

— C'est très mauvais.

— C'est ce que tu dis à chaque fois, rétorqua-t-elle en riant.

— Parce qu'à ce stade, c'est toujours le cas, dit-il en lui prenant la taille. Mais grâce aux repas de famille et à toutes les bêtises qu'on y raconte, je me change les idées. Après ça, quand je m'y replonge, ça ne me semble pas si mauvais. Et toi, comment vas-tu, joli cœur ?

— Bien. Très bien même. C'est à peine si nous avons le temps de souffler. Nous avons fait une réunion il y a quelques jours parce que les bénéfices sont en hausse. J'ai tellement de chance de faire un travail qui me passionne, entourée de mes meilleures amies. Maman et toi, vous nous avez toujours dit que tant qu'on aimait son boulot, on le ferait bien. C'est mon cas.

Elle se retourna. Sa mère traversait le jardin, une veste sur le bras.

— Il fait frisquet, Phillip. Tu cherches à attraper un rhume pour qu'ensuite j'aie à supporter tes lamentations !

— Tu as vu clair dans mon jeu, répliqua-t-il tandis qu'il laissait sa femme l'envelopper dans sa veste.

— J'ai vu Pam hier, reprit Lucia, faisant allusion à la mère de Carter. Elle est tout excitée à l'idée du mariage. Pour moi aussi, c'est une bénédiction de voir deux de mes petits favoris tomber amoureux. Pam a toujours été une véritable amie, même quand certains se sont hérissés en apprenant que ton père épousait la boniche.

— Ils n'ont pas compris que je faisais une affaire. Toute cette aide à domicile, gratuitement.

— Espèce de Yankee pragmatique, dit Lucia qui se blottit contre lui. Marchand d'esclaves !

« Regarde-les, pensa Emma. Ils sont faits l'un pour l'autre. »

— Jack m'a dit l'autre jour que tu étais la plus belle femme jamais créée. Il est prêt à s'enfuir avec toi.

— Rappelle-moi de lui casser la figure, la prochaine fois que je le vois, plaisanta Phillip.

— C'est un homme charmant. Peut-être que tu auras à te battre pour me garder, répliqua Lucia, les yeux plongés dans ceux de Phillip.

— Et si je te massais les pieds à la place ?

— Marché conclu. Emmaline, si jamais tu trouves un homme qui fait de bons massages de pieds, regardes-y de près. C'est une qualité qui masque bien des défauts.

— Je me le rappellerai. Pour l'heure, il faut que je file, annonça-t-elle en les enlaçant. Je vous aime.

Emma se retourna une dernière fois pour jeter un coup d'œil à ses parents. Son père avait pris la main de sa mère sous le cerisier encore en bourgeons. Il l'embrassa. Non, rien d'étonnant à ce qu'elle soit une romantique dans l'âme. Ni à ce qu'elle veuille trouver la même chose pour elle.

Elle remonta dans sa camionnette et se prit à songer au baiser dans l'escalier de service. Peut-être que ça n'avait été qu'un flirt sans lendemain, poussé par la curiosité. Ou même une réaction chimique. Mais que diable ! Elle ne pouvait pas continuer à croire qu'il ne s'était rien passé. Ou à le lui faire croire. Il était temps de prendre les choses en main.

6

Dans son bureau, au premier étage de l'ancienne maison de ville qu'il avait rénovée, Jack peaufinait des plans sur son ordinateur. Il avait passé des heures à réfléchir à l'agrandissement du studio de Mac, mais comme ni Carter ni elle n'étaient particulièrement pressés, il prenait le temps de jouer avec la structure d'ensemble, de la repenser, la remodeler, sans négliger le moindre détail.

Maintenant que Parker désirait étendre à la fois le rez-de-chaussée et le premier, il lui fallait non seulement revenir sur les plans, mais aussi sur le concept dans son intégralité. Il valait mieux s'attaquer aux deux niveaux en même temps, même si cela signifiait abandonner ses premiers dessins.

Il mania lignes et courbes, s'amusa à faire jouer les lumières dans la nouvelle surface du studio. Puisqu'on prévoyait d'agrandir le dressing, il pouvait agrandir la salle de bains, y ajouter une douche. Il ferait d'une pierre deux coups : Mac aurait un vrai cabinet à disposition des clientes, et son espace de stockage doublerait de volume.

Quant au bureau de Carter au premier étage…

Il se renversa sur sa chaise, but de l'eau par grandes lampées et s'efforça de penser comme un professeur de littérature. De quoi aurait-il besoin pour son espace de travail ? Il fallait joindre l'utile à un goût plutôt traditionnel – après tout, il s'agissait de Carter. Sur un pan de mur, des étagères pour les livres. Non, plutôt sur deux pans de mur.

Une armoire vitrine, décida-t-il avant de se déplacer le long de son plan de travail pour tenter une rapide esquisse à la main. Avec de petits placards au-dessus pour classer les dossiers d'élèves et les fournitures de bureau. Rien de trop sophistiqué ni de trop épuré car ça ne ressemblerait plus à Carter.

Un bois sombre, ancien, à la mode anglaise. Mais avec de larges fenêtres pour épouser le style du reste du bâtiment. Un plafond incliné pour briser l'aspect rectiligne. Quelques lucarnes. Un mur en alcôve. Et pour le délassement, un coin salon.

En somme, un endroit où un gars pourrait se réfugier si sa femme lui cassait les pieds, ou s'il voulait juste faire la sieste.

Ici, une double porte flanquée d'une terrasse – à petite échelle. Peut-être que le type voudrait fumer un cigare avec son cognac. C'était à envisager.

Il fit une courte pause, puis se replongea dans le match qui se déroulait sur son écran plat, à sa gauche. Tandis que ses méninges continuaient à chauffer, il regarda les Phillis infliger une raclée fulgurante aux Red Sox. Manque de bol.

Il se remit à ses dessins. Une pensée le traversa : Emma. Fulminant, il se passa la main dans les cheveux. C'est qu'il avait sacrément pris sur lui en refusant de penser à elle jusqu'alors. Il savait comment compartimenter son cerveau. Le travail, le match, quelques coups d'œil aux scores des équipes de temps à autre. Emma avait été placée en quarantaine, dans une catégorie bien à part, un compartiment qui devait rester hermétique, en théorie.

Il refusait de penser à elle. À quoi bon ? Il avait commis une erreur, mais pas de quoi en faire tout un plat. Il l'avait embrassée, voilà tout.

104

Ce fut un sacré baiser ! Un pur moment d'égarement, pourtant. Encore quelques jours, le temps de laisser l'affaire se tasser, et on n'y penserait plus. Tout redeviendrait comme avant. Elle n'était pas du genre à lui en tenir rigueur. Sans oublier qu'elle ne l'avait pas repoussé. Il jura et but de l'eau à grandes gorgées. Ça non ! Elle n'avait pas dit non. Alors pourquoi en ferait-elle toute une montagne ? Ils étaient grands ; ils s'étaient embrassés. Fin de l'histoire.

Si elle s'imaginait qu'il allait lui présenter des excuses, elle pouvait toujours courir. Elle allait devoir affronter la situation – et l'affronter lui. Del était son meilleur ami, et il était très proche des autres membres du quatuor. Sans oublier qu'avec les travaux de réaménagement dont parlait Parker, il allait passer beaucoup plus de temps chez les Brown dans les mois à venir.

Il se repassa la main dans les cheveux. D'accord, ils allaient tous les deux devoir faire avec. Se frottant le visage, il se força à se remettre au travail. Regardant de nouveau ses plans, il fronça les sourcils. Puis plissa les yeux.

« Attends une seconde... »

D'un geste prompt, il retourna le dessin d'un coup sec, l'inclina. Il esquissa le bureau de Carter en porte à faux de manière à créer, au-dessous, un patio partiellement recouvert. Une façon de leur fournir l'espace extérieur privé dont ils avaient besoin, un petit jardin à l'abri des regards, ou bien un massif d'arbustes. Emma ne manquerait pas de trouver une idée.

La forme du bâtiment, sa structure d'ensemble en seraient nettement améliorées ; en même temps, l'espace vivable augmenterait sans que les travaux leur coûtent les yeux de la tête.

« Tu es un vrai génie, Cooke. »

Alors qu'il commençait à rentrer dans le détail de ses dessins, on frappa à la porte de derrière.

Tout à ses plans, il alla ouvrir la porte de la cuisine donnant sur l'arrière de la maison, au-dessus de ses bureaux. Il s'attendait à voir Del ou un autre ami – qui aurait apporté de la bière, avec un peu de chance.

Elle se tenait là, sous le porche, dans un halo de lumière, et dégageait une odeur fleurie, celle d'un pré au clair de lune.

— Emma.

— Il faut que je te parle.

D'un pas, elle s'invita à l'intérieur, rejeta sa crinière sur son dos et se tourna vers lui.

— Tu es seul ?

— Oui…

— Très bien. Qu'est-ce qui ne tourne pas rond chez toi ?

— Mais encore ?

— Ne fais pas le malin, je ne suis pas d'humeur. Tu flirtes avec moi, tu recharges la batterie de ma voiture, tu me masses les épaules, tu manges mes nouilles, tu me prêtes ta veste, ensuite…

— J'aurais peut-être dû te faire coucou par la vitre sans m'arrêter, quand je t'ai croisée sur le bord de la route. Et te laisser geler sur place quand tu es devenue toute bleue. Quant aux nouilles, l'autre jour, j'avais l'estomac dans les talons.

— Mais enfin, tu ne vois pas que tout est lié ! dit-elle hargneusement, quittant à grands pas la cuisine pour le vaste vestibule, gesticulant dans tous les sens. Et tu t'es arrangé pour laisser de côté le massage et la suite.

Résigné, il la suivit dans la pièce.

— Tu paraissais crispée. Et puis, sur le moment, ça n'avait pas l'air de te déplaire.

— Et la suite ? reprit-elle, en virevoltant et en plissant ses beaux yeux d'un brun velouté.

106

— D'accord, il y a eu une suite. Tu étais là, j'étais là, et ça s'est produit. Ce n'est pas comme si je t'avais sauté dessus ou que tu t'étais débattue, argua-t-il. Nous... nous nous sommes rapprochés quelques instants.

Le terme « embrassés » lui avait soudain paru trop sérieux.

— « Rapprochés ». Grandis un peu, tu n'as plus douze ans. Tu m'as embrassée.

— *On* s'est embrassés.

— C'est toi qui as commencé.

— Grandis un peu ! Tu n'as plus douze ans, répliqua-t-il avec un sourire narquois.

Elle émit un sifflement aigu qui lui hérissa les poils de la nuque.

— C'est toi qui as pris les devants, Jack. Tu m'as descendu du vin, tu t'es installé sur les marches pour me faire un massage. Tu m'as *embrassée*.

— Je plaide coupable. Mais tu m'as rendu mon baiser. Ensuite tu as déguerpi sans demander ton reste, à croire que je t'avais mordue.

— Parker m'avait bipée. J'étais en plein travail. Toi, pouf ! Tu t'es évanoui dans la nature. Et depuis, tu es aux abonnés absents.

— Évanoui ? J'ai juste quitté la fête. C'est toi qui t'es enfuie comme si tu avais la mort aux trousses. Il se trouve que je ne peux pas piffrer Whitney. Je n'avais aucune raison de rester. Curieusement, j'ai moi aussi un travail et j'ai passé toute la semaine à bosser. Pas de « pouf » – je n'arrive pas à croire que j'aie dit ce mot, conclut-il en prenant une profonde inspiration. Asseyons-nous.

— Je n'ai pas envie de m'asseoir. Je suis trop furieuse. Ça ne se fait pas d'embrasser quelqu'un puis de prendre la poudre d'escampette.

Elle brandissait vers lui un doigt accusateur.

107

— C'est toi qui t'es enfuie, riposta-t-il.

— Ce n'était pas dans mon intention, comme je te l'ai expliqué. Bipeur, Parker, boulot, répliqua-t-elle, agitant les bras une nouvelle fois. Je ne suis allée nulle part. J'ai dû partir parce que la peste de mariée voulait absolument inspecter son bouquet avant de daigner le lancer à ses invitées. Il a fallu lui obéir au doigt et à l'œil. Moi non plus, je ne peux pas la voir en peinture, mais je ne me suis pas défilée pour autant.

Posant sa main sur le torse de Jack, elle le bouscula légèrement.

— Mais toi si. C'était très grossier.

— Je rêve ? Maintenant, tu te mets à me faire la morale ? D'accord, je t'ai embrassée. C'est cette bouche, je la voulais, dit-il, le regard embrasé. Comme tu t'es laissé faire, j'en ai profité. Et je ne regrette rien.

Elle fulminait. Jack n'avait encore jamais vu une femme dans pareil état. Bon sang, que c'était sexy ! S'il était déjà bon pour aller brûler en enfer au premier baiser, autant qu'il en profite une seconde fois. Il la saisit, et l'attira à lui en la soulevant légèrement. Elle émit un son, mais avant qu'elle ait eu le temps d'articuler, il lui attrapait la bouche qu'il lui mordilla sans plus attendre, un geste prompt et impatient auquel Emma, surprise, répondit en entrouvrant les lèvres. Plus rien n'avait d'importance, à présent que leurs langues se mêlaient, et que le goût de sa bouche envahissait ses sens comme une décharge électrique parcourant ses veines.

Dans ses mains, il saisit son épaisse chevelure, la forçant à renverser la tête.

Stop. Elle voulait lui dire d'arrêter. Mais au fur et à mesure que la colère cédait à la surprise puis à la frénésie, toute pensée rationnelle s'évaporait. Quand il leva le visage pour prononcer son nom, elle se contenta de secouer la tête et de le ramener contre elle.

S'abandonnant entièrement, Jack parcourut le corps d'Emma dans des gestes audacieux et enflammés. Jusqu'à ce qu'elle en perde le souffle.

— Permets-moi…, balbutia-t-il en s'escrimant à déboutonner son chemisier.

— Je t'en prie.

Elle était prête à lui permettre quasiment tout. Quand les mains de Jack couvrirent son cœur qui battait à tout rompre, elle l'attira sur le sol.

Il avait la peau douce, le corps musclé et la bouche avide. Elle se cambra sous son corps puis se fit rouler au-dessus de lui. Lui arracha son T-shirt qu'elle jeta avant de s'attaquer à son torse. Dans un grognement, il la ramena à sa hauteur pour lui dévorer les lèvres et la gorge, mû par un désir fou, celui-là même qui consumait Emma.

À moitié enragé, il la renversa sur le dos, prêt à mettre ses vêtements en charpie. C'est alors que le coude d'Emma frappa violemment le sol. Elle vit trente-six chandelles.

— Nom de… !

— Mince, je suis désolé. Montre-moi.

— Non, laisse, répliqua-t-elle, secouée et parcourue de picotements. Aïe !

Elle se redressa. Il lui frotta l'avant-bras pour faire passer la douleur. Pendant ce temps, il s'efforçait de réguler sa propre respiration.

— Tu te moques.

— Non, non. Je suis à bout de souffle. C'est trop d'émotion.

— Tu te moques, l'accusa-t-elle en lui plantant l'index dans la poitrine.

— Non. Je fais ce que je peux pour me retenir, se défendit-il tout en se disant que c'était une première pour lui, de se contenir alors qu'il avait une érection massive. Ça ne va pas mieux ? Rien qu'un peu ? ajouta-t-il en faisant l'erreur de la regarder dans les yeux.

Dans son regard brillait une étincelle d'amusement, comme une pépite d'or sur du brun. Il perdit la bataille. Il s'écroula et laissa libre cours au rire.

— Désolé, vraiment.

— Pourquoi cela ? Tu as fait preuve de tant de délicatesse, ironisa-t-elle.

— Ah oui ? C'est ce qu'elles disent toutes. Mais toi, tu as préféré le plancher au canapé super confortable, à seulement quelques mètres de là. Sans parler du lit à l'étage. Non, tu ne pouvais pas te retenir plus longtemps.

— Le sexe tout confort, c'est pour les chiffes molles.

Il la regarda, un long sourire suggestif aux lèvres.

— Je ne suis pas une chiffe molle, ma grande, dit-il en se redressant. Prête pour un deuxième round ?

— Pas si vite, le retint-elle en lui frappant le torse. Tu as des pectoraux en acier, en passant. Jack, que sommes-nous en train de faire ?

— S'il faut te faire un dessin, c'est que je m'y prends comme un manche.

— Non, vraiment, je veux dire…, reprit-elle tout en jetant un œil à son chemisier déboutonné laissant apparaître son soutien-gorge en dentelle blanche. Regarde dans quel état nous sommes. Regarde-moi.

— C'est ce que je fais, crois-moi. Et je n'ai pas envie d'arrêter. Tu as un corps de déesse. J'ai juste envie de…

— Oui, j'ai compris. Idem pour moi. Pourtant, Jack, on ne peut pas… Nous nous sommes laissés aller. Je ne suis pas sûre de pouvoir faire les choses de cette manière. Ou d'une autre, ajouta-t-elle alors que tout son être lui criait le contraire. Il faut que nous prenions le temps d'y réfléchir, que nous pesions le pour et le contre. Après tout, nous sommes amis.

— J'ai l'impression de me montrer plutôt amical.

Son regard s'adoucit. Elle s'approcha du visage de Jack pour lui caresser la joue.

— Nous sommes amis.

— Certes.

— Plus encore. Nos amis sont amis. Tout est imbriqué. Alors, même si je meurs d'envie de te dire : « On s'en fiche, essayons le canapé, puis le lit, puis peut-être l'étage ensuite »...

— Emmaline, l'interrompit-il, le regard assombri, tu me tortures.

— Faire l'amour, ce n'est pas comme s'embrasser dans l'escalier de service. Si incroyable que fût le baiser. Il nous faut du temps. Je refuse de perdre ton amitié, Jack, juste parce que j'ai une soudaine envie de te voir nu. Tu comptes trop pour moi.

Il poussa un soupir.

— Tu me fais regretter d'avoir dit que nous étions amis. Tu comptes beaucoup pour moi aussi. Tu as toujours compté.

— Bon, prenons le temps d'y voir clair, décréta-t-elle en reboutonnant son chemisier.

— Tu n'as pas idée du dépit que cause ton geste.

— Si. Je suis aussi frustrée que toi. Ne bouge pas, ordonna-t-elle avant de se lever et de ramasser son sac lâché dans le feu de l'action. En guise de consolation, dis-toi que je vais passer une nuit atroce à imaginer ce qui se serait passé si nous avions été jusqu'au bout.

— Et moi donc.

— Eh bien, répliqua-t-elle en se retournant au moment de prendre la porte, c'est toi qui as commencé.

Le lendemain matin, après avoir passé une nuit blanche, comme prévu, Emma avait grand besoin du réconfort de ses copines et des pancakes de Mme Grady. Elle conclut un marché avec elle-même. D'accord, elle aurait ses copines, mais pour les pancakes, il lui faudrait d'abord affronter la salle de gym tant redoutée.

À contrecœur, elle attrapa sa tenue de sport et commença à se traîner vers la maison principale. Son corps entier réclamait de la caféine. Chemin faisant, elle dévia vers le studio de Mac. Elle allait souffrir ? Eh bien, il n'y avait pas de raison pour que Mac ne partage pas sa douleur.

Sans même y penser, elle pénétra dans la maison et se dirigea vers la cuisine. Vêtue d'un boxer en coton et d'un débardeur, Mac se tenait appuyée sur le bar, une tasse de café à la main, un large sourire au visage. De l'autre côté du bar, dans sa veste de tweed, Carter affichait exactement la même pose et le même sourire.

Emma se rendit compte qu'elle aurait dû frapper. À présent que Carter vivait là, il fallait qu'elle se souvienne de s'annoncer avant d'entrer.

Mac regarda vers elle, leva sa tasse et la salua.

— Désolée.

— Tu es encore à court de café ?

— Non, je…

— Sers-toi, l'interrompit Carter. J'en ai fait une cafetière entière.

— Pourquoi faut-il que tu l'épouses elle et pas moi ? déplora Emma, l'air désolé.

La pointe des oreilles de Carter rougit légèrement. Il haussa les épaules.

— Peut-être que si les choses tournent mal…

— Il croit qu'il est mignon, intervint sèchement Mac. Et bon sang, il a raison !

112

Elle s'approcha de lui et tira sur sa cravate. Le baiser qu'ils échangèrent était doux et léger, selon Emma. Le genre de baiser qu'on échangeait quand on savait qu'il y en avait des tas d'autres à venir, plus sulfureux, plus langoureux.

Une légèreté et une douceur qu'Emma enviait terriblement.

— C'est l'heure d'aller à l'école, professeur. Et d'illuminer les jeunes esprits.

— C'est au programme, répondit Carter qui saisit sa sacoche et passa une main dans la chevelure flamboyante de Mac. À ce soir. Au revoir, Emma.

— Au revoir.

Au moment de sortir, il ouvrit la porte, se retourna pour jeter un dernier coup d'œil, et heurta du coude le jambage.

— Nom d'un chien ! marmonna-t-il avant de refermer la porte derrière lui.

— Ça lui arrive une fois sur trois, il… Qu'est-ce qui ne va pas, Emma ? Tu es devenue toute rouge.

— Rien, nia-t-elle tandis qu'elle se massait le coude en repensant à la veille. Rien. Je ne fais que passer. J'étais en route pour la chambre des supplices. J'ai prévu de prier Mme G de me faire des pancakes après la séance de torture.

— Donne-moi deux minutes. Le temps de me changer.

Pendant que Mac filait à l'étage, Emma arpenta la cuisine. Il devait bien y avoir une façon simple et subtile d'annoncer à Mac ce qui s'était passé – se passait – avec Jack. Une manière de lui demander de faire une entorse à la règle qui interdit de coucher avec l'ex d'une amie.

Primo, Jack et Mac n'étaient désormais plus que des amis. Secundo – un argument encore plus pertinent – Mac était raide dingue de Carter. Et puis zut ! Elle allait se marier ! Quel genre de personne obligerait son amie à respecter la fameuse règle des ex, alors qu'elle-même était sur

le point de s'unir au prince charmant ? C'était tout bonne-
ment inconsidéré, mesquin et sans cœur.

— Allons-y avant que je ne change d'avis, dit Mac, qui
débarqua en sautillant, vêtue d'un short de cycliste, d'une
brassière de sport et d'un sweat-shirt à capuche. Je peux
déjà sentir durcir mes biceps et mes triceps. À moi les bras
de rêve !

— Pourquoi me fais-tu ce coup-là ? demanda Emma.

— Quel coup ?

— On est amies depuis le berceau. Je ne vois vraiment
pas pourquoi tu es si casse-pieds alors qu'il ne t'intéresse
même pas.

— Qui ça ? Carter ? Bien sûr qu'il m'intéresse. Dis-moi
tout : tu n'as pas encore eu ton café du matin, hein ?

— Si je prends du café, mon cerveau devient alors assez
alerte pour m'empêcher d'aller faire de la gym. Et n'en
profite pas pour changer de sujet.

— D'accord. Pourquoi es-tu en colère contre moi ?

— Je ne suis pas en colère. C'est toi qui m'en veux.

— Eh bien, présente-moi des excuses et on n'en parle
plus.

Mac ouvrit la porte et se précipita à l'extérieur.

— Pourquoi devrais-je te présenter des excuses ? Je n'ai
pas été jusqu'au bout.

Emma claqua la porte derrière elle.

— Au bout de quoi ?

— Au bout…, grogna Emma en se frottant les yeux.
C'est le manque de caféine. J'ai les idées floues. Je commence par le milieu – ou plutôt la fin.

— J'exige de savoir pourquoi je t'en veux, pour pouvoir
y mettre du cœur ! Espèce de garce !

Emma prit une longue inspiration.

— J'ai embrassé Jack. Enfin, c'est lui qui a commencé.
Ensuite, pouf, il s'est évanoui dans la nature. Donc je suis

allée chez lui pour lui dire le fond de ma pensée. Et là, il a recommencé. Et moi aussi. Puis on a roulé sur le sol, les vêtements ont volé, jusqu'à ce que je me cogne le coude. Très violemment. Ça m'a fait reprendre mes esprits. Donc je ne suis pas allée jusqu'au bout, et toi, tu n'as aucune raison de m'en vouloir.

Mac, interloquée dès la première phrase, demeura bouche bée.

— Quoi ? Quoi ? bafouilla-t-elle, secouant la tête et se tapotant l'oreille comme pour en chasser de l'eau. *Quoi ?*

— Je ne vais pas tout répéter depuis le début. Ce qu'il faut retenir, c'est que je me suis arrêtée à temps, et que je me suis excusée.

— Auprès de Jack ?

— Non – en fait, si – mais surtout c'est à toi que je dois des excuses, Mac.

— Pourquoi cela ?

— Pour l'amour du ciel, Mac ! À cause de *notre règle* !

— Je vois.

Un silence s'ensuivit. Mac mit les poings sur les hanches et regarda fixement dans le vide.

— Non, en fait je ne comprends toujours pas. Voyons voir, dit-elle en faisant le geste d'essuyer un tableau. Hop, on efface tout et on recommence de zéro. Jack et toi – waouh – attends, j'ai besoin d'un instant pour avaler la nouvelle. Ça y est ! Jack et toi, vous vous êtes fait un gros baiser mouillé.

— Ce n'était pas un baiser mouillé. Il embrasse très bien, comme tu le sais.

— Ah bon ?

— Et je ne m'excuse pas, cette fois. Ce n'était pas du tout prévu – enfin si, un peu quand même, à cause des frissons quand on était sous le capot.

— Le capot ? Qu'est-ce que... Oh, la voiture. Bon sang, c'est bien parce qu'on se connaît depuis toujours que j'arrive à interpréter les bribes de ton discours.

— Mais je ne m'attendais pas à ce qu'il me descende un verre de vin lors de ma pause, dans l'escalier de service. Je ne demandais rien à personne.

— Du vin, l'escalier de service, marmonna Mac. Ah, la garce de mariée. À son mariage.

— Ensuite, il m'a massé les épaules. C'est là que j'aurais dû me méfier. Mais j'étais sur le point de partir – de remonter à la fête. On était là, debout dans l'escalier. Et il m'a embrassée. Parker m'a bipée, je devais partir, et là seulement j'ai compris ce que j'avais fait. Ce n'est pas vraiment une trahison. Et puis toi, maintenant tu as Carter.

— Mais qu'est-ce que je viens faire dans cette histoire ?

— Attends, je n'ai pas couché avec lui. C'est tout ce qui compte.

Un oiseau leur vola sous le nez, chantant à tue-tête. Sans même daigner lui porter un regard, Emma plaqua les mains sur les hanches et prit un air menaçant.

— Les baisers sont venus de nulle part, à deux reprises. Quant aux galipettes, c'était juste une impulsion. Je ne suis pas allée jusqu'au bout, donc, d'un point de vue technique, je n'ai pas transgressé la règle. Bref, je te présente mes excuses.

— Que j'accepterais volontiers, si tu voulais bien m'expliquer ce que je viens faire là-dedans.

— La règle des ex.

— La... oh, la règle des *EX* ! Je ne capte toujours pas en quoi je... Une seconde. Tu penses que Jack et moi... tu penses qu'on a couché ensemble ? Moi et Jack Cooke ?

— Oui, Jack Cooke, qui d'autre ?

— Je n'ai jamais couché avec lui.

— Bien sûr que si, la contredit Emma en la bousculant légèrement.

— Je te dis que non, rétorqua Mac en la poussant à son tour. Je suis bien placée pour savoir avec qui j'ai couché. Avec Jack, je n'ai jamais fait la chose. Il n'en a même jamais été question. Je n'ai pas batifolé avec lui sur le sol, et je ne lui ai pas non plus enlevé ses vêtements.

— Pourtant..., bafouilla Emma qui, confuse, laissa retomber ses bras, quand il venait ici avec Del, au tout début, pendant les vacances universitaires, vous deux, vous...

— ... flirtiez. Point à la ligne. Nous n'avons jamais dépassé ce stade. Rien qui implique un lit, la moquette, ou même le mur ou une quelconque surface – rien qui implique deux corps nus en tout cas.

— J'ai toujours pensé que...

— Il suffisait de me demander, l'interrompit Mac, le visage renfrogné.

— Non, parce que – bon sang – il me plaisait. Et toi, tu étais déjà là, donc je ne pouvais rien faire. Ensuite, quand, de toute évidence, vous n'étiez plus que des amis, la fameuse règle était entrée en vigueur. Du moins, je le croyais.

— Tout ce temps-là, tu en pinçais pour Jack ?

— Par intermittence. J'ai canalisé mes émotions dans d'autres domaines, à cause de la règle. Toutefois, j'ai eu plus de mal à me retenir récemment. Mon Dieu, s'exclama Emma en se claquant le visage. Je ne suis qu'une idiote.

— Espèce de catin, dit Mac, le visage sévère, les bras croisés sur la poitrine. Tu as failli te taper un homme que je ne me suis jamais tapé. Quel genre d'amie ferait ça ?

— Je t'ai dit que j'étais désolée, répondit Emma, affligée.

— Il se peut que je te pardonne. Mais avant, tu dois tout me raconter, dans les moindres détails, et de manière cohérente, ordonna Mac, qui saisit Emma par le bras et trotta jusqu'à la maison. Après le café. Donc, après la gym.

— Nous pourrions passer directement au café ?

— Pas question. Je suis motivée pour le sport.

Mac en tête, elles pénétrèrent dans la maison par une porte subsidiaire et grimpèrent l'escalier. Au moment où elles atteignaient le deuxième étage, Parker et Laurel quittaient la salle de gym.

— Emma a embrassé Jack, et ils étaient à deux doigts de coucher ensemble.

— Quoi ? répondirent-elles à l'unisson.

— Je ne peux pas en parler maintenant. Il me faut mon café. Et je ne parlerai que s'il y a des pancakes.

L'air dégoûté, Emma se dirigea vers le vélo elliptique.

— Des pancakes. Je vais prévenir Mme G, dit Laurel en s'éclipsant.

— Jack ? Jack Cooke ? demanda Parker.

Mac s'étira les bras avant d'aller s'atteler à l'appareil de fitness.

— Tu m'as bien entendue.

Quand elles furent installées dans le coin-repas et qu'Emma eut reçu sa première tasse de café, Mac leva la main.

— Permettez-moi de vous raconter la première partie de l'histoire. Ça nous épargnera du temps et ça vous évitera de perdre la boule. Alors, Emma avait le béguin pour Jack, mais elle croyait qu'il s'était autrefois passé quelque chose entre lui et moi – entre autres qu'on couchait ensemble. Donc, elle s'en est tenue à la règle des ex et a souffert en silence.

— Je n'ai pas souffert.

— C'est moi qui parle. Ensuite, pendant la réception de la garce de mariée, Jack lui a fait le coup du : « Oh, tu as l'air tellement stressée, laisse-moi te masser les épaules », et lui a roulé une grosse pelle. À ce moment-là, Parker a bipé Emma.

— C'est pour ça que tu étais bizarre. Merci, madame G, dit Parker en souriant avant de prendre un pancake du plat que la gouvernante venait de déposer sur la table.

— Donc, hier, après une semaine d'attente, elle s'est rendue chez lui et lui a demandé des explications. Une chose en entraînant une autre, ils se sont retrouvés tout nus à faire des roulades sur le sol.

— Nous n'étions même pas à moitié nus. Peut-être un quart, calcula Emma, tout au plus.

— Ce matin, elle s'est excusée auprès de moi pour avoir presque couché avec mon ex imaginaire.

— Elle a bien fait, intervint Mme Grady. Le terrain d'une amie, c'est chasse gardée.

— C'est arrivé comme ça, balbutia Emma, intimidée par le regard froid de Mme Grady. Je me suis excusée. En fait, j'ai mis le holà avant que nous ne…

— C'est parce que tu es une fille bien, et que tu as du cœur. Mange donc un peu de ce fruit. Il est frais. Le sexe, c'est encore mieux quand on a une alimentation saine.

— Oui, madame, obéit Emma en piquant un bout d'ananas.

— Qu'est-ce qui te faisait croire que Mac avait couché avec Jack ? demanda Laurel qui arrosait son pancake de sirop d'érable. Si ç'avait été le cas, elle aurait fanfaronné et serait allée le crier sur tous les toits.

— Non, je n'aurais pas fait ça.

— À cette époque-là, si.

— D'accord. À cette époque-là, je m'en serais vantée, admit Mac, après réflexion. Mais depuis, j'ai évolué.

— Tu en pinçais beaucoup pour lui ?

— À un point inimaginable. Avant l'épisode de l'escalier de service déjà. Après, il a explosé tous les records.

119

— Il embrasse comme un dieu, approuva Parker, un sourire songeur aux lèvres.

— Oui, il… Comment le sais-tu ? questionna Emma, éberluée. *Toi ?* Jack et toi ? Quand ? Comment ?

— C'est vraiment écœurant, marmonna Mac. Encore une amie qui s'est tapé mon petit copain imaginaire.

— Il y a eu deux baisers, lors de ma première année à Yale. Nous étions tombés nez à nez, à une fête, et il m'avait raccompagnée au foyer. C'était sympa. Très sympa. Pourtant, même s'il se débrouillait bien, j'avais trop l'impression d'embrasser mon frère. Je pense qu'il trouvait ça bizarre aussi. Donc nous en sommes restés là. Je pense qu'entre Jack et toi, le problème ne s'est pas posé ?

— On est loin d'être comme frère et sœur. Pourquoi nous as-tu fait des cachotteries ?

— J'ignorais que chaque garçon embrassé nécessitait un rapport détaillé. Mais je peux toujours dresser une liste.

— Je te fais confiance sur ce point, dit Emma en riant. Et toi, Laurel, une aventure avec Jack que tu souhaiterais confesser ? C'est le moment.

— À mon grand dam, je suis obligée d'avouer que non. Même pas un incident imaginaire. Il aurait quand même pu tenter le coup avec moi, depuis le temps. Le salaud. Et vous, madame G ?

— Un baiser charmant sous le gui, il y a quelques Noëls de cela. Comme je suis du genre à quitter mes amants, je l'ai laissé partir pour ne pas lui briser le cœur.

— J'ai comme l'impression qu'Emma a l'intention de le remettre à sa place.

— Je ne sais pas. J'ai besoin de temps. C'est compliqué, c'est mon ami, notre ami. C'est le meilleur copain de Del. Del est ton frère et toutes les trois, nous le considérons comme faisant partie de la famille. Nous sommes tous liés dans la vie et dans les affaires. Del est notre avocat, Jack nous donne un coup de main quand on en a besoin. En plus, il dessine les plans de rénovation de la propriété. Tout est intriqué, emberlificoté.

— Et rien ne complique davantage une situation que le sexe.

— Exactement. Si nous décidons de tenter le coup, et que ça tourne court, non seulement nous serons gênés, mais nous mettrons tout le monde dans une position embarrassante. Tandis que là, nous arrivons à maintenir une certaine harmonie, vous ne pensez pas ? Alors, risquer de tout gâcher avec une partie de jambes en l'air ? Le jeu n'en vaut pas la chandelle.

— Cela voudrait dire que tu t'y prends mal, commenta Mme Grady en secouant la tête. Vous, les jeunes, vous vous triturez trop l'esprit. Je vais faire la vaisselle.

— Elle pense que je fais ma mijaurée, dit Emma en boudant les pancakes. J'essaie juste de faire en sorte que personne ne soit blessé.

— Dans ce cas, il faut que tu fixes d'emblée tes propres règles. Pose tes conditions, et explique-lui ce que tu attends de lui en cas de complications.

— Quel genre de conditions ?

Parker haussa les épaules.

— C'est à toi de voir, Emma.

7

Face à son plan de travail, sur fond de musique New Age, Emma préparait une commande pour un enterrement de vie de jeune fille, une célébration qui aurait lieu en dehors du domaine, en milieu de semaine. Pour l'occasion, elle avait choisi un style léger et féminin pour lequel les gerberas se prêtaient à la perfection.

Le bouquet en tête, elle coupa le bout des tiges dans l'eau. De belles fleurs fraîches, pensa-t-elle en plongeant les marguerites dans une solution constituée d'eau, d'engrais et de conservateurs.

Elle transporta le premier lot dans la chambre climatique. Comme elle s'apprêtait à entamer le deuxième lot, on l'appela.

— Suis dans l'atelier !

Parker apparut, jeta un coup d'œil aux fleurs, rameaux, seaux et outils.

— Enterrement de vie de jeune fille McNickey ?

— Bien vu. Regarde la couleur de ces gerberas. Du pastel au flamboyant. Ça va être parfait.

— Que fais-tu ?

— Pour le milieu de table, un trio d'arbustes en pots que je recouvrirai de feuilles de citronnier. Je travaillerai à partir de jasmin de Madagascar et d'acacias, j'y ajouterai quelques rubans. Pour la table principale, la cliente désire un truc plus élaboré, puis un autre arrangement floral agrémenté de bougies à placer près de la cheminée. Il faut que je prépare tout ça avant mon rendez-vous de onze heures. Ça prend forme.

— Festif et féminin, commenta Parker en balayant du regard l'atelier. Écoute, je vois que tu es surbookée, mais pourrais-tu intercaler un autre événement extérieur ?

— Quand ça ?

— Jeudi prochain. Je sais, répondit-elle au regard froid que lui lança Emma. La cliente potentielle a appelé sur la ligne directe. Comme je me doutais que tu te concentrais sur une commande, je n'ai pas transféré l'appel. Elle faisait partie des invités des Folk-Harrigan. Elle ne s'est pas remise des fleurs, m'a-t-elle dit. Un point de plus contre la peste de mariée.

— Tu te sers de cet argument pour me charmer.

— En effet. Au départ, elle avait prévu d'acheter elle-même des fleurs coupées pour les mettre dans des vases, mais maintenant qu'elle a vu ton œuvre, elle est envoûtée. Elle n'arrive pas à oublier le spectacle de ton travail...

— Arrête ton char.

— À quel point les compositions étaient belles et inventives...

— Va au diable, Parker.

— Elle n'en dort plus, n'en mange plus.

— Je te déteste. Quel genre d'événement, et de quelle importance ?

Parker sourit d'une manière à la fois suffisante et compatissante. Un atout sans pareil, selon Emma.

— Une fête pour célébrer une naissance. Dans le même genre que ce que tu prépares là. L'arrangement de cheminée mis à part. Très « fête de fille » – le bébé est une petite fille –, donc la cliente veut mettre la dose de rose. En tout cas, elle m'a dit qu'elle s'en remettait totalement à ton jugement.

— Il ne me reste que peu de temps pour la préparation. Il faut que je voie avec mon grossiste. Et que je consulte mon agenda, pour la semaine prochaine.

— C'est déjà fait. Ton lundi est très chargé, mais tu as un moment de libre le mardi après-midi. Mercredi, tu t'occupes de l'événement de vendredi, et jeudi de celui de samedi. Tink va venir t'aider pendant ces deux jours. Tu penses que tu peux insérer cet extra ? La cliente s'apprête à être grand-mère pour la première fois.

— Tu sais exactement comment me convaincre, soupira Emma.

— En effet, répliqua-t-elle en tapotant l'épaule d'Emma, sans manifester le moindre repentir. Si besoin est, n'hésite pas à demander l'aide de Tiffany ou de Beach.

— Tink et moi, nous nous débrouillerons, rétorqua Emma qui portait le deuxième lot dans la chambre climatique avant de revenir. J'appelle la cliente dès que j'en ai fini avec ma commande, pour être sûre de cerner ses attentes. Ensuite, je vois si je peux obtenir la matière première.

— J'ai laissé ses coordonnées sur ton bureau.

— Évidemment. Autrement, tu ne serais pas Parker. J'espère que tu te rends compte que ça va te coûter bonbon.

— Ton prix sera le mien.

— Eh bien, le garage a appelé. Ma voiture est prête mais je n'ai pas le temps d'aller la récupérer aujourd'hui. Demain non plus, mon emploi du temps est saturé.

— Je m'en charge.

— Je n'en attendais pas moins de toi, dit-elle en jetant un coup d'œil à son plan de travail et en se massant la nuque. Je vais consacrer l'heure que tu me fais gagner à la future grand-mère.

— Je vais lui passer un coup de fil pour la rassurer et lui dire que tu la contacteras. À propos de contact, tu as parlé à Jack depuis ?

— Non. Je suis dans une phase de réflexion. Si je lui parlais, je commencerais à m'imaginer lui sautant dessus ou vice versa. Évidemment, maintenant que nous en avons parlé, j'y pense.

— Devrais-je te laisser un moment d'intimité ?

— Très drôle. Je lui ai dit qu'on devait prendre le temps de réfléchir. C'est ce que je fais. Le sexe n'est pas tout, ajouta-t-elle d'une voix très comme il faut, les sourcils froncés.

— Puisque tu as plus d'expérience que moi en la matière – et que tu en as plus souvent l'opportunité – je m'en remets à ta connaissance de haut niveau.

— C'est parce que je n'intimide pas la gent masculine, dit-elle en lançant un regard à Parker. Sans vouloir t'offenser.

— J'aime bien intimider. Au moins, je ne perds pas mon temps, dit-elle en regardant sa montre. D'ailleurs, j'ai maintenant rendez-vous avec une mariée en ville. Mac doit livrer une commande, je vais la rattraper avant qu'elle ne file. Elle me déposera au garage. Je serai de retour à quatre heures. N'oublie pas le rendez-vous de ce soir. Dix-huit heures trente.

— C'est dans mon agenda.

— À tout à l'heure. Merci infiniment, Emma, ajouta Parker avant de filer comme une flèche.

Une fois seule, Emma nettoya son plan de travail et attrapa la crème antibiotique cicatrisante dont elle usait comme certaines femmes consomment de la crème hydratante. Elle soigna ses coupures encore fraîches, puis se prépara pour le rendez-vous suivant.

Satisfaite de sa sélection d'arrangements floraux, d'albums photo et magazines, elle composa le numéro que Parker avait laissé et fit de la future grand-mère une femme comblée. Au fil de la conversation, elle prenait des notes, calculait approximativement le nombre de boutons de roses et de mini-lis calla qu'il lui faudrait commander. Pour la composition florale la plus volumineuse, elle utiliserait des lis calla aubergine, des roses blanches et des roses roses.

Mignon, féminin, avec des touches plus raffinées. Elle prit d'autres notes, inscrivit l'heure et la date de livraison, et promit à la cliente de lui envoyer par e-mail un contrat avec un détail de la commande dans l'après-midi.

Après avoir jeté un coup d'œil à l'heure, elle se dépêcha d'appeler le grossiste, puis troqua sa tenue de travail contre un tailleur. Pendant qu'elle retouchait son maquillage, elle se demanda si Jack, lui aussi, avait eu l'occasion de réfléchir à eux deux.

Prise d'une soudaine envie, elle fonça à son ordinateur pour lui écrire un e-mail.

J'y pense encore. Et toi ?

Elle cliqua sur « envoyer » avant de se laisser le temps de changer d'avis.

Installé à son bureau, Jack révisait les modifications apportées par son associé. Le projet de chantier changeait au gré de l'humeur des clients. Ces derniers avaient vu les choses en grand, et ils avaient obtenu satisfaction. Ils avaient voulu six cheminées. Jusqu'à ce qu'ils décident qu'il leur en fallait neuf. Ainsi qu'un ascenseur. Les dernières modifications en date prévoyaient d'abriter la piscine pour en profiter tout au long de l'année, et de la relier à la maison via un passage abrité.

— Bon boulot, Chip, songea Jack, qui introduisit tout de même de légers changements aux plans.

Il étudia le rendu de son travail, puis les dessins que l'ingénieur des ponts et chaussées lui avait soumis. C'était bon. Très, très bon même. La noblesse du bâtiment colonial géorgien avait été préservée. Et si l'envie lui en prenait, le propriétaire pourrait nager en janvier. Tout le monde serait content.

Il rédigea un e-mail au client avec les dessins en copie pour approbation. Ce fut là qu'il remarqua le message d'Emma. Il l'ouvrit d'un clic et en lut le bref contenu.

Se payait-elle sa tête ? Il luttait pour ne pas penser à elle – en tenue d'Ève. À cause de ça, il avait mis trois fois plus de temps à accomplir un travail qu'il aurait normalement réglé en moins de deux. Seulement, il n'avait pas l'intention de le lui préciser. Qu'allait-il donc lui répondre ? Il tourna la tête, sourit, et cliqua sur « répondre ».

Je pense que tu devrais venir chez moi ce soir, munie d'un simple trench et surtout de coudières.

Après avoir envoyé le message, il se renversa sur sa chaise et se prit à visualiser – très clairement – Emma dans un trench. Et de très hauts talons. Rouges. Une fois qu'il aurait défait la ceinture du pardessus, il...

— Je retente le coup, j'ai de quoi me refaire !

L'esprit encore occupé à défaire un court trench noir, Jack fixa Del.

— Ohé ! Redescends sur terre !

— Je pensais au boulot. À mes dessins.

Et zut ! Il fit apparaître son économiseur d'écran d'un air nonchalant – du moins l'espérait-il.

— Tu ne bosses pas ? reprit Jack.

— J'étais en route pour le tribunal. Mais je me suis dit que le café était meilleur chez toi.

Del se dirigea vers le bar et se servit une tasse.

— Tu es prêt à perdre ?

— Perdre quoi ?

— C'est soirée poker, et j'ai la main chanceuse, je le sens.

— Soirée poker.

— Enfin, Jack, tu bosses sur quoi ? demanda Del en fronçant les sourcils. Tu as l'air dans un autre monde.

— Ça démontre juste mon étonnante aptitude à la concentration. Qui va me servir ce soir au poker. Il te faudra beaucoup plus qu'une main chanceuse pour gagner.

— On parie ? Cent dollars.

— Pari tenu.

En signe de toast, Del leva sa tasse et la but.

— Comment avancent les projets d'agrandissement pour le quatuor ?

— Je suis arrivé à quelque chose qui me plaît pour Mac et Carter. J'aimerais juste le peaufiner un peu.

— Bien. Et Emma ?

— Quoi, Emma ?

— Emma. La deuxième chambre climatique ?

— Ah ! Je n'ai pas encore regardé. Ça ne devrait pas être trop compliqué.

Dans ce cas, pourquoi la situation lui semblait-elle inextricable ? Et pourquoi avoir l'impression de mentir à son meilleur ami ?

— Simple, ça me plaît. Allez, je dois aller jouer à l'avocat.

Del posa la tasse et se dirigea vers la porte.

— À ce soir. Oh, essaie de ne pas chialer quand j'empocherai tes cent dollars. Ça serait gênant.

En guise de réponse, Jack se contenta de lui faire un doigt d'honneur. Del s'éloigna en riant.

L'oreille tendue, Jack attendit quelques instants, s'assurant qu'il était de nouveau seul. Puis il rouvrit sa boîte e-mail. Emma n'avait pas encore répondu.

Comment avait-il pu zapper la soirée poker ? Cette tradition était imprimée dans son cerveau. Pizza, bière, cigares, cartes. Réservé aux hommes exclusivement. Un rituel que Del et lui avaient instauré du temps de l'université. La soirée poker était chose sacrée.

Admettons qu'elle lui réponde qu'elle serait au rendez-vous ? Qu'elle viendrait frapper à sa porte ce soir ? Il revit Emma dans un trench noir et des talons rouges.

Puis il pensa aux potes, à la bière froide, à un jeu de cartes prometteur. Bien sûr, la réponse coulait de source. Il n'y avait pas photo. Si elle acceptait son invitation, il lui expliquerait, tout simplement.

Et il dirait à Del qu'il avait chopé une grippe intestinale carabinée. Aucun homme digne de ce nom ne saurait lui en tenir rigueur.

Sur la route de Greenwich, dans l'intimité de la voiture, Mac se mit en tête de cuisiner Parker.

— Entre nous. Que penses-tu vraiment d'Emma et de Jack ?

— Deux célibataires, majeurs et vaccinés.

— OK. Que penses-tu vraiment d'Emma et de Jack ?

Parker poussa un soupir qui finit en un rire réticent.

— Je n'ai rien vu venir. Pourtant je croyais être reine en la matière. Déjà que, pour moi, c'est bizarre, alors imagine comment Jack et Emma se sentent.

— Bizarre dans le mauvais sens ?

— Non, juste curieux. Il y a nous quatre, et eux deux – Jack et Del. Nous six. En fait sept avec Carter. Mais tout ça remonte à l'avant-Carter. Cela fait des années que nous partageons tout, que nous travaillons ensemble. Avec Del, depuis toujours, et Jack, depuis une douzaine d'années environ ? Quand on considère quelqu'un comme un frère de cœur, c'est difficile de concevoir que tout le monde ne partage pas ce sentiment. C'est aussi étrange que si l'une de nous ne l'aimait pas.

— C'est justement ça qui perturbe Emma.

— J'avais compris.

— Ils s'enflamment l'un pour l'autre, très bien, jusqu'à ce que l'excitation retombe, ou que la relation devienne asymétrique. Or, ça pourrait devenir gênant, commenta Mac tout en regardant dans son rétroviseur, avant de changer de voie. Pour celui qui est toujours à fond, ce sera vécu comme une trahison.

— Les sentiments ne s'expliquent pas. Pourquoi cherche-t-on systématiquement un coupable quand nos sentiments ne sont pas partagés ?

— Ce n'est pas le cas pour tout le monde, mais pour eux si. Et Emma a toujours tendance à se laisser faire. Elle contrôle les hommes comme personne – je lui tire mon chapeau – mais elle les prend en pitié quand ils ne lui plaisent pas.

Elles approchaient du garage. Parker se rechaussa.

— C'est vrai. Elle finit toujours par sortir trois ou quatre fois avec des hommes dont elle sait, dès le premier rencard, qu'ils ne l'intéressent pas. Et tout ça pour éviter de blesser leur amour-propre.

— Elle a plus de rencards que nous trois réunies. Avant Carter, ajouta Mac. Or, elle parvient presque toujours à se débarrasser d'un homme sans froisser son ego. C'est un vrai don.

— Le problème c'est que Jack, elle l'aime.

— Tu crois…

— Comme on l'aime toutes, acheva Parker.

— Oh, de cette manière, tu veux dire.

— Ça doit être dur de rompre avec quelqu'un qui compte vraiment pour toi. C'est pour ça qu'Emma veut être sûre d'elle avant de s'aventurer dans cette relation. Elle ne voudrait pas le blesser.

Pendant que la voiture attendait à un feu, Mac y réfléchit.

— Parfois, j'aimerais bien avoir autant de tact qu'Emma. Mais pas trop souvent. Ça demande trop d'efforts.

— Ça t'arrive, de temps en temps. Moi, il paraît que je suis intimidante.

— Oh, c'est sûr, tu me fiches la trouille, Parker, ironisa Mac en redémarrant. C'est vrai que tu fais un peu peur quand tu te transformes en Parker Brown, héritière de la branche Brown du Connecticut. Pour peu que tu fasses un tour sur toi-même, et hop, on compte les morts par dizaines.

— Non, pas à ce point. Un peu abasourdis peut-être.

— Tu as cloué le bec à Linda, commenta Mac en mentionnant sa mère.

— En réalité, tu as su gérer ça toi-même. C'est toi qui lui as tenu tête.

Mac secoua la tête.

— Je lui ai tenu tête des tas de fois dans le passé. Mais sans doute pas autant que l'hiver dernier. Or, si j'ai pris l'initiative, c'est toi qui lui as donné le coup de grâce. Sans compter Carter qui, si gentil soit-il, ne se laisse pas mener en bateau. Maintenant qu'elle se fait dorloter par son fiancé à New York, ma vie est devenue une mer d'huile.

— Tu as eu des nouvelles d'elle depuis la dernière fois ?

— Justement, elle m'a appelée ce matin et a fait comme si de rien n'était, comme si on s'était quittées les meilleures amies du monde. Elle a décidé de prendre la fuite avec Ari. Enfin, c'est une façon de parler. Le mois prochain, ils filent en jet direction le lac de Côme, pour se marier dans la villa d'un proche d'Ari, une fois tous les détails réglés par Linda – sa définition de prendre la fuite, j'imagine.

— Ô mon dieu, si George Clooney est l'ami en question, je saute dans le premier avion pour les y rejoindre.

— Si seulement. De toute façon, je ne crois pas qu'on soit conviées. Elle a appelé pour me faire comprendre qu'elle avait trouvé beaucoup mieux que Vœux de Bonheur pour organiser son mariage.

— Que lui as-tu répondu ?

— *Buona fortuna.*

— Vraiment ?

— Oui. J'ai vidé mon sac. Je lui souhaite réellement d'être heureuse. Tant que ça se passe bien avec Ari, au moins elle me fiche la paix. Donc le thermomètre est au beau fixe.

Elle tourna à plusieurs reprises et se gara sur le parking du garage Kavanaugh.

— Tu préfères que je t'attende, au cas où ?

— Non, file. On se voit à la maison pour le rendez-vous de ce soir.

Parker descendit, agrippa son sac à main tout en vérifiant sa montre. Pile poil à l'heure. Elle balaya du regard le long bâtiment où semblaient se trouver les bureaux attenant au vaste garage. Tandis qu'elle s'approchait, elle entendit un bruit de compresseur et put voir par les portes ouvertes les jambes, les hanches et une partie du torse du mécanicien occupé à réparer une voiture surélevée.

Elle aperçut des étagères où étaient entreposés toutes sortes de pièces, des rangées d'outils et autre bazar. Des bidons et des tuyaux.

Des émanations d'huile et de transpiration lui affleurèrent aux narines. Loin de la déranger, ça lui plut. C'était l'odeur du labeur, de la productivité. En plus, elle venait de repérer la voiture d'Emma sur le parking, propre comme un sou neuf.

Curieuse, elle s'en approcha. Le soleil se reflétait dans les chromes. À travers la vitre, elle put constater qu'on avait procédé à un nettoyage méticuleux. Si la voiture fonctionnait aussi bien qu'elle était astiquée, elle apporterait la sienne ici plutôt qu'à son mécanicien habituel pour le prochain contrôle technique.

Elle traversa le parking afin d'aller régler la note et de récupérer les clefs.

À l'intérieur, installée à un bureau en forme de L, une femme dont la teinture rousse virait à l'orange avait l'air de taper à l'ordinateur avec toutes les peines du monde. Son expression faciale – menton plissé, bouche déformée – indiquait que l'informatique n'était pas son fort. Elle s'interrompit net pour dévisager Parker par-dessus une paire de binocles vert vif.

— On peut vous aider ?

— Oui, s'il vous plaît. Je viens récupérer la voiture d'Emmaline Grant.

— Z'êtes Parker Brown ?

— Oui.

— Elle a appelé pour prévenir de vot' visite.

Comme la femme restait immobile et continuait à la fixer par-dessus ses lunettes, Parker lui adressa un sourire poli.

— Voudriez-vous voir une pièce d'identité ?

— Non, elle vous a décrite au téléphone, et vous correspondez au portrait.

— Eh bien, pourrais-je voir la note dans ce cas ?

— Je suis en train de la préparer, répondit la femme, qui tourna son siège et se remit à lutter avec le clavier. Asseyez-vous là, j'en ai pour une minute. J'irais plus vite à écrire la facture à la main, mais Mal préfère faire comme ça.

— Très bien.

134

— Vous avez des distributeurs de boissons dans la pièce d'à côté, si vous avez soif.

Parker pensa à sa cliente, à la distance qui la séparait de la boutique de mariage, à la circulation.

— Ça ne vous prendra qu'une minute, n'est-ce pas ?

— Oui. Je disais ça comme ça. C'est cette fichue machine du diable qui m'en veut ! s'écria la femme en passant ses longs ongles rouges dans sa tignasse orange frisée. Qu'est-ce qu'elle attend pour cracher le papier ?

— Vous permettez… dit Parker en se penchant sur le bureau pour lire l'écran. Je crois avoir repéré le problème. Il suffit de pointer votre souris ici et de cliquer là. Bien. Vous voyez, là où il y a écrit « imprimer » ? Cliquez dessus. Et voilà ! Maintenant cliquez sur « OK ».

L'imprimante se remit en marche. Parker se redressa.

— Le tour est joué.

— « Cliquez ici, cliquez là. » Comment voulez-vous que je me rappelle par où commencer. En tout cas, merci pour le coup de main.

Ses yeux étaient d'un vert aussi audacieux et charmant que la monture de ses lunettes.

— Je vous en prie.

Parker saisit la note et soupira en la passant en revue. Nouvelle batterie, révision, vidange, plaquettes de freins, courroies de ventilateur, réglage de l'allumage.

— Je ne vois pas apparaître le nettoyage de l'habitacle ?

— C'est pas facturé. Cadeau de bienvenue.

— C'est très aimable à vous. Merci.

Elle régla la note et fourra la facture dans son sac à main.

— De rien. N'hésitez pas à repasser en cas de besoin.

— Je m'en souviendrai.

Dehors, elle se dirigea vers la voiture d'Emma et appuya sur le bouton d'ouverture automatique.

— Hé, attendez !

Parker s'arrêta et se retourna. Elle reconnut sans peine les jambes, les hanches et le torse entraperçus plus tôt dans le ventre de la voiture, à l'intérieur. Cette fois elle fut gratifiée en plus de la tête et des épaules. La légère brise printanière faisait remuer la chevelure noire – qui avait grand besoin d'une coupe – ébouriffée par le travail ou l'insouciance. Cette coiffure s'accordait certainement au visage buriné et à la barbe sombre de plusieurs jours de son propriétaire.

En un coup d'œil, elle l'avait examiné. Elle n'avait pas manqué de relever la détermination qui se lisait sur ses lèvres et le caractère qui couvait dans le vert de ses yeux.

Il se campa devant elle. S'il ne l'avait pas dominée en taille, elle l'aurait regardé de haut. Leurs regards se croisèrent.

— Oui ? lui dit-elle sur un ton glacial.

— Vous croyez quoi ? Que la clef et le permis de conduire, c'est suffisant ?

— Je vous demande pardon ?

— Les câbles de votre batterie étaient couverts de rouille, votre huile, ce n'était plus que du cambouis. Vos pneus étaient à plat, et vos plaquettes de freins en fin de course. Je parie que vous vous tartinez quotidiennement le corps avec une crème hors de prix.

— Excusez-moi ?

— Par contre, faire réviser votre voiture, c'est le dernier de vos soucis. Madame, cette voiture était une épave. Vous avez sûrement déboursé plus de sous pour vos chaussures que pour la révision de votre auto.

Ses chaussures ? Était-ce seulement ses oignons ? Néanmoins, elle parvint à garder un ton impersonnel – presque insultant.

— Je comprends que vous preniez votre travail très à cœur, je comprends, mais votre patron apprécierait fort peu la façon dont vous traitez les clients.

— C'est moi, le patron. Et je n'y vois aucun problème.

136

— D'accord. Eh bien, monsieur Kavanaugh, vos manières de procéder avec vos clients sont pour le moins intéressantes. Vous m'excuserez, je suis pressée.

— Il n'y a pas d'excuse qui tienne, vous avez laissé ce véhicule tomber en ruine. Je vous l'ai retapé et remis en marche, Miss Grant, mais...

— Brown, l'interrompit-elle. C'est Miss Brown.

Il plissa les yeux et étudia son visage.

— La sœur de Del. J'aurais dû m'en rendre compte. Qui est cette Emmaline Grant ?

— Mon associée.

— Eh bien, je compte sur vous pour lui transmettre le message. C'est une bonne voiture. Elle mérite d'être mieux traitée.

— Elle l'aura, soyez-en sûr.

À peine s'apprêtait-elle à ouvrir la portière qu'il la devança. Elle grimpa en voiture, posa son sac sur le siège du passager et boucla sa ceinture. Puis lui lança un « merci » glacial.

Il fit un large sourire.

— Vous voulez dire « allez au diable ». Faites attention sur la route, ajouta-t-il avant de refermer la portière.

Elle mit le contact et se sentit quelque peu déçue au bruit du moteur qui ronronnait comme un chaton. Tandis qu'elle s'éloignait, elle jeta un œil au rétroviseur. Il se tenait là, les mains sur les hanches, à l'observer.

Grossier personnage ! Grossier et absurde, vraiment. Par contre, il connaissait son boulot, il fallait lui reconnaître ça.

Quand elle fut garée près de la boutique de mariées où elle avait rendez-vous avec sa cliente, Parker sortit son Blackberry pour envoyer un e-mail à Emma.

Emma. Voiture récupérée. En meilleur état que quand tu l'as achetée. Le montant de la facture n'est rien à côté de ce que tu me dois. Nous en parlerons ce soir. P.

Profitant d'un moment de répit entre deux rendez-vous, Emma rédigeait des contrats. Elle adorait les choix faits par sa dernière cliente, une mariée de décembre. Des couleurs, des couleurs à foison. Travailler avec des tons chaleureux et audacieux serait d'autant plus agréable en décembre.

Elle envoya le contrat à la cliente pour approbation, et mit Parker en copie pour l'archivage du dossier. À la vue d'un e-mail de Jack, son visage s'éclaira. À sa lecture, elle éclata de rire.

— Trench et coudières. Pas mal. Voyons voir...

Tu vas devoir choisir entre mes coudières en dentelle rouge et celles en velours noir. Ou alors, je te fais la surprise. Je ferai une séance d'essayage plus tard avec mes trenchs. Il y en a un que j'aime plus que les autres. Il est noir et luisant... un effet moiré.

Malheureusement, je ne suis pas libre ce soir. Ce qui nous laisse un peu plus de temps pour réfléchir.

— Voilà qui te donnera matière à penser, murmura Emma.

Puis elle cliqua sur « envoyer ».

8

À six heures, Emma pénétra dans la cuisine par le vestibule. Au même moment, Parker arrivait du hall d'entrée.

— Quelle synchronisation ! Bonsoir madame G.

— Salade de poulet César, annonça Mme Grady. Installez-vous au coin-repas. Il n'est pas question d'utiliser la salle à manger alors que vous allez faire des allées et venues en picorant quelques bouts.

— Bien, madame. J'ai sauté le déjeuner à cause du travail, je meurs de faim.

— Prends donc un verre de vin, l'encouragea Mme Grady, Celle-ci est de méchante humeur, ajouta-t-elle en désignant Parker d'un signe de la tête.

— Pas vraiment, rétorqua Parker qui accepta quand même le verre que lui versa Mme Grady. Tiens, ta facture.

Emma jeta un œil au bas de la note et fit la grimace.

— Aïe ! Je ne l'ai pas volé.

— Peut-être bien. En revanche, moi, je ne méritais pas le sermon du garagiste furieux qui m'a prise pour toi.

— Oups… Dans quel hôpital a-t-il atterri ? Je devrais lui envoyer des fleurs.

— Il est indemne. Sain et sauf. Et cela en partie parce que j'avais un emploi du temps très minuté. Si je l'avais remis à sa place, j'aurais pris du retard. En outre, ta voiture avait été nettoyée à fond, intérieur et extérieur – gratis en cadeau de bienvenue. Ce qui a très légèrement joué en sa faveur.

Parker fit une pause pour prendre une gorgée de vin.

— Madame G, vous qui connaissez tout le monde…

— Par la force des choses. Asseyez-vous. Mangez, ordonna Mme Grady, qui s'écroula à son tour sur un tabouret, son propre verre de vin à la main. Vous voulez en savoir un peu plus au sujet du jeune Malcolm Kavanaugh. Un ours, si l'on veut. Son père est mort sur le continent quand il n'était encore qu'un enfant. Il avait dix ou douze ans, je crois. D'où son côté un peu farouche. Sa maman a eu beaucoup de mal à le tenir. Elle travaillait alors chez Artie, le restaurant situé sur l'avenue. Artie, c'était son frère. Ce qui explique pourquoi elle s'est installée dans le coin à la mort de son mari.

Mme Grady avala une autre gorgée de vin et se mit à l'aise pour raconter la suite de l'histoire.

— Je ne vous apprendrai rien, si je vous dis qu'Artie Frank est un vrai salaud. Quant à sa femme, c'est une petite chose snobinarde. Au dire de certains, Artie avait décidé de prendre le jeune Malcolm en main, mais le garçon a tout fait pour se débarrasser de son emprise. Et il a eu raison, ajouta-t-elle avec plaisir. Un beau jour, Malcolm a pris le large pour faire des courses d'auto ou de moto, un truc comme ça. Il a fait quelques cascades dans des films, je crois. Il ne s'en est pas mal tiré, d'après ce qu'on m'a dit. Et il en a fait profiter sa maman.

— Eh bien. C'est tout à son honneur, admit Parker.

— Il a été promu lors d'une cascade et en a tiré de quoi s'acheter son garage sur la Route One, il y a environ trois ans. Et, par la même occasion, a offert à sa maman une maison. Son affaire tourne bien, à ce qu'il paraît, même s'il est toujours un peu sauvage.

— J'imagine que son entreprise tient plus à ses talents de mécanicien qu'à ses qualités relationnelles.

— Il faut t'en remettre, commenta Emma.

— Ça me passera. Tant qu'il fait du bon boulot, répliqua Parker en tournant la tête vers Laurel qui entrait. Tu as failli être en retard.

— Le café et les cookies sont en place. Certaines d'entre nous n'ont pas le temps de s'asseoir autour d'un repas pour cancaner avant une consulte, remarqua Laurel. En plus, vous buvez du vin.

— Parker était d'une humeur de chien parce que…

— C'est bon, je connais déjà l'histoire. Je veux du frais. Que se passe-t-il avec Jack ?

— Je crois que nous couchons virtuellement ensemble. En fait, nous n'en sommes encore qu'aux préliminaires. Donc je ne sais pas trop où ça va nous mener.

— Le cybersexe, je n'ai jamais expérimenté. Je ne me suis jamais entichée au point de tenter l'expérience. Quand on y pense, c'est étrange d'aimer assez quelqu'un pour faire l'amour en vrai, mais pas assez pour avoir recours au cybersexe.

— Parce que c'est un jeu, intervint Emma qui se leva pour aller donner le reste de sa salade à Laurel. Il se peut que tu aimes assez un homme pour coucher sans pour autant vouloir jouer avec lui.

— Quelle drôle d'explication ! dit Laurel, sceptique, en piquant dans la salade. Tu as toujours des idées farfelues quand on en vient aux hommes.

— De toute évidence, elle aime assez Jack pour jouer avec lui, ajouta Parker.

— Jack a de l'humour, un trait que j'ai toujours apprécié chez lui. C'est très attirant aussi, ajouta-t-elle en esquissant un sourire. Nous verrons jusqu'où il peut aller.

Dans le petit salon, autour d'un café et de macarons signés Laurel, Parker menait la discussion avec le couple de fiancés et leurs mères respectives.

— Comme je l'ai expliqué à Mandy et Seth, Vœux de Bonheur adapte ses services à vos besoins. Qu'ils soient grands ou minimes. Notre but – ensemble et individuellement – est de vous offrir un mariage parfait. *Votre* mariage parfait. Lors de notre dernier entretien, vous n'aviez pas encore fixé une date. Toutefois, vous aviez précisé que vous désiriez une cérémonie en fin d'après-midi, à l'extérieur.

Emma écoutait d'une oreille distraite. Elle se demandait si Jack avait lu son e-mail.

La mariée voulait une célébration romantique. N'était-ce pas ce qu'elles voulaient toutes ? Toutefois, quand la jeune femme mentionna qu'elle porterait la robe de mariée de sa grand-mère, Emma dressa l'oreille.

— J'ai apporté une photo, mais Seth ne doit pas la voir...

— Seth, que diriez-vous d'une bière ?

— Avec plaisir, répondit-il à Laurel, en souriant.

— Venez donc avec moi. Je vais vous en servir une. Et quand vous l'aurez bue, vous pourrez revenir.

— Merci, dit Mandy en fouillant dans un large dossier, après le départ de Laurel et de Seth. Peut-être que c'est une idée stupide, mais...

— Pas du tout, l'interrompit Parker en saisissant la photo. Elle est magnifique. Stupéfiant, ajouta-t-elle, enchantée. Fin des années 1930, début des années 1940 ?

— Bien deviné, commenta la mère de la mariée. Mes parents se sont mariés en 1941. Elle avait tout juste dix-huit ans.

— J'ai toujours dit que je porterais la robe de Nana quand je me marierais. Il va falloir l'ajuster, et la repriser, mais Nana en a pris grand soin.

— Avez-vous pensé à une couturière en particulier ?

— Nous en avons parlé à Esther Brightman.

— Elle a des doigts de fée, approuva Parker, tout en étudiant la photo. Je n'aurais pas pu vous recommander mieux. Mandy, vous allez être superbe. Si vous le souhaitez, nous pourrions monter le mariage autour de la robe. Une cérémonie vintage, sous le signe du glamour, du romantisme et de l'élégance. Pour le marié et ses garçons d'honneur, queues de pie au lieu du traditionnel costume.

— Waouh ! Vous pensez qu'il accepterait ? demanda Mandy à sa future belle-mère.

— Il est prêt à tous les sacrifices, du moment que ça te plaît. Je trouve personnellement l'idée géniale. Il nous faudra trouver des robes vintage, et faire passer le mot aux invités.

À son tour, Emma étudia la photo. Un tissu fluide, une coupe Art déco, recouverte d'un voile de soie. Elle leva le regard sur Mandy. La robe lui irait aussi bien qu'à sa grand-mère.

— Je peux reproduire le bouquet, pensa-t-elle tout haut.

Mandy s'interrompit au milieu de sa phrase et se tourna vers Emma.

— Comment ?

— Si vous le désirez, je pourrai reproduire le bouquet. Regardez l'ingéniosité de l'ensemble. La longue coupe fluide de la robe est contrebalancée par l'immense bouquet en croissant de lune de lis calla. Vous avez gardé le voile et la tiare ?

— Oui.

— D'après ce que je distingue, elle avait été ornée de muguet. Je peux faire la même chose, si l'idée vous plaît.

Je vous dis ça maintenant, avant que Seth ne revienne, mais vous avez le temps d'y penser.

— Je suis partante ! Et toi, maman ?

— Ma mère en pleurera de joie. Et moi aussi. Ça me plaît beaucoup.

— Nous en parlerons davantage lors d'une consultation privée. En attendant, quand vous aurez les robes des demoiselles d'honneur, pourriez-vous me faire parvenir des photos – je ferai des doubles – à moins que vous ne les scanniez. Ça me permettra d'anticiper la décoration.

Emma rendit la photo à Mandy.

— Il vaut mieux la ranger maintenant.

— Mac, peux-tu donner à Mandy une idée d'ensemble du portrait de mariée ?

— J'aimerais reprendre la pose de votre grand-mère. C'est classique et classe. Mais ce soir, je préférerais parler de vos portraits de fiançailles.

Ainsi passèrent-elles en revue chaque étape, au rythme qu'elles avaient appris à développer au fil des années. Tandis qu'elles abordaient le thème des photos, des desserts, du repas, Emma notait les mots-clefs qui lui permettraient de se faire une idée de la mariée, du marié, et de leurs attentes.

Par moments, ses pensées se tournaient vers Jack ; heureusement, elle excellait dans l'art de faire plusieurs choses à la fois.

Quand elles prirent congé de leurs clients, Emma n'avait qu'une idée en tête : s'éclipser pour aller vérifier si Jack avait répondu à son e-mail.

— Nous avons fait du bon travail. Je vais immédiatement rentrer chez moi pour monter un dossier pour cet événement…

— Il reste une dernière chose, interrompit Parker. Quand j'étais à la boutique aujourd'hui, j'ai trouvé la robe de Mac.

— Tu as quoi ? s'étonna Mac. *Ma* robe ?

— Je connais tes goûts et je sais exactement ce que tu recherches. Elle était juste là, devant moi, et semblait avoir été créée pour toi ; alors j'ai fait jouer nos relations pour la rapporter pour approbation. Peut-être que je me trompe, mais je me suis dit que tu accepterais au moins de l'essayer.

— Tu as rapporté une robe pour que je l'essaie ? répéta Mac, dubitative. Ce n'est pas toi qui dis à la plupart des mariées qu'elles doivent essayer des tonnes de robes avant de trouver la bonne ?

— Oui, mais toi, tu n'es pas n'importe quelle mariée. Tu sais immédiatement fixer ton choix. Si ça ne te plaît pas, ça ne sera pas la fin du monde. Pourquoi ne pas aller y jeter un œil ? C'est dans la suite de la mariée.

— Oh, il faut voir ça ! s'écria Emma, que l'idée enthousiasmait. Attendez. Il nous faut du champagne… Ce que Parker aura déjà prévu.

— Mme G a déjà dû le monter à l'étage.

— Du champagne et une robe de mariée potentielle ? murmura Mac. Qu'est-ce qu'on attend ? Pas de rancœur si ça ne me plaît pas ? ajouta-t-elle dans l'escalier.

— Pas la moindre. Si tel est le cas, ça voudra seulement dire que j'ai un goût bien supérieur au tien.

Un léger sourire de satisfaction aux lèvres, Parker ouvrit la porte qui donnait sur la suite de la mariée, où Mme Grady était occupée à remplir des flûtes de champagne.

— Je vous ai entendues arriver.

Elle fit un clin d'œil à Parker quand Mac découvrit la robe accrochée à un cintre.

— C'est magnifique, murmura Mac. C'est…

— … une robe bustier. Ce qui signifie que ça devrait te convenir, compléta Parker. La coupe légèrement évasée vers le bas mettra tes formes en valeur. Tu cherchais un

145

vêtement épuré, je le sais, mais je crois que tu as tort. L'organza sur la soie apporte une touche de romantisme et adoucit la silhouette. Or, tu es anguleuse. Et que penses-tu du dos ?

Parker décrocha le cintre de la patère et tourna la robe.

— J'adore ! s'écria Emma en se rapprochant. La traîne drapée s'échappant de la mousseline ! C'est fabuleux ; un tantinet racoleur, juste ce qu'il faut. Sans oublier la façon dont ça va envelopper ton derrière…

— Ce qui va en fait donner l'illusion que tu en as un, finit Laurel. Si tu ne l'enfiles pas tout de suite, je l'essaie à ta place.

— Une seconde. C'est un moment magique. Voilà, c'est fini, dit-elle en déboutonnant son jean.

— Tourne le dos au miroir, dit Emma en lui faisant signe du doigt. Tu n'as pas besoin de te regarder l'enfiler. C'est l'effet d'ensemble que tu veux.

— Tu as gardé cette habitude de jeter tes vêtements tout autour de toi, commenta Mme Grady en les ramassant. Comme quand tu étais petite. Eh bien, aidez-la à enfiler la robe, ordonna-t-elle sur un ton enjoué, tout en se tenant à l'écart.

— Oh, je sens que les larmes montent, dit Emma en reniflant tandis que Parker ajustait la robe.

— Ils n'avaient pas ta taille, donc c'est un peu grand.

— C'est pour ça que je suis là, dit Mme Grady en saisissant son coussin à épingles. Nous allons replier et ourler un peu ici et là pour que ça soit plus seyant. Quel dommage que tu aies toujours été si vilaine, ironisa-t-elle.

— Insultez-moi autant que vous voulez mais ne me piquez pas.

— Voilà qui fera l'affaire pour le moment. Nous devons faire avec ce que nous avons sous la main.

146

Mme Grady fit le tour de Mac pour triturer le corsage, puis elle lissa sa chevelure rousse flamboyante.

— Compte jusqu'à trois, Mac, et tourne-toi pour t'admirer, dit Emma en se couvrant la bouche. Ça y est, regarde-toi.

— D'accord.

Mac prit une profonde inspiration, expira, puis se tourna vers la psyché où elle avait vu tant de mariées étudier leur reflet. C'est à peine si elle parvint à émettre un son tant elle était sous le choc.

— Ça résume tout, dit Laurel en retenant ses larmes. C'est… la bonne. Elle a été faite pour toi.

— C'est… Je suis… sacré nom de nom, je suis une mariée, balbutia Mac en portant la main au cœur et en se tournant. Oh, voyez le dos ! C'est drôle, et féminin. Et en effet, j'ai bien un derrière ! ajouta-t-elle en regardant Parker dans la glace.

— Je suis douée, non ?

— Tu es la meilleure. Voici ma robe de mariée. Allons, madame G.

Mme Grady se tamponnait les yeux

— Ce sont juste des larmes de joie à la pensée que je n'aurai pas quatre vieilles filles sur les bras.

— Des fleurs dans les cheveux. Un large bandeau fleuri à la place d'un voile, suggéra Emma.

— Tu crois ? demanda Mac en étudiant son reflet pour imaginer le résultat. Ça pourrait le faire. Ça pourrait même très bien le faire.

— Je te montrerai quelques idées. Tu sais, étant donné la coupe de la robe, il te faudrait un long bouquet ou même un bouquet en cascade qui donne l'impression d'une chute d'eau. Dans les tons riches et chaleureux de l'automne et… je m'emballe.

— Non. Mon Dieu ! Nous sommes en train de planifier mon mariage. Je vais avoir besoin d'un verre.

Laurel récupéra une flûte qu'elle lui apporta.

— En tout cas, ça te va mieux que les déguisements de mariée qu'on portait dans le temps.

— Sans oublier que ça gratte moins.

— Je vais te faire un de ces gâteaux !

— Mince ! Je vais me remettre à pleurer.

— Tournez-vous toutes les quatre vers moi, ordonna Mme Grady en brandissant un appareil. Notre rouquine n'a pas le monopole de la photographie. Levez vos verres. Parfait, mes chéries.

Et elle immortalisa l'instant.

Pendant que ces dames sirotaient du champagne et parlaient mariage et fleurs, Jack décapsulait une bière et se préparait à tondre ses amis au Texas Hold'em. Et s'efforçait de ne pas penser au dernier e-mail d'Emma.

— Puisque c'est la première soirée poker de Carter, essayons de ne pas trop l'humilier, déclara Del en lui tapotant amicalement l'épaule. Lui prendre son fric, c'est une chose, mais l'embarrasser, c'en est une autre.

— Je serai gentil, promit Jack.

— Je pourrais me contenter de regarder.

— Quel intérêt pour nous ? demanda Del.

Ils s'étaient rassemblés chez Del, à l'étage inférieur. C'était l'endroit rêvé des hommes, selon Jack, avec son bar très ancien qui avait autrefois appartenu à un pub de Galway, sa table de billard en ardoise, son écran plat – venant compléter l'écran géant de la salle de télé. Un vieux juke-box trônait au milieu de la pièce, ainsi que des machines de jeux vidéo et deux flippers de collection. Des chaises en cuir, des canapés indestructibles. Et une table de poker style Las Vegas prête à l'action.

Pas étonnant que Del et Jack soient amis.

— Si tu étais une femme, Del, je t'épouserais.

— Non, tu coucherais avec moi, pour ensuite ne jamais me rappeler.

— Tu as sûrement raison.

Une pizza semblait attendre sur une table ; Jack en piqua une part. Dépouiller ses amis donnait faim. Mastiquant, il examina leur petit groupe. Deux avocats, un professeur, un architecte, un chirurgien, un paysagiste et le dernier joueur – qui venait de passer la porte –, un mécanicien.

Un petit groupe intéressant. Certes, il variait de temps à autre, avec l'arrivée d'un nouveau membre, comme Carter, ou lorsque l'un d'entre eux manquait à l'appel. Le rituel de la soirée poker avait vu le jour à la fac, quand Jack et Del s'étaient rencontrés. Les visages avaient beau fluctuer autour de la table de poker, les bases restaient les mêmes.

Manger, boire, bluffer, parler sport. Et s'efforcer de plumer ses amis.

— Tout le monde est là. Tu veux une bière, Mal ? demanda Del.

— Va pour une. Comment ça va ? dit-il à Jack.

— Pas mal. Je te présente notre nouveau frère de sang, Carter Maguire. Carter, voici Malcolm Kavanaugh.

— Bienvenue, salua Malcolm.

— Enchanté. Kavanaugh ? Comme le mécanicien ?

— Lui-même.

— Tu as remorqué la voiture de ma future belle-mère.

— Avec son consentement ?

— Non. Linda Barrington.

— D'accord, répondit Malcolm en fronçant les sourcils. Je me souviens. La décapotable BMW. Le modèle 128i.

— Hmm. Sans doute.

— Une balade sympa. Une femme intéressante, commenta Mal avec un sourire narquois aux lèvres, levant sa bière une nouvelle fois. Eh bien, je te souhaite bon courage !

— La fille n'a rien à voir avec sa mère, intervint Del.

— Une chance pour toi, dit Mal à Carter. Je l'ai déjà rencontrée. Mackensie, c'est bien ça ? Une vraie bombe. Elle tient le truc de mariage avec le Chevrolet Cobalt que je viens de réparer.

— Emma, ajouta Del.

— Oui. On devrait l'arrêter pour maltraitance sur automobile. J'ai fait la connaissance de ta sœur, qui est venue la récupérer, dit-il à Del avant d'afficher un large sourire. Elle aussi, c'est une bombe. Même quand elle vous envoie balader.

— Alors… Emma n'a pas été récupérer sa voiture elle-même ?

— Non, c'est une autre qui s'en est chargée, répliqua Mal à Jack. *Miss Brown*. Celle qui vous dit « excusez-moi » quand son ton laisse entendre « allez vous faire voir ».

— Parker, plus de doute, confirma Del.

— Et à quoi ressemble celle qui maltraite les voitures ? Aussi charmante que ses deux copines ?

— Elles sont toutes belles, murmura Jack.

— Dommage que je l'aie manquée.

— Il s'agit de ma véritable sœur et de mes sœurs de cœur. Alors, avant que je ne doive frapper Mal pour ses pensées salaces, commençons la partie.

— J'en ai pour une minute.

Tandis que les autres prenaient place autour de la table de jeu, Jack sortit son téléphone pour vérifier ses e-mails.

Il était presque minuit quand Emma rejoignit sa maison. À partir du moment où elles avaient commencé à parler du mariage de Mac, elles avaient perdu la notion du temps.

Revigorée par la soirée passée, et quelque peu étourdie par le champagne, elle bondit à l'intérieur.

Le mariage de Mac.

Elle s'imaginait déjà à quel point la mariée serait parfaite, dans sa robe magnifique, une cascade de fleurs dans les bras. Quant à Parker, Laurel et elle-même, elles seraient demoiselles d'honneur. Un brun-roux pour elle, brun doré pour Parker, et citrouille pour Laurel. Quelles fleurs elle préparerait avec une telle palette de couleurs automnales !

Un véritable défi, songea Emma en grimpant l'escalier. Parker avait eu raison de mettre le sujet sur le tapis. De cette façon, elles pouvaient commencer à planifier la marche à suivre. Superviser un mariage était une chose. Superviser un mariage et y participer, c'était une autre paire de manches. Elles auraient besoin d'embaucher plus de main-d'œuvre pour l'occasion. Non seulement elles allaient assurer, mais ça allait être une cérémonie du tonnerre.

L'esprit en fête, elle commença à se préparer pour la nuit. Une fois le lit défait, elle lissa les draps. Elle s'était montrée d'une grande maturité. Une soirée entre amies – à parler business et plaisir – et elle s'en était tenue à sa routine du coucher. Cela prouvait qu'elle était une adulte rationnelle.

Croisant les doigts, elle fonça à son bureau pour consulter ses e-mails.

— Et voilà. Je le savais.

En un clic, elle ouvrit le dernier message de Jack.

J'aime les surprises. J'aime surtout les déballer, alors je suis impatient de t'aider à ôter ton trench. J'aime prendre mon temps, avec les surprises, faire monter le plaisir. Je vais donc te déballer très lentement. Petit à petit.

— Ça alors !

Une fois que j'aurai fini, je compte bien admirer le spectacle. Longuement. Avant de toucher. Petit à petit.

Quand ?

— Que dirais-tu de maintenant ?

Elle ferma les yeux pour imaginer Jack la glisser hors de ce trench noir – qu'elle ne possédait même pas dans sa garde-robe. À la lueur des bougies. Une musique de fond sensuelle dont les basses suivraient les pulsations de son cœur.

Ses yeux, aussi dangereux que la fumée de l'enfer, parcourant son corps jusqu'à ce que la chaleur fasse transpirer sa peau. Puis ses mains, fermes et expertes, lentes, s'insinuant le long de cette traînée de chaleur, faisant tomber le velours de son coude, jusqu'à…

— C'est idiot, se reprit-elle en se redressant sur sa chaise.

Idiot, peut-être, mais elle avait réussi à réveiller son désir. Enfin, c'était plutôt lui qui avait réussi.

Il était temps de répondre en nature.

J'aime les jeux, et parfois même les jeux osés.

Les surprises m'amusent. Être soi-même la surprise est encore plus palpitant. Quand je le suis, j'aime parfois qu'on me déballe lentement. Défaire le ruban du bout des doigts, puis ouvrir l'emballage avec des mains habiles et douces pour découvrir ce qui attend à l'intérieur.

Parfois, j'aime que ces mêmes doigts, ces mêmes mains déchirent mon enveloppe. D'un geste rapide et avide, peut-être même un peu sauvage.

À bientôt, Jack.

Fini de tourner autour du pot. Place à l'action.

Le trio d'arbustes fin prêt et Tink polarisée sur une autre commande, Emma jeta un œil à ses notes et esquisses.

— Six bouquets dont celui de la mariée pour l'événement de vendredi. Six compositions, dix-huit milieux de table, des boules de roses blanches, des guirlandes et des festons pour la pergola, marmonna-t-elle en parcourant la liste. J'aurai besoin de toi pendant au moins trois heures demain. Peut-être même quatre.

— J'ai un rencard ce soir, et j'ai l'intention de conclure, répliqua Tink en faisant claquer une bulle de chewing-gum. Je pourrai être là vers midi.

— Si tu peux rester jusqu'à seize heures, ça devrait aller. Quatre heures jeudi. Cinq, à moins que ça ne pose problème. Tiffany vient jeudi, et Beach m'assistera toute la journée de vendredi. Si tu as un peu de temps libre vendredi matin, je suis preneuse. Nous pourrons commencer à installer le décor pour l'événement de quinze heures. Deux autres cérémonies samedi. On se met au travail à huit heures pour la première. Huit heures du matin, Tink.

Sans cesser de nettoyer les roses avec son désépinoir, Tink leva les yeux au ciel.

— On démonte la première à quinze heures trente. Le décor de la deuxième doit être bouclé à dix-sept heures trente dernier carat. Dimanche, un seul événement, sur le coup de seize heures. Nous démarrerons les préparatifs aux alentours de dix heures, dix heures trente.

— Je vais essayer de trouver du temps – en sacrifiant le peu de vie privée qui me reste, dit tristement Tink.

— Je ne m'inquiète pas pour toi. Je vais déposer tes préparations dans la chambre climatique, et j'en profite pour rapporter les fleurs pour commencer les compositions.

Elle attrapa la première caisse et se retourna. Jack venait d'entrer.

— Oh… Bonjour.

— Salut, Emma. Comment ça va, Tink ?

— Emma nous traite comme des esclaves.

— C'est vrai, Tink souffre le martyre, répliqua Emma. Je te laisse la consoler pendant que je rapporte ça à la chambre climatique.

Mince ! Il était sexy dans sa tenue de travail, avec ses boots, son jean délavé et sa chemise aux manches retroussées. Elle en aurait bien croqué un morceau.

— Laisse-moi te donner un coup de main, dit Jack en soulevant un bac avant de se diriger vers la chambre climatique.

— C'est une semaine de fous, expliqua Emma. Un événement extérieur, et quatre fêtes pendant le week-end. Le mariage de dimanche exige une préparation monstre – dans le bon sens, ajouta-t-elle tandis qu'elle déposait son bac et indiquait à Jack où mettre le sien. Maintenant, il faut que je…

Elle n'avait pas achevé sa phrase qu'il la fit virevolter, pour ensuite la soulever de manière que seuls ses orteils touchent le sol. Instinctivement, elle lui enlaça le cou et abandonna sa bouche.

Le parfum riche et sauvage des fleurs saturait l'air ; le désir s'était emparé de son corps. Son sang bouillonnait d'avidité et d'un sentiment d'urgence.

Non, elle ne voulait pas faire ça à la va-vite. Et pas d'une seule bouchée. Elle voulait savourer l'instant, s'en délecter.

— Cette porte se ferme de l'intérieur ?

Elle passa une main dans les cheveux de Jack afin de tourner sa bouche vers la sienne.

— Quelle porte ? Oh, cette porte-là. Non. Et puis zut ! Un dernier pour la route.

Elle attrapa son visage et se laissa aller à un baiser avide et parfumé. Puis s'écarta en douceur.

— On ne peut pas. Tink est dans la pièce d'à côté. Et…
il n'y a vraiment pas assez de place ici, laissa-t-elle
échapper dans un souffle en balayant la pièce du regard.

— À quelle heure finit-elle ? Je peux revenir.

— Je ne sais pas vraiment, mais… attends.

— Pourquoi ? répliqua-t-il en saisissant son visage.

— Je n'arrive pas à trouver une raison valable. Ce baiser
a dû me griller des milliers de neurones. Je ne peux pas me
rappeler si j'ai des rendez-vous en fin d'après-midi. J'ai la
tête complètement vidée.

— Je reviens à dix-neuf heures. J'apporte à manger.
Sauf si tu m'appelles pour annuler. Dix-neuf heures. Ici.

— D'accord, d'accord. Je vérifierai mon carnet de rendez-
vous dès que j'aurai recouvré mes facultés mentales. Par
contre…

— Dix-neuf heures, répéta-t-il avant de l'embrasser
encore. On parlera à ce moment-là s'il le faut.

— Il faudra se contenter de phrases brèves, maximum
une ou deux syllabes.

— On se débrouillera, la rassura-t-il, avec un de ces sourires à lui retourner l'estomac. Il y a des choses à sortir
d'ici ?

— Oui, mais je ne me souviens plus quoi. Une seconde,
dit-elle en repoussant ses cheveux en arrière et en se
concentrant. Ça y est, ça me revient. Ça, et ça aussi. Après,
il faut vraiment que tu t'en ailles. Tu m'empêches de me
concentrer ; je pense à toi, au sexe.

— Je ne te le fais pas dire. Dix-neuf heures, répéta-t-il
tout en l'aidant à transporter les fleurs.

— Je te revaudrai ça, lui dit-elle une fois qu'il eut
déposé les fleurs sur son plan de travail. Quand je serai
moins… occupée.

— Super, répliqua-t-il, son regard s'attardant sur elle
quelques instants. À plus, Tink.

— J'en doute pas.

Après le départ de Jack, Tink continua à couper quelques tiges, puis plongea les fleurs dans un bac.

— Alors, ça fait combien de temps que Jack et toi… ?

— Quoi donc ? Non, Tink, rétorqua Emma en secouant la tête. Il n'y a rien.

Elle se tourna vers ses étagères pour sélectionner le contenant approprié pour la composition destinée à la cheminée.

— Si maintenant tu nies qu'il t'a roulé une grosse pelle, dans la pièce de derrière, je te traiterai de menteuse.

— Je ne comprends pas. Pourquoi…, balbutia Emma qui attrapait maintenant de la mousse mouillable. Comment le sais-tu ?

— Tu avais le regard absent quand tu es revenue. Quant à lui, il avait l'air du gars qui n'a reçu qu'une bouchée quand il s'attendait à mordre à pleines dents.

— Très drôle.

— Pourquoi tu ne te lances pas. Il est canon.

— Eh bien, je… le sexe, ce n'est pas tout. Évidemment, je ne dis pas que ça me laisse indifférente. Mais cette situation, c'est angoissant.

— Passer d'une simple amitié à une amitié avec des extras, acquiesça Tink, sans s'arrêter de travailler. Au moins, tu as l'avantage de connaître celui qui te voit toute nue.

— Il y a de ça. Pourtant, ça pourrait devenir gênant. Après.

— Seulement si l'un de vous deux réagit comme un salaud, dit Tink en faisant claquer une bulle. Donc, mon conseil : ne te comporte pas comme une idiote.

— Dans un sens, c'est une opinion sage. Il faut que je vérifie mon agenda.

Emma mit la mousse à tremper.

156

— D'accord. Je serais toi, je planifierais cet en-cas pour ce soir, lui lança Tink. Demain, tu serais rayonnante.

Mais il y avait un hic. D'après son carnet, elle n'avait rien planifié ce soir-là. À la place, elle avait barré d'une grosse croix toute la soirée après dix-sept heures, sa façon à elle de s'interdire de sortir. Il y avait trop de pain sur la planche pour songer à un rendez-vous amoureux.

Cependant, était-ce vraiment un rencard ? Il passerait, apporterait à manger, et ensuite… ils verraient. Pas besoin de se changer ou même de penser à ce qu'elle allait devoir porter ou encore…

De qui se moquait-elle ? Bien sûr qu'elle allait se préoccuper de sa tenue. Si quelque chose devait se passer avec Jack, elle n'aurait pas intérêt à porter ses vêtements de travail. Sans parler du vert des tiges et du feuillage incrusté sous ses ongles.

En plus, il faudrait qu'elle change les fleurs de sa chambre et qu'elle prépare des bougies. Et elle serait bien plus détendue après un bon bain moussant. Enfin, le choix de l'ensemble était vital pour une soirée de cet acabit, et pas seulement le dessus, mais aussi les dessous.

Elle referma son agenda. À y réfléchir, un faux rencard demandait autant, si ce n'est plus, de soins qu'un vrai rencard.

Elle se dépêcha de se remettre au travail pour finir vite et donner le meilleur d'elle-même à la cliente. Ensuite, elle allait avoir besoin d'une grande marge, avant dix-neuf heures, pour se préparer une soirée de rêve. Tout en veillant à ne pas montrer qu'elle s'était donné de la peine.

9

Son choix se porta sur une robe imprimée aux couleurs gaies. Un vêtement décontracté, simple et presque mignon, avec le gilet ultra-court qui allait avec. Et ce qu'elle portait en dessous était à damner un saint.

Satisfaite du résultat, elle pirouetta une dernière fois devant la glace avant de se lancer dans une tournée d'inspection de la chambre. Des bougies, pour un éclairage intime, des lis et des roses pour une ambiance parfumée de romantisme. Dans la chaîne hi-fi, réglée à faible volume, un CD de musique calme et sensuelle. Oreillers remplumés, stores baissés.

C'était l'antre de la séduction même. Elle en était sacrément fière. Désormais, il ne manquait plus que l'homme.

Elle descendit pour s'assurer que, sur ce front-là aussi, tout était en place. Vin, verres ballons, bougies, fleurs. Là encore, une faible musique de fond était programmée, une compilation plus entraînante que celle de la chambre. Elle alluma la chaîne, en régla le volume, et fit le tour de la pièce pour allumer les bougies.

Ils boiraient un peu de vin, discuteraient. Puis viendraient le repas et un peu plus de discussion. Ils n'avaient jamais eu de mal à parler. Même si, cette fois, ils connaissaient l'issue de la soirée – et peut-être parce qu'ils en avaient conscience – ils pourraient bavarder en se relaxant, tout simplement passer un moment agréable en compagnie de l'autre, jusqu'à ce que…

La porte s'ouvrit. Elle fit un tour sur elle-même, grisée par l'attente, mais ce fut pour accueillir Laurel.

— Coucou, Emma, il y a moyen que tu me prépares quelques…

Laurel s'interrompit net et, en voyant l'aspect de la pièce, écarquilla les yeux.

— Toi, tu as un rencard. Et plus si affinités.

— Quoi ? Tu es folle ! Où vas-tu chercher…

— Ça fait combien de temps que je te connais ? Depuis toujours. Tu sors des bougies neuves. Tu as mis une musique d'ambiance.

— Je sors régulièrement de nouvelles bougies. Et il se trouve que j'aime cette musique.

— Montre-moi tes sous-vêtements.

— Non, répliqua Emma qui manqua de s'étrangler. Tu veux que je prépare quelques quoi ?

— Plus tard. Vingt dollars que tu portes de la lingerie sexy, lança Laurel qui s'approcha d'Emma, tenta de regarder sous le corsage de sa robe, avant que son amie ne la repousse en lui giflant les mains.

— Bas les pattes !

— Tu as pris le fameux bain « ce soir, c'est le grand soir ». Je le sens d'ici.

— Et après ? J'ai souvent des rencards. Et parfois plus si affinités. Je suis une grande fille. Ce n'est pas ma faute si tu fêtes tes six mois d'abstinence.

— Cinq mois, deux semaines et trois jours – qui a dit que je comptais ?

Laurel s'interrompit de nouveau, prit un air outré et pointa sur Emma un doigt accusateur.

— Tu as un rencard et plus si affinités avec Jack !

160

— Arrête ! S'il te plaît ! Tu me fiches la trouille.

— Il est censé arriver à quelle heure ? Quel est ton plan d'attaque ?

— D'une minute à l'autre, et j'en suis encore aux préparatifs du plan. Une seule certitude : tu n'en fais absolument pas partie. Va-t'en maintenant.

Sans y prêter attention, Laurel croisa les bras.

— Quelle lingerie ? L'ensemble blanc « fille sage corruptible » ou bien l'ensemble noir « conçu pour être arraché » ? J'attends.

— C'est le rouge orné de roses noires, lâcha Emma en levant les yeux en ciel.

— Il faudra peut-être appeler les pompiers. Bon, si tu es en état demain, tu pourras me préparer trois mini-arrangements floraux ? Un mélange de fleurs printanières fera l'affaire. J'ai un rendez-vous. Si j'ai bien cerné la cliente, ces fleurs pourraient l'aider à faire son choix.

— D'accord. Rentre chez toi.

— Je file, je file.

— Évidemment, tu passeras par chez Mac pour lui balancer la nouvelle avant d'aller tout raconter à Parker.

— Et comment ! Je vais aussi demander à Mme G de préparer des tortillas pour le petit déj', ajouta Laurel sur le seuil. On pourra faire le plein pendant que tu nous raconteras tous les détails croustillants.

— Non, pas demain, j'ai une journée de folle.

— Moi aussi. Sept heures du mat', petit déj' et bilan du rencard. Bonne chance pour ce soir.

Résignée, Emma décida qu'elle n'attendrait pas Jack pour se servir un verre de vin. Le problème avec les amis, se dit-elle en allant vers la cuisine, c'est qu'ils vous connaissent trop bien. Rencard prometteur, musique stimulante, lingerie sexy. Rien de sibyllin…

161

La bouteille à la main, elle se figea. Jack était un ami. Elle n'avait pas de secrets pour lui. Et s'il se rendait compte de tous les efforts qu'elle...

— Oh, zut !

Elle se versa un grand verre de vin. Mais elle n'avait pas encore porté le verre à sa bouche qu'on frappa à la porte.

— Trop tard, murmura-t-elle. Trop tard pour changer de plan. C'est l'heure de vérité. Les dés sont jetés.

Elle posa son verre et alla ouvrir.

Lui aussi s'était changé. Il avait troqué son jean contre un pantalon de coton beige ; la batiste pour une chemise impeccable. Il portait un gros sachet du traiteur chinois dont Emma raffolait, ainsi qu'une bouteille de son cabernet favori. Une gentille attention. Un avantage de plus à sortir avec un ami.

— Quand tu as dit que tu apporterais à manger, ce n'était pas des mots en l'air, remarqua Emma en le débarrassant du sachet. Merci.

— D'habitude, tu aimes bien grignoter différents plats. Donc j'ai pris un assortiment, dit-il en lui embrassant la nuque. Re-bonjour.

— Re-bonjour. Je viens de me servir un verre de vin. J'en sors un deuxième ?

— Ça n'est pas de refus. Tu as bien bossé ? demanda-t-il en la suivant dans la cuisine. Tu avais l'air de crouler sous le travail.

— Nous avons pu boucler. Dans les prochains jours, ça va être tendu, mais nous finirons par nous en sortir, ajouta-t-elle en lui offrant un verre de vin. Et de ton côté, comment avance la cuisine d'été ?

— Je ne sais pas si les clients vont vraiment s'en servir. En tout cas, elle va être magnifique. Il faudra qu'on parle de tes travaux d'aménagement de la seconde chambre climatique. J'ai déposé quelques esquisses à Parker un peu plus tôt, pour les modifications de la maison principale. J'ai peaufiné les plans de Mac. Maintenant que j'ai passé un peu de temps dans ta chambre climatique, je comprends pourquoi il t'en faut une deuxième. J'aime bien ta robe.

— Merci, répondit-elle avant de boire une gorgée de vin. J'imagine qu'on a d'autres sujets à aborder.

— Par quoi veux-tu commencer ?

— Il y a vraiment deux sujets qui m'intéressent. On est amis, hein, Jack ?

— Oui, Emma.

— Le premier point, c'est que les amis se doivent d'être honnêtes l'un avec l'autre. Sois franc. Si, après ce soir, nous nous rendons compte que ça ne colle pas, si l'un de nous pense que c'était chouette mais préfère en rester là, il devra le dire franco. Sans rancune.

Un plan raisonnable, franc, sans coups foireux ou attaches invisibles.

— J'adhère.

— Ce qui m'amène à mon deuxième point : préserver notre amitié, dit-elle, un tressaillement dans la voix, le regard rivé sur lui. C'est crucial. Quoi qu'il arrive, on doit se promettre de rester amis. Pas seulement pour nous, mais pour notre entourage. On peut toujours se dire qu'il ne s'agit que de sexe, Jack. Or, le sexe, c'est déjà quelque chose d'important. Du moins, ça devrait. Nous nous apprécions et avons de l'estime l'un pour l'autre. Il ne faut pas tout gâcher.

— Faut-il que je prête serment avec mon sang ou bien peut-on se contenter d'un simple « promis, juré, craché » ? demanda-t-il en lui caressant les cheveux. Je te le promets, Emma. Nous sommes et resterons amis.

Il s'approcha doucement d'elle, lui embrassa une joue, puis l'autre, avant de lui effleurer doucement les lèvres avec sa bouche.

163

— Amis, répéta-t-elle en l'imitant, les yeux dans les siens. Jack ? Qu'est-ce qui nous a retenus toutes ces années ?

— Si je le savais ! s'exclama-t-il en lui effleurant les lèvres. Tout a commencé sur une plage, ajouta-t-il en la menant vers l'escalier.

— Pardon ?

— Nous passions une semaine à la plage. Tous ensemble. Un ami de Del nous avait prêté sa maison – sans doute celle de ses parents – dans les Hamptons. L'été qui a précédé l'ouverture de votre agence.

— Oui, je m'en souviens. Quelles vacances !

— Un matin, à l'aube, je n'arrivais pas à dormir. Alors je suis allé sur la plage. Et là, je t'ai vue. Il m'a fallu quelques instants pour te reconnaître. Tu portais cette espèce de long paréo diapré noué à la taille. Le vent le faisait danser autour de tes jambes. En dessous, tu avais un maillot rouge.

— Tu…, balbutia-t-elle, toute pantoise, tu te souviens de ce que je portais ?

— Oui. Je me souviens aussi que tu avais les cheveux plus longs ; ils t'arrivaient au milieu du dos. Tu allais nu-pieds. Cette peau satinée, ces couleurs vives et ces boucles folles agitées par la brise. Mon cœur avait cessé de battre. J'ai pensé : « C'est la plus belle femme que j'aie jamais vue. » Et il fallait absolument que je la possède.

Il fit une pause, se tourna vers elle, qui le dévisageait.

— Puis je t'ai reconnue. Tu t'es éloignée le long de la plage, l'écume te balayant les pieds, les chevilles et les mollets dans un mouvement de va-et-vient. Et je te désirais comme un fou.

Elle retenait son souffle. Elle n'était plus capable de penser. Elle ne voulait pas penser.

— Si tu m'avais rejointe, que tu m'avais regardée comme tu me regardes maintenant, je ne t'aurais pas résisté.

— Ça valait le coup d'attendre, répliqua-t-il avant de se perdre avec elle dans un long baiser. Eh ben dis donc ! ajouta-t-il en entrant dans la chambre, remarquant les fleurs et les bougies.

— Il faut se donner un peu de mal, même pour les amis.

Afin de se détendre et de créer une atmosphère propice à l'occasion, elle fit le tour de la pièce pour illuminer les bougies.

— De mieux en mieux.

Quand elle alluma la chaîne hi-fi, il sourit. Elle se tourna vers lui, depuis l'autre bout de la pièce.

— Je vais jouer franc jeu avec toi, Jack – comme promis. Il s'avère que j'ai un faible pour les choses romantiques, les fioritures, les petits gestes. En même temps, j'aime aussi la passion, la précipitation et l'égarement. Personnellement, je pourrais tester les deux avec toi, sans préférence. Mais ce soir, tu fais de moi ce que tu veux.

Cette confession, faite à la lueur des bougies, eut raison de lui. Il était comme envoûté.

Ils firent quelques pas l'un vers l'autre pour se retrouver au centre de la pièce. Il lui passa langoureusement la main dans les cheveux, lui dégageant le visage, et se pencha vers ses lèvres. Ce soir, il ferait de son mieux pour explorer tous ses points faibles.

En réponse à ce baiser, elle s'abandonna à lui. Leurs corps impatients et enfiévrés se rapprochèrent. Il la souleva pour la porter sur le lit, et son regard se voila.

— Je vais enfin pouvoir caresser ce corps qui a hanté mes rêves, murmura-t-il en glissant les mains sous sa robe, puis en remontant le long de ses cuisses. Sans en négliger le moindre repli.

Cette fois, il s'empara de sa bouche avec un baiser avide et empressé, tandis qu'il lui caressait la peau, à travers le peu de dentelle qui la recouvrait. Elle ploya au contact de ses doigts pour s'offrir davantage à lui.

Tout en déboutonnant son gilet, qu'il fit glisser, il lui embrassa délicatement la gorge. Soudain, il la fit virevolter, le dos plaqué contre lui, et lui mordilla l'épaule. Puis il se mit à califourchon sur son dos pour descendre la fermeture de sa robe. Alors, tournant la tête vers lui, elle eut un sourire malicieux :

— Besoin d'aide ?

— Je pense que j'ai les choses en main.

— Je crois aussi. Puisque je suis coincée là, enlève ta chemise.

Il s'exécuta, sous l'œil scrutateur d'Emma.

— J'ai toujours aimé te regarder te balader torse nu ici, l'été. Dans ce contexte, c'est encore mieux, ajouta-t-elle en se retournant sur le dos. Déshabille-moi, Jack. Et caresse-moi. Partout.

Pendant qu'il s'efforçait de lui faire passer sa robe par la tête, elle bougeait sous son corps, lentement et avec des mouvements coquins. Sous son regard audacieux, elle se sentit crépiter de plaisir.

— Impressionnant, dit-il en caressant les contours de la dentelle rouge, ornée de minuscules pétales noirs. Il va falloir patienter un peu.

— Rien ne presse.

Quand il se remit à explorer son corps avec ses lèvres, elle s'abandonna tout entière à la sensation délicieusement inconnue.

Petit à petit, avait-il dit. Or, c'était un homme de parole. Il caressait, goûtait, s'attardait jusqu'à la faire frémir de plaisir, jusqu'à ce que flotte dans l'air un parfum capiteux.

Des courbes généreuses, une peau dorée par la lumière des bougies, des cheveux éparpillés en épaisses boucles soyeuses noires. Il l'avait toujours trouvée belle. Or, ce soir, elle était le banquet auquel il s'apprêtait à faire honneur.

À chaque nouvel assaut, elle cédait un peu plus sa douce bouche pulpeuse. Lentement, il fit monter le plaisir, jusqu'à ce qu'il atteigne des sommets et explose. Une sensation délicieuse envahit Emma, douce, chaude et agréable.

— Maintenant, c'est à ton tour de te laisser faire.

Se redressant, elle lui enlaça le cou, plaqua sa bouche contre la sienne et se mit à le caresser. À présent, c'était à elle d'explorer ce corps. Des épaules larges, un torse puissant, un ventre en acier. S'attaquant à son pantalon, elle descendit la fermeture éclair et le fit glisser.

Ses mains adroites et sa bouche coquine firent vibrer chacun de ses muscles, elle le fit frémir. Dans un geste d'impatience, il lui agrippa la chevelure et l'attira à lui.

Elle se glissa un peu en arrière, se cambra et le fit entrer en elle.

Un frisson vif, presque électrique, comme un crépitement dans les veines, la traversa de part en part, alors qu'elle commençait à se mouvoir sur lui. Elle fit en sorte de recueillir lentement chaque once de plaisir, les yeux rivés dans les siens.

Sous le supplice de la lente cadence qu'elle lui imposait, il se cramponna à ses hanches. Dans un moment d'abandon total, elle fit glisser ses mains le long de son propre corps. Le spectacle en soi était pour Jack une torture. La peau d'Emma luisait, telle de la poussière d'or enflammée, et à la lumière vacillante, ses doux yeux noirs étincelaient. Il sentit son cœur s'emballer. Emma fut alors secouée de tremblements.

Se redressant, il la fit rouler sur le dos, et alors qu'elle haletait, il lui releva les genoux.

— C'est à mon tour.

Il perdit tout contrôle. Le plaisir, qui jusque-là veillait, déferla en elle d'un seul coup. Ce brusque changement d'intensité lui arracha un cri. Il répondait à son appel incontrôlé en entrant en elle par poussées puissantes et rapides, jusqu'à ce qu'elle sente l'orgasme la transpercer, avant de la combler puis de l'anéantir.

Épuisée, elle restait allongée, tremblante, jusqu'à ce qu'il atteigne lui aussi la jouissance.

Défait, il s'écroula sur elle. Sous son corps, il pouvait sentir les frémissements d'Emma, son cœur qui battait à tout rompre. Et pourtant, dans un geste d'affection qui la définissait tant, elle lui caressa le dos.

Jack ferma les yeux un instant. Il était à bout de souffle et il avait l'impression d'avoir perdu la raison. Allongé là, il inhalait son parfum et se concentrait sur la manière dont le corps d'Emma, maintenant détendu, épousait le sien.

— Puisqu'on s'est promis d'être francs, je dois t'avouer que ça ne m'a pas fait beaucoup d'effet.

Elle partit dans un éclat de rire et lui pinça les fesses.

— Dommage qu'il n'y ait pas d'alchimie entre nous.

— Pas d'alchimie, répéta-t-il avec un sourire. C'est pour ça qu'on a fait sauter le labo.

— Tu parles ! On a fait sauter l'immeuble tout entier, renchérit-elle avec un long soupir tout en lui caressant le bas du dos. Tu as de belles fesses, tu sais – si je puis m'exprimer ainsi.

— Tu peux. Je te renvoie le compliment, chérie.

— Regarde-nous ! dit-elle avec un sourire.

Doucement, il l'embrassa, dans un geste plein de tendresse.

— Tu as un creux ? Moi, j'ai une faim de loup. Ça te dit du chinois froid ?

— C'est juste ce qu'il nous fallait.

Installés au bar de la cuisine, ils piochèrent directement dans les boîtes en carton des nouilles, du porc aigre-doux ainsi que du poulet Kung Pao.

— D'où tiens-tu cette manière de manger ?

— Comment ça ?

— Par bouchées microscopiques.

— Eh bien, répondit-elle en attrapant une nouille pendant qu'il lui remplissait son verre. Au départ, c'était pour asticoter mes frères. Et puis, c'est vite devenu une habitude. À chaque fois qu'on nous donnait une glace, ou des bonbons, ils engloutissaient tout comme des goinfres. Par contre, à moi il m'en restait, et ça les rendait dingues. Donc je mangeais encore plus lentement pour les énerver encore plus. Bref, une façon de manger deux fois moins et d'en profiter trois fois plus.

— Sans doute, répliqua Jack qui enfourna dans sa bouche une plâtée de nouilles par provocation. Ta famille fait partie de ton charme, tu t'en doutes ?

— Ah bon ?

— Ils sont tous… géniaux. Vraiment.

— J'ai de la veine. De tout le groupe, je suis la seule à avoir une famille unie. Les Brown étaient formidables. Toi, tu ne les connaissais pas très bien, mais moi, j'ai grandi ici. C'était un peu comme mon deuxième chez-moi. Quand ils sont morts, ça a été terrible.

— J'ai dû ramasser Del à la petite cuiller. Je les aimais beaucoup. C'étaient des gens drôles et intéressants. Des personnes engagées dans de bonnes causes. Perdre ses parents d'un seul coup, sans y être préparé, c'est le pire cas de figure. Déjà qu'un divorce détruit un enfant, mais…

169

— Oui, Mac en a fait les frais, très jeune encore. À plusieurs reprises. Quant à Laurel, elle ne s'y attendait pas. Elle était encore ado quand ses parents ont divorcé. Désormais, elle les voit très peu. J'imagine que pour toi, ça n'a pas dû être une partie de plaisir non plus.

— Non, mais ça aurait pu être pire. Mes parents ont fait l'effort de ne pas me tirailler dans tous les sens. Ils ont su garder un peu de dignité. Puis ils ont trouvé le moyen de bien s'entendre.

Il haussa les épaules. Il n'aimait pas trop en parler. D'ailleurs, pourquoi s'étendre sur un sujet sans issue ?

— Tes parents sont des gens bien ; et puis ils t'aiment. Ça compte.

— On se débrouille. La distance facilite les relations, j'imagine. Ma mère a reconstruit sa vie, mon père aussi, reprit-il sur un ton indifférent, même s'il ne s'était jamais vraiment habitué à ce que ses parents aient continué chacun de leur côté. Mon départ pour la fac a simplifié les choses. Et quand je me suis installé ici, ça a encore aidé.

Tout en avalant une gorgée de vin, il la dévisagea.

— Dans ta famille, par contre, vous êtes comme un atome, tous des électrons qui tournent autour d'un noyau solide. Tu as l'intention de leur parler de nous ? demanda-t-il après un instant de réflexion.

— Ah ! Je ne sais pas. Uniquement s'ils me posent des questions, mais je ne pense pas que ce sera le cas.

— On serait dans de beaux draps.

— Ils t'apprécient. Et ils savent que je ne suis plus une petite fille. Il se pourrait que ça les étonne – après tout, moi-même, ça me surprend – mais je ne vois pas pourquoi ça leur poserait un problème.

— Cool.

— Les filles n'y voient pas d'inconvénient.

— Les filles ? répéta Jack en écarquillant ses yeux sombres. Tu leur as dit qu'on allait coucher ensemble ?

— Tu oublies que nous sommes des femmes, Jack,
répondit-elle sèchement.

— Je vois.

— En plus, je pensais que Mac et toi, vous aviez sauté
le pas tous les deux.

— Ah bon ?

— Du moins, c'est ce que je pensais avant. Je me suis
sentie obligée de lui parler à cause de notre fameuse règle.
Une fois le malentendu levé, tout le monde avait compris
que, dans ma tête, « Jack » et « sexe » étaient intrinsèque-
ment liés.

— Je n'ai jamais couché avec Mac.

— Oui, maintenant je le sais. Par contre, j'ignorais que
tu avais embrassé Parker.

— Il y a longtemps. Et ce n'était pas vraiment un…
D'accord, c'était un baiser, admit-il en se resservant du
porc, mais on n'a pas été plus loin.

— Sans oublier que tu as embrassé Mme G, espèce de
gigolo.

— Cette histoire-là aurait pu marcher. On aurait dû per-
sévérer.

Elle lui sourit et piocha dans le poulet.

— Del, que pense-t-il ?

— À propos de Mme Grady et moi ?

— Non, idiot. De toi et moi.

— Je ne sais pas. Je ne suis pas une femme, je sais rester
discret.

Elle s'apprêtait à porter son verre à la bouche mais se
figea.

— Tu ne lui as rien dit ? C'est ton meilleur ami pourtant !

— S'il savait seulement que je m'intéresse à toi, il me botterait les fesses. Alors si je lui racontais ce qu'on vient de faire à l'étage…

— Il se doute que j'ai déjà couché avec un homme.

— Je n'en suis pas si sûr. Il met ça à part. Comme si « Emma fait l'amour » appartenait à une autre dimension.

— Si on doit coucher ensemble, je n'ai pas l'intention d'agir comme si j'étais coupable d'adultère. Tôt ou tard, il découvrira le pot aux roses. Tu ferais mieux de lui parler le premier. Autrement, c'est sûr, il va te donner une raclée.

— Je trouverai un moyen. Une dernière chose, puisqu'on est dans le vif du sujet. Je voudrais m'assurer qu'on ne voie personne d'autre de cette façon. Ça te dérange ?

Pour elle, c'était une question inutile. La réponse coulait de source.

— Je prête serment avec mon sang ou on fait un « promis, juré, craché » ? Quand je couche avec un homme, j'évite d'en voir d'autres. Non seulement, c'est grossier et ça va à l'encontre de mes principes, mais ça demande trop d'efforts.

— Alors, c'est réglé. Donc c'est juste toi et moi.

— Toi et moi, répéta-t-elle.

— Je dois être sur un chantier à sept heures demain.

Et voilà ! pensa-t-elle. Je me lève tôt demain, chérie. C'était super. Je t'appellerai.

— Pas d'objection à ce que je reste ? reprit-il. Par contre, il va falloir que je me lève à cinq heures.

Le coin de ses lèvres se releva.

— Aucune objection.

Au moment de s'endormir, Jack se rendit compte qu'Emma était femme à se blottir. Le genre de personne qui s'enfouit sous les draps et se pelotonne contre son compagnon.

S'il avait l'habitude de préserver son espace – nécessaire pour un homme qui ne tenait absolument pas à se faire coincer, littéralement et métaphoriquement –, en de telles circonstances, ça ne le dérangeait pas.

Elle s'endormit d'un seul coup. Gigotant un instant, dormant d'un sommeil de plomb l'instant d'après. Jack, lui, glissa doucement dans les bras de Morphée, la tête pleine des événements de la journée et de ceux à venir. Il se laissa porter, Emma la tête blottie dans le creux de son épaule, un bras autour de sa taille et une jambe calée entre les siennes.

Environ six heures plus tard, son alarme de téléphone retentit. Le parfum d'Emma lui chatouilla les narines.

En vain tenta-t-il de s'extirper du lit sans la réveiller, car plus il l'éloignait, plus elle s'accrochait à lui. Et même s'il n'avait aucune envie de mettre fin à cette étreinte, il s'efforça malgré tout de la repousser.

— Hum ?

— Désolé, il faut que je me mette en route.

— Il est quelle heure ?

— Cinq heures et des poussières.

Avec un soupir, elle lui déposa un baiser du bout des lèvres.

— J'ai encore une heure devant moi. Pas toi, dommage.

Il avait réussi à la déplacer de sorte qu'ils se retrouvent face à face. Lentement, sa main dessinait des cercles sur ses fesses.

— Il y a deux choses que je trouve *très* commodes en ce moment même.

— Lesquelles ?

— D'une part d'être le patron. On ne peut pas me renvoyer pour un retard. D'autre part, de toujours garder une tenue de travail de rechange dans mon coffre. En partant d'ici sans repasser par chez moi, ça me fait gagner une bonne heure.

— Très commode en effet. Café ?

— Ça aussi, dit-il avant de se jeter sur elle.

10

Pendant que Tiffany préparait une commande, Emma achevait la composition de son troisième bouquet rond. L'assemblage de tulipes dentelées, de renoncules et d'hortensias lui plaisait énormément. Elle avait beau malmener ses doigts avec le fil métallique qui lui servait à entremêler les petits cristaux aux boutons de fleurs, elle savait qu'elle avait eu du nez de suggérer cette idée. De même pour les rubans de dentelle et les épingles à tête de perle qui soutenaient les tiges.

Étape après étape, avec toute la minutie requise, et malgré son expérience dans le domaine, un bouquet exigeait près d'une heure de préparation. Quelle chance pour Emma d'en apprécier chaque minute.

C'était pour elle le plus beau métier du monde. Se considérant comme vernie, elle entama l'arrangement méticuleux du bouquet suivant, enveloppée par le parfum des fleurs et bercée par le son de la musique. Pendant ce temps-là, Tiffany s'affairait à l'autre bout du plan de travail.

Emma retournait les fleurs dans ses mains, ajoutait des tulipes coupées à différentes hauteurs, arrangeait le tout, en incorporant çà et là quelques renoncules pour obtenir la forme escomptée. Elle agrémentait le tout de perles, ravie de l'effet scintillant produit. Le temps passait à une vitesse folle.

— Tu veux que je commence à préparer les milieux de table ?

— Hum ? répondit Emma, songeuse, avant de lever les yeux. Oh, désolée, je suis ailleurs. Tu disais ?

— Cet assemblage de textures, c'est magnifique, admira Tiffany avant de prendre de grandes goulées d'eau. Après celui-ci, il ne t'en reste plus qu'un à faire. Je le commencerais bien, mais ce genre de bouquet rond, ce n'est pas ma tasse de thé. Je peux m'atteler aux milieux de table à la place. J'ai la liste et les croquis.

— Vas-y, répondit Emma qui figeait les tiges à l'aide d'une fine baguette de plastique. Tink devrait être là d'une minute à l'autre… Enfin, elle a déjà du retard. Occupe-toi de la déco de table et je lui dirai de préparer les compositions sur socle.

Emma tailla les tiges, les enrubanna de dentelle, qu'elle fixa à l'aide d'épingles perles. Une fois qu'elle eut placé le bouquet dans un vase, dans la chambre climatique, elle se relava les mains, réappliqua un peu de crème antibiotique cicatrisante, et s'attaqua au dernier bouquet rond.

Quand Tink, avec son éternelle nonchalance, se décida enfin à se montrer, une bouteille d'eau minérale à la bouche, Emma leva à peine le nez.

— Oui, je sais, je suis en retard, anticipa Tink. Blablabla. Je ferai des heures sup', s'il le faut, ajouta-t-elle en bâillant. Je n'ai pas pu me coucher – disons plutôt dormir – avant trois heures du mat'. Ce gars, Jack, c'est Iron Man, dans tous les sens du terme. Et puis ce matin… Tiens donc, j'en connais une autre, de veinarde, remarqua-t-elle en repoussant une mèche rose de son visage. Jack, c'est ça ? Eh ! Jack et Jack ! C'est marrant.

— En effet, il m'a fallu de la veine pour terminer quatre bouquets ronds. Si tu veux encore avoir de quoi te payer tes bouteilles d'eau minérale, tu ferais mieux de t'y mettre tout de suite.

— Pas de problème. Dis-moi, il est aussi bon au lit qu'il en a l'air ?

— Tu m'as entendue me plaindre ?

— Qui est Jack ? demanda Tiffany, dont la curiosité avait été piquée.

— Tu sais, le Jack aux yeux ténébreux et aux fesses d'athlète, répondit Tink en se lavant les mains.

— *Ce* Jack ? s'écria Tiffany, qui se figea, bouche bée, un hortensia à la main. Waouh ! Première nouvelle !

— C'est tout frais. Tu n'es pas trop larguée. Tu comptes remettre ça ? demanda-t-elle à Emma.

— Boulot, marmonna Emma. On est ici pour le boulot.

— Elle compte remettre ça, conclut Tink. Quel bouquet ! ajouta-t-elle. On dirait que les tulipes viennent d'une autre planète, mais dans un sens romantique. Par où dois-je commencer ?

— Les arrangements sur socles pour les terrasses. Tu vas avoir besoin de…

— Hortensias, tulipes et renoncules, coupa Tink, sans lui laisser le temps de lui expliquer.

C'était précisément pour cela qu'Emma l'avait gardée comme assistante. Elle rassembla ce qui restait des branchages et des fleurs. À dix-sept heures, Tiffany prit congé, mais Tink continuait à faire des miracles avec ses doigts de fée. Emma fit une pause pour se reposer les mains. Elle sortit se vider la tête avec l'intention de se diriger vers le studio de Mac.

Mais Mac choisit précisément cet instant pour sortir de chez elle, le sac qui contenait son appareil photo à l'épaule, une cannette de Coca light à la main.

— Répétition à dix-sept heures trente, cria Emma.

— C'est justement là que j'allais, répondit Mac en se dirigeant vers elle.

— Tu pourras dire à la mariée que les fleurs de demain sont extraordinaires, se vanta Emma, avant de s'arrêter pour s'étirer le dos. Rude journée, et demain, c'est encore pire.

— J'ai entendu dire que Mme G faisait des lasagnes. Assez pour une armée. Avec Carter, nous avons prévu d'aller nous empiffrer.

— Je vous suis. Rien que d'y penser, je frétille. Tink rattrape son retard. Je vous donne, à Parker et toi, un coup de main avec la répétition, je me détends, et puis plus tard dans la soirée, je m'y remettrai pendant une heure ou deux.

— Ça, c'est un programme.

Emma considéra sa propre tenue.

— De quoi j'ai l'air ?

Mac l'examina.

— D'une femme qui a eu une longue journée. La mariée en sera ravie.

Emma prit Mac par le bras et elles marchèrent en direction du bâtiment principal.

— Tu as raison. Je n'ai pas du tout envie de me changer pour ensuite devoir remettre ma tenue de travail. Tu sais ce que je me disais aujourd'hui ? Je suis la femme la plus heureuse au monde.

— Jack a donc fait des prouesses ?

Emma lui donna un léger coup de hanche en retenant un éclat de rire.

— Oui, mais rien à voir. Je suis crevée, j'ai mal aux mains, et pourtant j'ai passé ma journée à faire ce que j'aime. Cet après-midi, j'ai envoyé une commande de fleurs pour une fête à l'extérieur. La naissance d'un bébé, tu te souviens ? La cliente m'a appelée. Elle était tout émoustillée au téléphone. Dès qu'elle a vu les fleurs, elle a tenu à me contacter pour me féliciter. On est vraiment très chanceuses, Mac. Nos boulots sont de vrais moments de bonheur.

— Dans l'ensemble, je suis d'accord. C'est ça que j'aime chez toi : tu arrives toujours à faire abstraction de toutes les mariées tyranniques, mères folles, témoins ivres, demoiselles d'honneur garces, pour ne retenir que les choses positives.

— Parce qu'il y a surtout du positif.

— Oui. Malgré la séance photo cauchemardesque d'aujourd'hui. Avant même que j'aie pu prendre le moindre cliché, le couple d'amoureux s'est violemment disputé. J'en ai encore les oreilles qui bourdonnent.

— Je hais ce genre de situation.

— Vraiment ? Des cris et des larmes, des allées et venues en claquant la porte. Des accusations suivies de menaces et d'ultimatums. Et encore des larmes, des excuses, un maquillage fichu, la honte, un embarras terrible. Ma journée complètement foutue. Sans oublier qu'à cause des yeux bouffis, on a dû reporter la séance.

— En même temps, c'est ce genre de drame qui apporte du piquant à ta journée. Et voici ce qui t'attend maintenant, ajouta Emma en désignant le marié du lendemain qui se dirigeait vers la maison en faisant pirouetter sa future épouse.

— Zut ! Ils sont en avance. Surtout, ne t'arrête pas, marmonna Mac en refilant sa boisson à Emma pour sortir son appareil photo du sac.

— Ils sont inquiets à l'idée de faire le grand saut, murmura Emma. Et heureux.

— Sans oublier qu'ils sont adorables, ajouta Mac qui zoomait pour faire des instantanés. À propos d'adorable, regarde qui vient de s'arrêter devant la maison.

— Oh ! s'exclama Emma qui remit instinctivement de l'ordre dans sa chevelure.

— Allons, il t'a vue dans un état autrement terrible.

— Merci du soutien. Comme on avait tous les deux une longue journée, je ne m'attendais pas du tout à ce qu'il...

Avec son pantalon de coton beige et sa chemise rayée impeccable – synonyme de rendez-vous d'affaires et travail au bureau plutôt que de visites de chantiers –, il était très beau. Ajoutez à cela une démarche décontractée, des cheveux bruns chatoyants et un sourire ravageur... Miam.

— Ce pantalon me fait de grosses fesses, susurra-t-elle à Mac. Je m'en moque, c'est juste ma tenue de travail, mais...

— Ce pantalon te fait des fesses tout à fait normales. Autrement, je te le dirais. Par contre, l'ensemble sweat-shirt rouge et pantacourt, lui, il te grossit.

— Rappelle-moi de le brûler, répliqua Emma en lui redonnant sa boisson avant d'ajuster son sourire à l'intention de Jack qui les rejoignait.

— Mesdames.

— Monsieur, répondit Mac. Je file au boulot. À plus.

Elle s'éclipsa.

— Répétition, expliqua Emma.

— Tu y vas aussi ?

— Juste en renfort. Tu as fini de travailler ?

— Oui. J'ai dû passer voir un client dans le coin, donc j'en ai profité... J'arrive au mauvais moment ?

— Non, non, répliqua Emma, qui repoussa de nouveau ses cheveux, nerveuse. Je faisais juste une pause, j'allais jeter un œil à la répétition, au cas où ils auraient besoin de moi.

Il glissa les mains dans les poches.

— Tu ne trouves pas qu'on se comporte bizarrement ?

— Mon Dieu ! C'est vrai. Arrêtons ça. Tout de suite, dit-elle en se hissant sur la pointe des pieds pour l'embrasser avec fermeté. Je suis contente que tu sois passé. Je n'ai pas arrêté depuis huit heures du matin. J'avais grand besoin d'une pause. Mme G cuisine des lasagnes. Tu te joindras à nous ?

— Oh que oui !

— Eh bien, pourquoi ne pas aller lui faire ton numéro de charme et prendre une bière. Je te retrouverai après la répétition.

— C'est ce que je vais faire, répondit-il en lui saisissant le menton pour l'embrasser. Tu sens bon les fleurs. On se retrouve dans la cuisine.

Quand ils se quittèrent, au vu du sourire qu'Emma affichait, elle semblait aux anges.

Plus tard, elle pénétra dans la maison et fut happée par l'odeur délicieuse des lasagnes et le rire franc de Mme Grady. Ce qui acheva de la mettre de bonne humeur. Jack finissait de raconter une de ses anecdotes de travail.

— Quand elle comprend enfin le problème, elle me dit : « Eh bien, vous ne pourriez pas déplacer la porte ? »

— Tu plaisantes ?

— J'ai l'habitude de te mentir ?

— Et comment… Donc vous allez déplacer la porte en question ?

— Oui, même si ça lui coûtera deux fois plus cher que de remplacer l'armoire qu'elle vient de s'offrir. Mais le client est roi.

Sur cette conclusion, il prit une gorgée de bière et leva les yeux vers Emma, qui entrait.

— C'était comment ?

— Drôle – ce qui est un bon signe pour la vraie cérémonie. La météo prévoit de la pluie pour demain, en fin de soirée, donc nous croisons les doigts et nous prions les dieux.

Emma, comme chez elle, ne se fit pas prier pour se servir un verre de vin.

— Le couple a filé à la répétition du dîner, mais je crois qu'on est mieux lotis ici. Madame G, ça sent très bon.

— La table est mise, répondit Mme Grady en fatiguant la salade. Ce soir, vous dînez dans la salle à manger comme des gens civilisés.

— Parker et Mac ne devraient pas tarder. Quant à Laurel, je ne l'ai pas croisée.

— Elle bricole dans sa cuisine. Je lui ai dit à quelle heure le dîner serait servi.

— Je vais la prévenir quand même.

— Jack, toi qui ne fais rien, rends-toi utile. Va poser le saladier sur la table.

— À vos ordres, madame. Salut, Carter.

— Bonsoir Jack. Madame G, les filles me suivent.

Mme Grady lui lança un regard dur comme l'acier.

— Tu as enseigné des choses utiles aujourd'hui ?

— Je l'espère de toute mon âme.

— Dans ce cas, prends ce verre de vin et va t'asseoir. Attention, pas touche aux plats tant que nous ne sommes pas tous à table.

Comme pour un dîner de famille, elle fit le service dans la vaste salle à manger aux larges fenêtres. La règle Grady exigeait que les portables soient éteints et que le Blackberry de Parker reste dans la cuisine.

— La tante de la mariée de samedi est passée déposer la houppa[1] qu'elle a fini de confectionner hier soir. Une véritable œuvre d'art. Emma, tu pourrais y jeter un coup d'œil au cas où il faudrait revoir le reste de la déco. Carter,

---

1. La houppa est un dais utilisé dans les mariages juifs. Elle est constituée d'un drap fixé devant l'arche sainte et symbolise le foyer que devra édifier le couple. *(N.d.T.)*

apparemment, tu enseignes au neveu de la dame, David Cohen.

— David ? Un garçon brillant, qui use actuellement de sa créativité pour faire le pitre en classe. La semaine dernière, il a commenté *Des souris et des hommes* comme s'il jouait dans un one-man-show.

— Qu'est-ce que ça a donné ? demanda Mac.

— Pour ma part, je lui ai mis un A. Par contre, je doute que Steinbeck eût apprécié. Il a dû se retourner dans sa tombe.

— C'est un roman tellement triste. Pourquoi nous fait-on lire des histoires si déprimantes à l'école ? demanda Emma.

— Avec mes jeunes élèves, nous lisons *Le Mariage de la Princesse Bouton d'Or*.

— Pourquoi n'ai-je jamais eu des profs comme toi ? J'aime les histoires gaies, les fins heureuses. Toi, tu as ta propre Bouton d'Or.

— Oui, c'est moi, répliqua Mac en levant les yeux au ciel. J'ai tout d'une princesse. À propos, je pressens que l'événement de demain aura comme des airs de conte de fées. Avec les guirlandes lumineuses, les bougies à gogo, et toutes les fleurs blanches qui les accompagnent.

— Tink s'est plainte de finir par souffrir de photosensibilité. Encore quelques heures de boulot ce soir, et le tour est joué. Un travail de titan. À force de manipuler les fils de fer à tiger, mes doigts ont souffert, expliqua Emma en brandissant une main couverte d'entailles. Aïe.

— Qui eût dit que le travail de fleuriste comportait autant de risques ? dit Jack en examinant la main d'Emma. Des blessures de guerre.

Il lui embrassa les jointures. On aurait pu entendre les mouches voler. Les regards étaient fixés sur eux.

— Arrêtez, fit Jack avec un rire embarrassé.

— Il fallait vous y attendre, commenta Laurel sans les quitter des yeux. On essaie de s'adapter. Tu devrais lui en rouler une sous nos yeux pour nous aider à intégrer la nouvelle situation.

— Attendez, dit Mac en agitant la main. Le temps que je sorte mon appareil photo.

— Faites tourner les lasagnes, dit Jack.

Renversée sur sa chaise, Parker buvait tranquillement son vin.

— Ces deux-là sont certainement en train de nous jouer un tour. Ils font semblant d'être en couple devant nous, et une fois seuls, ils riront bien de leur farce.

— Bien vu, murmura Mac.

— Je sais, répondit Parker. Et puisqu'ils ne sont pas du genre timide, ils n'auront rien contre une petite démonstration d'affection en public ? Après tout, nous sommes entre nous, fit-elle en esquissant un sourire. Quitte à jouer le jeu, autant le jouer à fond.

Ce fut au tour de Mme Grady.

— Embrasse donc la jeune fille, Jack, autrement tu n'auras pas la paix.

— Ni les lasagnes, déclara Laurel. Un bisou ! Un bisou !

Pour appuyer ses paroles, elle tapa dans ses mains. Mac se joignit à elle. Quant à Carter, il se contenta de sourire et de secouer la tête, malgré les coups de coude incitatifs de Mac.

Jack finit par céder. Il saisit Emma, qui riait, l'attira à lui et l'embrassa au milieu des applaudissements de la tablée.

— J'ai comme l'impression qu'on a oublié de me convier à la fête.

Le silence s'abattit sur le petit groupe. Toutes les têtes se tournèrent vers la porte – où se tenait Del. Il regardait fixement Jack. Parker allait se lever quand il lui fit signe de rester à sa place.

— Qu'est-ce que c'est que ce bordel ?

— Nous sommes en train de dîner. Si tu veux une part, tu n'as qu'à prendre une assiette, répondit froidement Laurel.

— Sans façon. Parker, j'ai des papiers à te montrer. Nous verrons ça un autre jour, puisque j'ai tout l'air de déranger, et qu'apparemment, on a préféré ne pas me tenir informé.

— Del...

Il interrompit sa sœur pour s'adresser à Jack sans le quitter des yeux.

— Toi et moi. On a également des comptes à régler.

Après son départ précipité, Parker poussa un long soupir.

— Tu ne lui avais rien dit.

— Je cherchais un moyen de... D'accord, je l'admets. Il faut que j'aille rectifier le tir, dit-il à Emma.

— Je t'accompagne. Je...

— Non, il vaut mieux pas. Ça peut durer un certain temps... Je t'appelle demain. Désolé.

Il se leva et sortit. Emma parvint à prendre sur elle pendant quelques secondes. Puis elle craqua.

— Je dois au moins essayer, dit-elle en se levant comme un ressort, avant de se précipiter à la poursuite de Jack.

— Il avait l'air furax, constata Mac.

— Bien sûr qu'il est furax. Son monde parfait vient de s'écrouler, dit Laurel en haussant les épaules à l'intention de Parker qui la fusillait du regard. C'est vrai – en partie – et Jack n'a rien dit, ce qui n'a fait qu'empirer les choses. Il a tous les droits d'être en pétard.

— Je pourrais peut-être leur courir après pour tenter de les raisonner, proposa Carter.

185

— Les médiateurs finissent souvent par se faire casser le nez par les deux partis.

Il sourit à Mac.

— Ça ne serait pas la première fois.

— Non, laisse-les régler leurs comptes, intervint Parker. C'est ainsi qu'on arrange les choses entre amis.

Contraint de rassurer Emma, qui s'inquiétait, Jack ne rattrapa pas Del à temps. Mais il savait où le dénicher. Chez lui, où il pourrait donner libre cours à sa colère et ruminer à souhait.

Il frappa à la porte. Pas de doute, Del lui ouvrirait. Pour la simple et bonne raison qu'il avait la clef ; or, ils savaient tous deux qu'il n'hésiterait pas à s'en servir. De toute façon, Delaney n'était pas le genre de type à éviter l'affrontement.

La porte s'ouvrit d'un seul coup. Jack n'y alla pas par quatre chemins.

— Tu me frappes, je te frappe. Un pugilat sanglant qui ne nous avancera guère.

— Va te faire voir, Jack.

— D'accord, je ne l'ai pas volé. Toi aussi, va te faire voir. Tu réagis comme un nul.

Il n'eut pas le temps de prévenir le coup, qu'il reçut en plein visage. À son tour, il envoya son poing s'écraser dans la figure de Del. La bouche ensanglantée, ils ne quittaient pas le pas de la porte. Jack s'essuya le coin des lèvres.

— Tu préfères continuer à l'intérieur ou rester à l'extérieur ?

— Maintenant, tu vas me dire ce que tu fabriquais avec tes mains sur Emma.

— Tu ne préfères pas qu'on rentre pour parler de ça ?

L'air hautain, Del se dirigea dans la salle de séjour pour prendre une bière.

— Ça fait combien de temps que tu la dragues ?

— Ce n'est pas à sens unique. Bon sang, Del, elle est assez grande pour faire ses propres choix ! Ce n'est pas comme si j'avais sorti le grand jeu pour lui voler sa virginité.

— Fais gaffe, le prévint Del, le regard meurtrier. Tu as couché avec elle ?

— Calmons-nous.

— Enfin, réponds-moi ! Oui ou non ?

— Oui, nous avons couché ensemble.

— Alors il va falloir que je te donne une raclée, annonça Del, le regard furibond.

— Essaie toujours. On finira tous les deux aux urgences, et quand je sortirai, je coucherai de nouveau avec elle, répliqua Jack, les yeux jetant des éclairs. Mêle-toi donc de tes oignons !

Mais conscient de ses torts, Jack se ravisa.

— D'accord, au vu des circonstances, ça te regarde quand même. Mais ça ne te donne pas le droit de nous dire avec qui on peut coucher.

— Depuis quand ?

— C'est tout récent. Ça nous est tombé dessus il y a quelques semaines.

— Quelques semaines, répéta Del sur un ton froissé, et pourtant tu ne m'as rien dit.

— Non. En partie pour éviter de recevoir ton poing dans la figure. Je connaissais d'avance ta réaction. J'essayais juste de trouver un moyen de t'annoncer la nouvelle.

Jack ouvrit le frigo, attrapa une bière.

— Par contre, ça ne t'a pas posé de problème d'en parler aux autres.

— Eux, au moins, ne m'auraient pas refait le portrait sous prétexte que je couche avec une femme intelligente, belle et *consentante*.

187

— Il s'agit d'Emma, pas de n'importe quelle femme.

— Je sais, répliqua Jack, plus dépité que fâché. Et je sais ce qu'elle représente à tes yeux. Ce qu'elles représentent toutes d'ailleurs. C'est justement ce qui m'a retenu de la draguer jusqu'à… récemment. J'ai toujours eu le béguin pour elle. Mais je m'interdisais d'y penser. Je me suis toujours dit : « Pas touche, Jack », sachant que ça t'aurait déplu, Del. Tu es mon meilleur ami.

— Tu as eu le béguin pour beaucoup de femmes.

— J'admets.

— Emma n'est pas une fille qu'on prend et qu'on jette à la première occasion. C'est le genre de femme avec qui on s'engage.

Jamais Jack ne faisait de promesses à une femme. Après tout, rien de plus facile à rompre qu'une promesse. En restant détaché, il ne risquait pas de faillir à sa parole

— Nous n'avons passé qu'une seule nuit ensemble. Tout est encore très incertain. Fais-moi plaisir, et arrête une minute avec tes leçons de morale. Peu importe le nombre de femmes que j'ai connues, jamais je ne leur ai menti ou ne leur ai manqué de respect.

— April Westford.

— Bon sang, Del ! Nous étions à la fac, et elle me harcelait. C'était une cinglée. Elle a forcé la portière de ma voiture – et de la tienne !

Del resta silencieux quelques instants. Il prit une gorgée de bière.

— D'accord, tu marques un point. Mais avec Emma, c'est différent. C'est une fille exceptionnelle.

— Tu crois qu'elle ne compte pas pour moi ? Que c'est juste une partie de jambes en l'air ?

Ne tenant plus en place, Jack arpenta la pièce. Toute cette histoire le décontenançait. C'était déjà bien assez compliqué et voilà que son meilleur ami venait y mettre son grain de sel, avec ses beaux discours sur les promesses, sur le fait qu'Emma soit un cas à part.

— Je les estime toutes beaucoup. Et ne va pas dire le contraire.

— Tu as couché avec les autres aussi ?

— J'ai embrassé ta sœur – Parker, je précise, comme tu les appelles toutes tes sœurs – à l'époque de la fac, après être tombé sur elle à une soirée, par hasard.

— Tu as flirté avec Parker ? demanda Del, sous le choc. Tu es sûr qu'on est amis, toi et moi ?

— On s'est juste embrassés. Sur le coup, ça semblait approprié. Mais c'était comme embrasser ma propre sœur – et elle son frère. On a tourné ça en dérision et on est passés à autre chose.

— Et après ? Tu as tenté le coup avec Mac ? Laurel peut-être ?

Jack sentit ses poings le démanger ; quant à ses yeux, ils lançaient des éclairs.

— Oui, bien sûr, je les ai toutes essayées, les unes après les autres. C'est tout moi. Changer de femme comme on change de chemise, qu'on jette au panier à linge sale après l'avoir portée. Mince alors ! Tu me prends pour qui ?

— Je ne sais plus vraiment. Tu aurais dû me parler de tes sentiments pour Emma.

— Je vois ça d'ici : « Salut, Del, J'aimerais bien coucher avec Emma. Qu'en penses-tu ? »

Cette fois, Del ne laissa transparaître ni colère ni surprise. Pire encore, aux yeux de Jack. Il avait une expression glaciale.

— Voyons les choses d'un autre angle, Jack. Comment te serais-tu senti si tu avais été à ma place, ce soir, quand je vous ai surpris ?

— J'aurais été furieux, je me serais senti trahi. Que veux-tu ? Que je dise que j'ai tout fichu en l'air ? Eh bien, je l'admets. Tu crois que je ne comprends pas ta situation ?

189

Le rôle que tu as choisi d'endosser à la mort de tes parents ? Ce qu'elles représentent toutes les quatre pour toi ? Tout ce temps-là j'étais à tes côtés, Del.

— Tu confonds tout. Ça n'a rien à voir avec la mort de…

— Bien sûr que si. Tout est lié, interrompit Jack qui parlait désormais d'une voix plus posée. Même si Emma a une famille, ça ne compte pas à tes yeux. Elle fait partie de la tienne.

La glace se rompit légèrement.

— Eh bien, tâche de ne pas l'oublier. Et souviens-toi aussi que si tu la blesses, je la vengerai.

— Ça me semble juste. On est quittes ?

— Pas tout à fait.

— Tu me feras signe alors, quand le moment sera venu.

Jack ponctua sa phrase en posant sa cannette de bière à moitié vide.

Emma dut boucler les préparatifs de l'événement de vendredi. Et le jour même, de bon matin, assistée de son équipe, elle s'attela aux arrangements floraux commandés pour le week-end suivant.

En fin d'après-midi, elle vida la chambre climatique et chargea la camionnette, mettant ainsi à la disposition de son équipe l'ensemble de la déco du soir.

Une fois que la réception battrait son plein, elle reviendrait finir ce qu'elle avait commencé.

Avant l'arrivée de la mariée, Beach et Emma remplirent les vasques du portique d'énormes hortensias blancs.

— Parfait. Maintenant, tu peux aller donner un coup de main à Tiffany dans le hall. Je vais m'occuper de la terrasse avec Tink.

Soucieuse du temps, elle fila comme une flèche. Sur la terrasse, elle se percha sur une échelle pour accrocher une boule de roses blanches au centre de la pergola.

— A priori, je n'étais pas très emballée, commenta Tink. Le blanc, c'est très... blanc. Tu vois. Finalement, ce n'est pas si mal, et ça dégage quelque chose de magique. Salut Jack, Houlà ! Qui t'a mis une beigne ?

— Del et moi, nous nous battons de temps en temps. La routine, quoi.

S'il espérait qu'Emma s'alarme en voyant sa joue tuméfiée, il s'était mis le doigt dans l'œil. Elle descendit de l'échelle ; chacun de ses gestes trahissait un sentiment d'agacement. Elle se campa devant lui, les mains sur les hanches.

— Les hommes pensent-ils vraiment tout résoudre par la violence ?

— Et les femmes avec le chocolat ? C'est dans notre nature.

— Tink, finissons d'installer les festons. Le chocolat aide à se sentir mieux. Pas un coup de poing dans la figure. Est-ce qu'au moins, ça a permis d'arranger la situation ?

— Pas complètement. Disons que c'est un début.

— Il va bien ? Parker a essayé de le joindre mais il était au tribunal toute la journée.

— C'est lui qui a frappé en premier. Aïe, ajouta-t-il en touchant ses lèvres boursouflées.

Emma leva les yeux au ciel, mais elle finit par lui déposer un baiser sur la bouche.

— Pour le moment, je n'ai pas le temps de m'apitoyer sur ton sort. Si tu restes, je te promets de me rattraper plus tard.

— Je passais juste en coup de vent pour te tenir au courant. Je sais que tu as beaucoup de pain sur la planche ce week-end.

— Oui, tu as sûrement mieux à faire que de traîner ici. Cependant... libre à toi de rester. Là, avec Carter ou même chez moi. Uniquement si ça te dit. Je vais refaire un saut à l'atelier pendant la réception, pour finir des préparatifs pour demain.

— On verra.

— Pas de problème, acquiesça-t-elle, reculant pour admirer la boule de fleurs suspendue. Qu'en penses-tu ? ajouta-t-elle en lui prenant le bras.

— Élégant et original à la fois.

— Tout à fait. Il faut que j'aille vérifier le grand salon et la salle de bal.

Elle lui caressa les cheveux et tenta un baiser sur le coin de sa bouche.

— Dans ce cas, je vais voir si Carter veut bien jouer avec moi.

— On se voit plus tard, peut-être.

— Peut-être, répéta-t-il, avant de risquer un baiser plus passionné. D'accord, on se voit tout à l'heure.

Dans un éclat de rire, elle fila à l'intérieur.

11

Tard dans la nuit, morte de fatigue et consciente qu'elle devrait s'y remettre le lendemain matin dès l'aube, Emma se laissa choir sur le canapé. Elle avait abattu un travail de titan en prévision du reste du week-end.

— Tu as vraiment l'intention de recommencer demain à deux reprises ?

— Eh oui.

— Et dimanche, rebelote ?

— Oui. Je vais devoir me lever aux aurores et trimer pendant deux heures. Ensuite, l'équipe pourra se passer de moi pour la décoration. J'en profiterai pour préparer la réception des samedis suivants.

— Je vous ai déjà donné quelques coups de main, mais je n'avais jamais… C'est tous les week-ends l'effervescence ?

— En hiver, le rythme se calme. D'avril à juin, c'est la pleine saison, et en septembre et octobre, c'est de nouveau la folie. En bref, oui, tous les week-ends.

— J'ai jeté un œil à la chambre climatique, pendant que tu travaillais. Une deuxième ne sera pas du luxe.

— Quand l'agence a démarré, aucune de nous n'aurait cru qu'elle tournerait si bien. Non, je dis des bêtises : Parker y a cru dès le début. Quant à moi, je pensais parvenir à garder la tête hors de l'eau tout en réalisant ma vocation.

Mais je n'aurais jamais cru en arriver à jongler avec toutes ces responsabilités, à devoir même embaucher des extras.

— Tu t'en sortirais mieux avec de l'aide.

— Sans doute. C'est pareil de ton côté, j'imagine ? Quand tu as débuté, tu étais seul aux commandes du navire. Depuis, tu as embauché des assistants et tu as pris un associé. Tu es à la fois sur les chantiers et au bureau. À chaque fois que tu recrutes ou que tu délègues ton travail, tu dois avoir l'impression que ton entreprise te glisse entre les doigts.

— C'est justement pour cette raison que j'ai longtemps hésité à engager Chip. Sans parler de Janis et Michelle. Et voilà que maintenant je prends un stagiaire d'été.

— Mince ! Est-ce que ça fait de nous la vieille génération ?

— Et comment ! Il a tout juste vingt et un ans. Pendant l'entretien, j'avais la sensation d'être un ancêtre.

Puis il ajouta :

— À quelle heure commences-tu demain ?

— Six heures, je crois. Six heures et demie.

— Je devrais te laisser te reposer, dit-il en lui massant distraitement la jambe. Et puisque tu es prise tout le week-end, nous pourrions sortir lundi soir ?

— Sortir ?

— Un dîner suivi d'un film, ça t'irait ?

— Je m'en réjouis d'avance.

— Je passe te chercher vers dix-huit heures trente ?

— Ça marche. Je peux te poser une question ? dit-elle en se levant puis s'étirant comme un chat. Tu es resté si tard pour finalement rentrer chez toi ? Sous prétexte que je dois me reposer ?

— Tu en as mis du temps à réagir. Tu dois vraiment être crevée.

— Pas tant que ça, répliqua-t-elle en attrapant un pan de sa chemise pour l'attirer avec elle sur le sol.

En fin d'après-midi, le lundi suivant, Laurel raccompagnait des clients à la porte. Ils emportaient avec eux une boîte remplie d'échantillons de gâteaux, même si, d'après son expérience, l'entremets italien à la crème avait déjà remporté l'assentiment général haut la main.

— Quand vous aurez fait votre choix, tenez-moi au courant. Même si c'est pour changer d'avis ensuite. Nous ne sommes pas pressés par le temps.

À ce moment-là, elle aperçut Del qui remontait l'allée. Elle tâcha de garder un air décontracté. Avec son costume sur mesure, sa mallette parfaite et ses superbes chaussures, il renvoyait l'image du brillant avocat.

— Tu trouveras Parker dans son bureau. Je crois qu'elle est libre.

Il rentra et referma la porte derrière lui.

— Hé ! l'interpella-t-il comme elle s'apprêtait à monter. Tu ne me parles plus ?

— D'après toi, qu'est-ce que je viens de faire ?

— Tu as à peine dit trois mots. C'est moi qui devrais être furieux. Je ne vois vraiment pas pourquoi tu fais ta morveuse.

— Ma morveuse ?

Il la rejoignit dans l'escalier.

— J'ai du mal à avaler le fait que ma famille et mes amis aient pu me mentir – ou omettre de me dire la vérité.

Elle lui planta l'index dans l'épaule.

— Primo, je ne savais pas que tu ignorais pour Jack et Emma. Parker, Mac et Carter non plus. Ni même Emma. Donc ça se joue entre Jack et toi. Secundo, continua-t-elle en lui plantant de nouveau le doigt dans l'épaule car il essayait de l'interrompre, je suis d'accord avec toi.

— C'est vrai ?

— Oui. À ta place, j'aurais été furieuse. Jack aurait dû te parler.

— Eh bien, je te remercie.

— Toutefois.

— Et voilà ! C'était trop beau pour être vrai.

— Toutefois, tu devrais te demander pourquoi ton meilleur ami a choisi de te faire des cachotteries. Et vu ton comportement de l'autre soir, tu ferais mieux de te remettre en question. On aurait dit un enfant gâté qui pique sa crise.

— Attends une minute.

— Ce n'est que mon point de vue. Je pense que si Jack t'en avait parlé, tu aurais fait ton Delaney Brown.

— Qu'est-ce que tu insinues ?

— Si tu ne vois pas, je ne peux rien pour toi.

Elle s'apprêtait à lui filer entre les pattes, mais il la retint par la main.

— N'espère pas t'en tirer à si bon compte.

— Très bien. Tu l'auras voulu. Delaney Brown désapprouve, Delaney Brown sait tout mieux que tout le monde. Delaney Brown mettra tout en œuvre pour arriver à ses fins – pour votre propre bien, il va sans dire.

— C'est un jugement sévère, Laurel.

— Non, dit-elle sur un ton plus doux. Je sais que tes intentions envers tes amis sont louables. Cependant, tu es toujours tellement sûr d'avoir raison, Del.

— Tu vas peut-être me dire que ce qui se passe en ce moment entre Emma et Jack est la meilleure chose qui puisse leur arriver – aussi bien à elle qu'à lui ?

— Je ne sais pas, rétorqua-t-elle en levant les bras au ciel. Et je ne prétends pas en juger. Mais il est évident qu'ils passent du bon temps.

— Et ça ne te fait pas bizarre ? Tu n'as pas l'impression d'avoir glissé par accident dans une dimension parallèle ?

— Pas vraiment, répondit-elle en riant.

— Imagine – imagine un instant que je fasse la même chose avec toi, que d'un seul coup je me mette à avoir envie de « coucher avec Laurel ».

Son rire s'évanouit. Elle se rembrunit.

— Tu n'es qu'un idiot.

— Comment ?

Elle en profita pour monter les marches quatre à quatre et disparaître à l'étage.

— Nous sommes bel et bien tombés dans une dimension parallèle, marmonna-t-il en montant trouver sa sœur.

Assise à son bureau, elle parlait dans son casque tout en pianotant sur le clavier de l'ordinateur.

— C'est parfait. Je savais que je pouvais compter sur vous. Il leur en faut deux cent cinquante. Vous pouvez les livrer à la propriété et je prendrai la relève. Merci mille fois. Vous aussi. Au revoir.

Elle enleva son casque.

— Je viens de commander deux cent cinquante canetons.

— Plaît-il ?

— Les clients veulent les voir nager dans l'étang le jour de leur mariage. Comment vas-tu ? ajouta-t-elle d'une voix pleine de compassion.

— J'ai connu mieux. Laurel admet que Jack aurait dû m'en parler. Toutefois, c'est apparemment ma faute, parce que je suis Delaney Brown. Tu trouves que je manipule les gens ?

Elle le dévisagea.

— C'est une question piège ?

— Et puis zut !

Il jeta sa mallette sur le bureau et alla se servir un café.

— J'en conclus qu'il s'agit d'une vraie question. Oui, bien sûr que tu manipules les gens. Tout comme moi. C'est

197

notre travail de trouver des solutions. Pour ce faire, nous manœuvrons notre entourage comme bon nous semble.

Il se tourna vers elle pour la regarder droit dans les yeux.

— Tu penses que je te manipule, Parker ?

— Del, si tu ne l'avais pas fait, à la mort de papa et maman, je n'aurais pas commandé deux cent cinquante petits canards à l'instant. Et cette entreprise n'existerait pas.

— Je ne te parle pas de ce type de manipulation.

— M'as-tu jamais obligée à faire quelque chose contre mon gré ou pour servir tes propres intérêts ? Non. C'est navrant que tu aies appris de cette manière pour Emma et Jack. C'est une situation étrange pour nous tous. Personne ne s'y attendait, pas même les intéressés.

— Je n'arrive pas à m'y faire, dit-il en s'asseyant pour boire son café. De toute façon, le temps de m'y habituer, et ce ne sera plus que de l'histoire ancienne.

— N'as-tu pas l'âme d'un romantique ?

— Jack a toujours traité les femmes à la légère. Les relations de longue durée, ça ne le connaît pas.

— Peut-être que tu devrais avoir un peu plus confiance en ton ami. Deux personnes ne se rencontrent jamais sans raison. J'en ai l'intime conviction. Autrement je ne pourrais pas exercer ce métier. Parfois ça tourne mal, et parfois bien. Mais ce n'est jamais le fruit du hasard.

— En gros, tu me conseilles d'être moins râleur et plus fraternel ?

— C'est cela, dit-elle en souriant. C'est ma façon à moi de te manipuler. Est-ce que je suis douée ?

— Pas mauvaise. J'imagine que je devrais passer voir Emma.

— Ce serait un geste appréciable.

— Mais avant tout, voyons voir ces papiers.

Il ouvrit la mallette.

Vingt minutes plus tard, il frappait à la porte d'Emma. Il entra sans se faire prier.

— Emma ?

Elle fit un bond d'un mètre en se retournant.

— Tu m'as fait une de ces peurs ! Je ne t'avais pas entendu.

— Je te dérange ?

— Je commence tout juste mes arrangements floraux pour la naissance d'un bébé, pour cette semaine, dit-elle en se levant. Tu m'en veux beaucoup ?

— Non, pas le moins du monde, répondit-il, gêné qu'elle puisse penser cela. Par contre, en ce qui concerne Jack, sur une échelle de la colère de un à dix, je suis à sept. Et encore, c'est retombé.

— Tu te rends bien évidemment compte que, quand Jack couche avec moi, je couche aussi avec lui ?

— Peut-être qu'on devrait donner un nom de code à la chose. Par exemple, on pourrait dire que Jack et toi écrivez un bouquin à deux, ou bien que vous faites des travaux pratiques.

— Et tu es en colère parce qu'on fait des travaux pratiques ? Ou parce qu'on te l'a caché ?

— Un peu des deux. J'essaie de m'habituer à l'idée des TP, et en plus, je suis furieux qu'il ne m'ait pas dit que toi et lui, vous…

— Aligniez les tubes à essai ? Étiquetiez les boîtes de Petri ?

Il fronça les sourcils et prit un air penaud.

— En fin de compte, je ne suis pas sûr d'aimer la métaphore du laboratoire. Écoute, tout ce que je souhaite, c'est ton bonheur.

— Mais je *suis* heureuse. Même en sachant que vous vous êtes tapés dessus. En fait, ça me rend encore plus heureuse. Une fille est toujours flattée qu'un homme se batte pour elle ; alors deux !

— C'était sous le coup de la colère.

S'approchant de lui, elle lui prit le visage et lui déposa un léger baiser sur les lèvres.

— Évite à l'avenir. Il y va de mes deux frimousses favorites. Nous ne voudrions pas les abîmer. Allons nous asseoir dans le patio, boire de la limonade entre amis.

— Je te suis.

Pendant ce temps-là, Jack s'installait dans l'atelier de Mac pour lui montrer les plans d'agrandissement.

— Voici une version plus détaillée que les dessins que je t'ai envoyés par e-mail. J'ai pris en compte tes suggestions.

— Regarde, Carter. Tu as une pièce à toi tout seul.

— Et moi qui espérais qu'on continuerait à partager la même, répliqua-t-il en caressant la chevelure carotte de Mac.

Celle-ci s'esclaffa et regarda le plan de plus près.

— Et regarde mon futur dressing-room – enfin celui de mes clients. Et l'espace qu'on va récupérer avec le patio. Une bière, Jack ?

— Plutôt un truc sucré.

— J'ai du Coca light.

— Dans ce cas, de l'eau fera l'affaire.

Une fois Mac partie à la cuisine, Jack entra dans une explication détaillée des plans.

— Avec ces étagères, tu auras la place de ranger tes livres. Tes dossiers, tes fournitures scolaires.

— Et là ? Qu'est-ce que c'est ? Une cheminée ?

— Une idée de Mac. D'après elle, tout professeur digne de ce nom mérite d'avoir une cheminée dans son bureau.

Elle fonctionne au gaz. Et fournira une deuxième source de chaleur à la pièce.

Carter leva les yeux vers Mac qui revenait munie de deux bières et d'une bouteille d'eau.

— Tu m'offres une cheminée ?

— Oui, c'est sûrement ça qu'on appelle l'amour, répondit-elle en lui déposant un baiser sur les lèvres.

Puis elle se baissa pour attraper Triade, le chat à trois pattes. Elle avait raison, pensa Jack en la regardant s'asseoir avec l'animal pelotonné sur ses genoux. Il se demanda ce que deux personnes si fusionnelles pouvaient ressentir. Pas de doute pour eux, ils avaient trouvé l'élu de leur cœur. Ensemble, ils allaient construire un foyer, une famille peut-être. Partager un chat.

Comment pouvaient-ils être sûrs à cent pour cent ? Mystère… Pour Jack, c'était incompréhensible.

— Quand commence-t-on ? demanda Mac.

— Je soumets le permis de construire dès demain. Vous avez un entrepreneur en vue ?

— Hum… L'entreprise que nous avions employée dans le passé n'était pas mal du tout. Elle est toujours disponible ?

— Je peux les contacter demain pour leur demander d'établir un devis.

— Tu es le meilleur, Jack, déclara Mac en lui tapant amicalement le bras. Tu veux dîner avec nous ? Ce soir, c'est plat de pâtes. Je peux appeler Emma pour voir si ça la tente ?

— Merci, mais ce soir, nous sommes de sortie.

— Que c'est mignon ! Mes deux amis qui deviennent intimes.

— Au programme, un dîner suivi d'une toile. Je me sauve. Carter, on se voit à la soirée poker. Prépare-toi à une défaite cuisante.

201

— Peut-être que ça nous ferait gagner du temps si je te donnais l'argent maintenant ?

— C'est tentant. Mais j'aurai plus de plaisir à te dépouiller à la table. Je m'occupe du devis, ajouta-t-il en se dirigeant vers la porte. Gardez précieusement cet exemplaire des plans.

Sur le seuil, il aperçut Del qui s'approchait, et s'arrêta à quelques mètres de lui.

— Attendez, cria Mac, si vous avez encore l'intention de vous battre, je ne veux pas manquer ça. Je vais chercher mon appareil.

— Je vais la faire taire, promit Carter.

— Non, attendez, je ne plaisante pas, parvint-elle à dire avant que Carter ne la traîne à l'intérieur contre son gré.

Jack se trouva tout penaud.

— Cette situation devient ridicule.

— Sans doute.

— Écoute, nous nous sommes battus, on s'est engueulés, et nous avons bu une bière. Nous devrions maintenant être quittes.

— Il nous reste à voir un match.

Jack sentit la tension se relâcher dans ses épaules. Il retrouvait le Del qu'il connaissait.

— Demain, si tu veux ? Ce soir, j'ai un rencard.

— Les Yankees jouent demain soir.

— Tu conduis.

— Je m'occupe de la voiture, tu te charges des pourboires et de la bière. On coupe la poire en deux.

— Ça me va. Dis-moi, serais-tu prêt à me mettre ton poing dans la figure pour Emma ? ajouta-t-il après un silence.

— C'est déjà fait.

— Ce n'était pas pour la défendre.

Il marquait un point, pensa Jack.

— Je ne sais pas.

— C'est une réponse sage, déclara Del. On se voit demain.

La soirée en amoureux fut couronnée de succès. Ils dînèrent dans un bistro et optèrent pour un film d'action. Et décidèrent de recommencer le lundi suivant. Dans l'intervalle, leurs emplois du temps respectifs ne leur laissaient pas une minute à eux, mais ils parvinrent toutefois à glisser un coup de fil coquin par-ci, et quelques e-mails taquins par-là.

Leur relation était-elle fondée sur une attirance physique ou sur leur amitié de longue date ? Emma n'était pas sûre de connaître la réponse, mais il lui semblait qu'ils recherchaient chacun un juste équilibre entre les deux.

Emma finissait tout juste de s'habiller, quand elle entendit Parker la héler au rez-de-chaussée.

— Je descends tout de suite. Si tu cherches les fleurs, elles sont dans un vase, à l'arrière. Je ne comprends toujours pas pourquoi tu dois aller assister aux remerciements des mariés à leurs invités.

— La mère de la mariée veut que je passe jeter un dernier coup d'œil à l'ensemble des préparatifs. Je ne devrais pas en avoir pour trop longtemps.

— J'aurais pu déposer les fleurs moi-même, pour te faire gagner du temps, mais mon dernier rendez-vous s'est éternisé, expliqua Emma qui dévala l'escalier comme une furie, s'arrêta net et virevolta. Comment me trouves-tu ?

— Splendide.

— Les cheveux relevés en un chignon négligé, juste ce qu'il faut. Ça passe ?

— C'est bien. La robe aussi. Le rouge foncé te va à ravir. Et si je puis me permettre, toutes ces heures passées à la salle de gym commencent à payer.

— Et maintenant, il va falloir entretenir la forme. Cette idée me désole. Étole ou gilet ?

— Où allez-vous ?

— À un vernissage. Un peintre du coin – de l'art moderne.

— L'étole fait plus original, plus bohème. Dis-moi, tu n'es pas bête, toi.

— Comment ça ?

— La plupart des invités seront vêtus de noir. Donc, ta robe rouge ne peut que ressortir. Quelle fashionista !

— Quitte à s'habiller chic, autant faire sensation. N'est-ce pas ? Et les chaussures ? Comment les trouves-tu ?

Parker examina les escarpins peep-toe ornés à la cheville d'une lanière sexy.

— Aucun risque que la gent masculine prête attention aux tableaux.

— Je ne veux l'attention que d'un seul mâle.

— Tu as l'air heureuse, Emma.

— Il y a de quoi. Je suis avec un homme intéressant, qui me fait rire et frémir. Un homme qui est à mon écoute. Un homme qui me connaît tellement bien que je peux être moi-même sans efforts. Il est drôle, brillant, bosseur, fidèle en amitié, passionné par le sport. Et tout le reste – que je ne dis pas, mais que je connais pour avoir passé douze ans à le découvrir.

Elle se dirigea vers son atelier.

— Certains penseront que, du coup, je n'ai pas l'excitation des débuts de relation. Mais c'est faux. Avec lui, je me sens à la fois excitée et rassurée.

Emma sortit les fleurs du vase.

— J'ai opté pour des tulipes roses et de petits iris. C'est joyeux, printanier.

Emma emballa le bouquet dans un papier plastique brillant.

— L'un de vous deux s'est-il rendu compte que tu étais amoureuse ?

— Pardon ? Je n'ai jamais dit que… Bien sûr que j'aime Jack. Nous aimons *toutes* Jack.

— Nous n'avons pas toutes sorti la robe rouge et les talons sexy pour ses beaux yeux.

— C'est parce que je vais à une soirée… Il n'y a rien à interpréter.

— C'est faux. Tu sors avec Jack, tu couches avec lui. Ton expression, tes paroles… Je te connais. Tu es amoureuse.

— Pourquoi te sens-tu obligée de dire ça ? implora Emma, le visage déconfit. C'est le genre d'idée qui va me trotter dans la tête. À présent, je vais me sentir gênée et mièvre.

— Depuis quand amour rime-t-il avec gêne et mièvrerie ? demanda Parker, dubitative.

— Depuis Jack. Tout se passe à la perfection, je ne demande rien de plus pour le moment. Jack… n'est pas le genre d'homme à faire des projets à long terme. Il vit dans l'instant.

— C'est quand même un comble que Del et toi, qui êtes si proches de Jack, croyiez si peu en lui.

— Là n'est pas la question. Jack ne cherche pas une relation… sérieuse. Voilà tout.

— Et toi dans cette histoire ?

— Je prends ce qui vient, je profite de l'instant, déclara Emma d'un air décidé. Surtout, je vais me garder de tomber amoureuse car je connais ma tendance à tout idéaliser. J'en viendrais à souhaiter qu'il éprouve… Quand, dans un couple, les sentiments sont asymétriques, c'est terrible autant pour celui qui est amoureux que pour celui qui ne l'est pas.

Elle secoua la tête.

— Non, je ne tomberai pas dans le piège. Ça ne fait pas très longtemps qu'on se fréquente. Je ne vais pas me faire avoir.

— Très bien, répliqua Parker en lui caressant l'épaule pour la calmer. Tant que tu es heureuse, je le suis aussi. Je ferais mieux de me mettre en route. Merci pour les fleurs.

— Pas de problème.

— On se retrouve demain pour une nouvelle consultation avec les Seaman.

— C'est dans mon agenda. Apparemment, ils veulent se promener dans le parc pour se faire une idée de l'endroit au printemps prochain. Je vais sortir quelques hortensias bleus de la serre pour orner les pots. Des plantes luxuriantes qui devraient leur en mettre plein la vue. J'ai deux ou trois autres tours dans mon sac, ajouta-t-elle en raccompagnant Parker à la porte.

— Comme toujours. Amuse-toi bien ce soir.

— Compte sur moi.

Une fois seule, Emma s'appuya contre la porte. Libre à elle de s'aveugler. Et de duper Jack. Mais elle ne pouvait pas tromper Parker, qui lisait en elle comme dans un livre ouvert. Bien sûr qu'elle aimait Jack – et qui plus est depuis des années – même si elle était parvenue à se leurrer sur la nature de ses sentiments. Le désir, c'était déjà limite, mais l'amour ? Une très mauvaise idée.

Elle avait une image bien précise de l'amour. Un sentiment qui s'emparait de tout votre être pour le restant de votre vie. Jour après jour, nuit après nuit, année après année, le foyer, la famille, les disputes, le soutien, les galipettes… Voilà ce qu'elle rêvait de trouver. De même qu'elle savait exactement comment devrait être son partenaire, son amant, le père de ses enfants. Or, à présent qu'elle trouvait chaussure à son pied, il fallait que ça tombe sur Jack. Un homme qu'elle connaissait par cœur, qui tenait à sa liberté, et surtout, qui voyait dans le mariage un pari hasardeux. Et malgré cela, elle avait craqué pour lui.

Comment réagirait-il s'il l'apprenait ? Il serait peut-être horrifié. Non, c'était un terme exagéré. Plutôt inquiet, navré – ce qui était pire. Il prendrait des pincettes et s'éloignerait gentiment d'elle. Mortifiant.

D'un autre côté, il n'avait pas de raisons d'être au courant. Il suffisait de ne pas y penser, et le problème serait réglé. Donc, c'était décidé, elle n'en ferait pas une montagne.

Après tout, elle menait les hommes par le bout du nez. Elle était aussi douée avec eux qu'avec les fleurs. Si, à un moment donné, cette relation lui apportait plus de chagrin que de plaisir, ce serait elle qui s'éloignerait de lui. Et elle s'en relèverait.

Elle avait la gorge sèche. Elle se dirigea dans la cuisine pour se verser un verre d'eau.

De deux choses l'une : soit elle arrêtait de s'inquiéter – somme toute, ils étaient toujours ensemble – ; soit elle faisait en sorte qu'il tombe amoureux d'elle. De même qu'elle savait empêcher un homme de s'attacher, elle pourrait très bien conduire un homme à l'aimer.

— Minute, papillon, je m'emmêle les pinceaux.

Elle inspira longuement, but une gorgée d'eau.

— Arrête de penser, tu vas à un vernissage. Un point c'est tout.

Quand on frappa à la porte, elle se sentit soulagée. Au diable les réflexions alambiquées. Ils allaient sortir, et s'amuser. Advienne que pourra.

12

Le regard de Jack, quand elle ouvrit la porte, valait tous les discours. Elle n'en demandait pas plus.

— Une minute de silence afin d'exprimer mon admiration, fit-il.

En réponse, elle le gratifia d'un long sourire sensuel.

— Eh bien, je t'en prie. Tu veux entrer ?

Se rapprochant d'elle, il fit courir ses doigts le long de son épaule puis de son bras. Il la dévisageait de ses yeux sombres.

— Et si j'entrais, et qu'on oubliait le vernissage ?

— Ah non ! s'écria-t-elle en le repoussant à l'extérieur.

Elle sortit sur le perron, lui tendit l'étole et lui tourna le dos pour lui permettre de passer le tissu sur ses épaules.

— Tu m'as promis des peintures étranges, de la piquette et des petits fours ramollis.

— À la place, je te propose de rentrer chez toi, dit-il en frottant le nez contre son cou. Je te gribouillerai des dessins érotiques, on boira du bon vin et je commanderai des pizzas.

— Décisions, décisions, dit-elle en marchant vers la voiture de Jack. Vernissage maintenant, dessins érotiques en fin de soirée.

— S'il le faut.

Arrivé à hauteur de la voiture, il s'arrêta pour l'étreindre.

209

— Tu es magnifique ce soir.

— C'était le but, répondit-elle en caressant le pull-over ardoise qu'il portait sous sa veste de cuir. Tu n'es pas mal non plus.

— Puisqu'on s'est mis sur notre trente et un, autant aller s'exhiber, déclara-t-il en souriant après s'être installé au volant. Comment s'est passé le week-end ?

— Bien rempli, comme prévu. Heureusement, Parker avait convaincu les clients de louer une tente pour samedi. Quand il a plu, tout le monde était à l'abri. Mieux encore, nous avons rajouté la dose de bougies et de fleurs. La lumière tamisée, le parfum des fleurs et le crépitement de la pluie sur la tente. C'était adorable.

— J'ai pensé à vous. J'étais sur un chantier quand il a commencé à pleuvoir. Nous n'avons pas pu nous réfugier au sec.

— J'aime la pluie de printemps. Le son qu'elle génère, les odeurs qu'elle fait remonter. D'habitude, les mariées ne sont pas ravies qu'il pleuve le jour J mais nous avons réussi à combler celle-là. Et de ton côté, la soirée poker ?

— Je n'ai pas envie d'en parler, dit-il en se renfrognant.

Elle éclata de rire.

— Il paraît que Carter vous a plumés.

— Ce type nous a eus avec son air de jeune premier et son refrain : « Je ne suis pas doué pour les cartes. » En réalité, c'est un requin.

— Oui, c'est certain, Carter est un vrai requin !

— Tu n'as jamais joué aux cartes avec lui. Crois-moi.

— Mauvais joueur.

Amusée, Emma se renversa dans son siège.

— Alors, dis-m'en plus sur l'artiste.

Quelques instants s'écoulèrent. Il tambourinait sur le volant du bout des doigts.

— L'amie d'un client. Je te l'ai déjà dit, non ?

En effet, il l'avait mentionné. En fait, elle avait pensé parler des tableaux plutôt que de l'artiste, mais la réaction de Jack la mit sur une piste.

— Et c'est aussi une de tes amies ?

— Si on veut. Nous sommes sortis ensemble à plusieurs reprises. Une fois ou deux.

— Je vois, dit-elle d'une voix neutre, même si, désormais, sa curiosité était piquée.

— En gros, c'est une ex.

— Pas vraiment. Nous n'étions pas… Nous avons flirté pendant quelques semaines. Il y a plus d'un an – presque deux. Je pensais qu'il y avait quelque chose mais en fait non.

Son embarras l'étonnait – et la flattait.

— Ne t'en fais pas, Jack. Je me doute que tu as couché avec d'autres femmes avant moi.

— Et parmi elles, Kellye. C'est une femme… intéressante.

— Et créative.

— Tu en jugeras par toi-même.

— Que s'est-il passé ? Pourquoi la « chose » a-t-elle subitement disparu entre vous ?

— C'est devenu trop sérieux à mon goût. Elle est du genre intense et en demandait beaucoup trop.

— Elle exigeait trop d'attentions ? demanda Emma qui essayait de feindre l'indifférence.

— « Exiger » est le mot juste. Bref, quand notre relation s'est finie, ça s'est fait tout naturellement.

— Vous êtes restés en bons termes ?

— Pas vraiment. Mais je suis tombé sur elle il y a quelques mois, et ça s'est bien passé. Puis elle m'a contacté au sujet du vernissage et je me suis dit : « Pourquoi pas ? » D'autant plus que je suis escorté de mon garde du corps.

— Tu as souvent besoin qu'on te protège des femmes ?

211

— Sans arrêt.

— Ne t'inquiète pas, répondit-elle, amusée, en lui tapotant la main sur le levier de vitesse. Je suis là.

Une fois la voiture garée, ils marchèrent dans la nuit, une légère brise printanière remuant avec élégance les extrémités de l'étole. À cette heure-ci, les boutiques où elle aimait flâner étaient toutes fermées, tandis que les bistros battaient leur plein. Quelques téméraires bravaient le froid pour le plaisir de manger à l'extérieur à la lueur des bougies.

— Il y a une chose qu'il me reste à faire pour toi.

— Une seule chose ? J'ai toute une liste. Mais on peut directement passer aux points les plus intéressants.

— La cuisine, corrigea-t-elle en lui donnant un coup de coude. Je me débrouille pas mal. Il va falloir que tu découvres mes talents culinaires. Ma spécialité : les fajitas.

— Choisis le jour et l'heure, acquiesça-t-il en s'arrêtant. Nous y sommes. Sûre que tu ne préfères pas rentrer pour cuisiner ?

— Non, ce soir, nous nous cultivons, répondit-elle en s'introduisant dans la salle.

Mais elle eut tôt fait de se raviser. Hormis le groupe de gens qui flânait dans la pièce en se donnant un air profondément inspiré, la première chose qui heurta son regard fut une large toile blanche coupée en son centre par une ligne noire épaisse et floue.

— S'agit-il d'une trace de pneu ? Sur une route blanche immaculée ? Ou alors, d'une scission de... quelque chose ?

— C'est une ligne noire sur fond blanc. Je vais chercher à boire, nous allons en avoir besoin.

Emma profita de son absence pour visiter les lieux. Elle examina une autre toile qui représentait une chaîne noire tordue dont deux maillons étaient rompus, et s'intitulait

Liberté. Un autre tableau avait la prétention d'afficher un grand nombre de points noirs, qui s'avérèrent être, après une analyse plus poussée, une dispersion de petites lettres.

— Fascinant, n'est-ce pas ? lui murmura un homme portant des lunettes aux montures foncées et une chemise noire à col Mao. L'émotion, le chaos.

— Ah oui.

— Une approche minimaliste de l'intensité et de la confusion. C'est brillant. Je pourrais l'étudier pendant des heures ; j'y trouverais, à chaque fois, une signification nouvelle.

— Tout dépend de la façon dont on assemble les lettres.

— Exactement ! s'exclama-t-il, le visage soudain illuminé. Je m'appelle Jasper.

— Emma.

— Avez-vous vu *La Naissance* ?

— Je n'ai pas eu cette chance.

— Je trouve que c'est son œuvre la plus accomplie. Elle est juste à côté. J'aimerais beaucoup connaître votre opinion.

Il effleura le coude d'Emma, puis lui désigna l'œuvre. Elle n'était pas née de la dernière pluie, il cherchait à tâter le terrain.

— Je peux vous offrir à boire ?

— Eh bien, ça ira, dit-elle quand Jack lui rapporta un verre. Jack, voici Jasper. Nous étions en admiration devant *Babel*, ajouta-t-elle après avoir lu le titre.

— Une confusion de langues, supposa Jack tout en posant une main possessive sur l'épaule d'Emma.

— Oui... Si vous voulez bien m'excuser.

— Je viens de lui casser son coup, dit Jack, une fois que Jasper eut battu en retraite, la queue entre les jambes. Ça ressemble à un de ces aimants que les gens fixent à leur frigo, ajouta-t-il après examen du tableau, tout en appréciant la médiocrité du vin.

— Dieu merci ! L'espace d'un instant, j'ai vraiment cru que tu y lisais quelque chose.

— On pourrait aussi penser que quelqu'un a renversé un scrabble.

— Arrête, dit-elle tout en se retenant de rire. Jasper trouve ce chaos minimaliste tout simplement brillant.

Ils furent interrompus par une voix provenant du groupe.

— Jack !

Emma se retourna pour faire face à une grande tige d'un mètre quatre-vingts à la tignasse rousse, qui émergea de la foule, les bras tendus vers eux. Des jambes à n'en plus finir, mises en valeur par une petite jupe noire moulante, un buste filiforme compensé par une poitrine généreuse qui semblait sur le point de déborder de son décolleté en corbeille. Le tout dans un cliquetis de bracelets qui s'agitaient à ses poignets.

Elle manqua de faucher Emma au passage, saisissant Jack par le cou pour coller ses lèvres rouges et voraces sur les siennes. Emma eut tout juste le temps d'attraper le verre de Jack au vol, avant qu'il ne se fracasse sur le sol.

— Je savais que tu viendrais, murmura-t-elle d'une voix proche du sanglot. Tu n'imagines pas ce que ta présence signifie pour moi.

En guise de réponse, Jack émit un son inarticulé.

— Tous ces gens, ils ne me *connaissent* pas. Ils n'ont pas pénétré *en* moi.

Bon sang. Il tenta de se dégager mais les bras de la jeune femme se resserrèrent comme un étau.

— Je tenais à passer pour te féliciter. Laisse-moi te présenter... Tout doux, Kellye, tu m'empêches de respirer.

— Tu m'as *tellement* manqué. C'est un grand soir pour moi, et maintenant que tu es là, tout prend sens, reprit-elle

214

la larme à l'œil et la lèvre tremblotante. Désormais, je sais que je vais pouvoir surmonter mon angoisse. Jack, reste près de moi. Reste ici.

Difficile de se rapprocher davantage, pensa-t-il, à moins de vouloir se retrouver dans une position compromettante.

— Kellye, voici Emmaline, intervint Jack qui réussit à se libérer de l'étreinte. Emma…

— Quel plaisir de vous rencontrer ! répliqua Emma avec enthousiasme, en lui tendant la main.

Kellye recula d'un pas, comme si on venait de la poignarder, et se tourna brutalement vers Jack.

— Comment oses-tu ? Faire venir *cette fille* ici ? T'exhiber avec elle sous mes yeux ? Salaud !

Elle s'enfuit à travers la foule fascinée par le spectacle.

— Bon, nous avons bien ri ; à présent, il est l'heure de partir, dit Jack en attrapant Emma par la main pour se diriger vers la sortie. Grosse, grosse erreur, ajouta-t-il après avoir inspiré une goulée d'air frais. J'ai l'impression qu'elle m'a percé les amygdales avec sa langue. Et toi qui n'as rien fait pour me protéger.

— J'ai failli à mon rôle. Tu m'en vois navrée.

— Et tu trouves ça drôle ?

Elle éclata de rire.

— Jack, qu'est-ce que tu t'imaginais ?

— Quand une femme est assez forte pour te transpercer la gorge, tu arrêtes de penser. Elle arrive aussi à faire ce tour avec… Et dire que j'ai failli te raconter ça. Nous sommes amis depuis trop longtemps. C'est dangereux.

— Au nom de cette amitié, permets-moi de t'offrir un verre. Tu l'as bien mérité. Et moi qui ne te croyais pas quand tu disais qu'elle était trop intense. Je pensais que c'était encore ton allergie aux relations sérieuses. En réalité, « intense » est un terme encore un peu trop faible pour elle. Sans oublier que son art est ridicule. Elle devrait vraiment se brancher avec Jasper. Il la vénérerait.

— Monte dans la voiture. Nous allons boire ce verre à l'autre bout de la ville. Mieux vaut ne pas risquer de la recroiser, dit-il en lui ouvrant la portière de la voiture. Tu ne t'es pas sentie gênée ?

— Non. J'ai un seuil de tolérance assez élevé. Si elle avait été quelque peu sincère, j'aurais compati. Mais, à la vérité, elle est aussi superficielle que ses peintures. Et sûrement aussi bizarre.

Il se mit au volant.

— Pourquoi superficielle ?

— Toute cette crise n'était qu'une pièce de théâtre dont elle s'était attribué le rôle principal. Peut-être qu'elle a des sentiments pour toi, mais c'est à elle qu'elle pense avant tout. Elle avait eu tout le loisir de nous observer avant de piquer sa crise. Elle savait très bien que tu étais venu accompagné. Alors elle a joué une scène.

— Pour s'humilier en public ? Qui se mettrait délibérément dans une telle position ?

— Elle ne se sentait pas humiliée mais exaltée. Les hommes tombent toujours dans le panneau, hein ? Jack, elle était l'héroïne romantique de sa propre tragédie. Chaque réplique l'excitait. Je te parie que, grâce à son petit show de ce soir, elle va tripler la vente de ses prétendus tableaux.

La voiture filait à travers la ville. Jack restait silencieux. Emma fit la grimace.

— Aïe. Ton ego en a pris un coup ?

— Non, à peine une égratignure. Une blessure superficielle. D'un autre côté, je ne l'ai pas complètement repoussée. Dans le fond, je n'ai pas volé ce petit show divertissant.

— Tu vas t'en remettre. Donc… tu as d'autres ex avec qui tu avais « quelque chose », et que tu souhaiterais me présenter ?

— Absolument pas. Pour ma défense, laisse-moi ajouter que la plupart des femmes que j'ai fréquentées étaient saines d'esprit.

— C'est plutôt bon signe.

Ils optèrent pour un petit bistro où ils commandèrent une assiette de spaghettis pour deux.

Elle avait le don de le détendre. Passer du temps avec elle, parler de choses et d'autres lui permettait de mettre de côté tous les soucis du quotidien. C'était étrange, d'être à la fois stimulé et détendu avec une femme. Il n'avait encore jamais ressenti ce mélange de sensations.

— Toutes ces années, sans jamais cuisiner pour moi. Comment est-ce possible ?

— Toutes ces années, sans jamais m'ouvrir ton lit ?

— J'en conclus que tu ne cuisines que pour tes partenaires de jeu.

— Ça me semble approprié. Quand je cuisine, je me donne à fond. Il faut que le jeu en vaille la chandelle.

— Demain, tu es libre ? Je pourrais te donner une bonne raison de cuisiner.

— Non, demain c'est impossible. Je n'aurai pas le temps de faire les courses. Or je suis très exigeante sur la qualité de mes ingrédients. Mercredi prochain, c'est un peu juste, néanmoins…

— J'ai un dîner d'affaires ce jour-là.

— D'accord. Disons la semaine prochaine. C'est préférable. Contrairement à Parker, je n'ai pas mon emploi du temps en tête – ni mon Blackberry greffé à la main, mais il me semble… Ah, *el Cinco de Mayo*. Le 5 mai approche. Grosse réunion de famille – tu te rappelles, tu es déjà venu.

— Bien sûr ! C'est la fête de l'année.

217

— Une tradition chez les Grant. Pour le dîner, je vérifierai mon agenda et te redirai ça.

Elle se renversa sur sa chaise avec son verre de vin.

— Nous sommes quasiment en mai. Le meilleur mois de l'année.

— Pour les mariages ?

— Non, de manière plus générale. C'est la période des azalées, du lilas et des pivoines, de la glycine. Toutes les plantes fleurissent et s'épanouissent. Et, je peux commencer à planter. Mme G va faire un jardin aromatique. C'est le renouveau de la nature. Et toi, quel mois préfères-tu ?

— Juillet. Les week-ends à la plage, le soleil, le sable, le surf. Les matchs de base-ball. Les journées à rallonge, la fumée des barbecues.

— Pas mal non plus. L'odeur de l'herbe fraîchement coupée.

— Je n'ai pas de gazon.

— Espèce de citadin.

Elle se pencha vers lui.

— Tu as déjà voulu vivre à New York ?

— J'y ai pensé. Mais je me suis posé ici. Et je ne suis pas trop loin, je peux aller voir les Yankees, les Knicks, les Giants et les Rangers.

— J'ai entendu une folle rumeur selon laquelle, à New York, on pouvait aussi aller à l'Opéra, aux ballets, ainsi qu'au théâtre.

— Ah bon ? s'exclama-t-il en lui lançant un regard exagérément étonné. Comme c'est étrange.

— Jack, tu n'es qu'un homme.

— J'avoue.

— Je ne t'ai jamais demandé ce qui t'avait poussé sur la voie de l'architecture ?

— Ma mère raconte à qui veut l'entendre que j'ai commencé à construire des duplex à l'âge de deux ans. L'histoire est restée. J'aime jouer avec les structures, réaménager les espaces, choisir les matériaux, décrypter le profil du client et ses attentes. Quelque part, ça rejoint un peu votre métier.

— Sauf que le tien s'inscrit dans la longévité.

— C'est vrai. J'aurais du mal à voir le fruit de mon travail s'effondrer. Quant à toi, ça ne te dérange pas ?

Elle grappilla un bout de pain.

— Le caractère éphémère d'une chose la rend plus personnelle, plus immédiate. L'effet ne serait pas le même si les décors, les compositions étaient créés pour durer. Un bâtiment est fait pour tenir à travers les âges. Le jardin qui l'entoure doit se renouveler.

— Tu as déjà pensé à faire du paysagisme ?

— Vite fait. J'aime travailler dans un jardin, au soleil, à l'air libre, voir évoluer les plantes que j'ai semées l'année d'avant, regarder les fleurs s'épanouir le temps d'un printemps et d'un été. Mais, chaque fois que je reçois une commande de mon grossiste, c'est comme si on me livrait une boîte pleine de nouveaux jouets.

Son visage se fit rêveur.

— Et à chaque fois que je tends un bouquet à une mariée, ou que je vois des invités admirer ma décoration, je me dis : c'est moi qui ai fait ça. Et même si les compositions se ressemblent parfois, ce ne sont jamais exactement les mêmes. Je n'en finis pas de me renouveler.

— Avant de te rencontrer, je pensais que les fleuristes passaient leur journée à mettre des fleurs dans des vases.

— Et moi que les architectes passaient leur temps devant leur plan de travail. On en apprend tous les jours.

— Il y a quelques semaines, si on m'avait dit que nous serions assis ici, en toute intimité, je ne l'aurais jamais cru, dit-il en la regardant dans les yeux, la main sur la sienne.

219

Ni que je découvrirais ce qui ce cache sous cette superbe robe avant la fin de la nuit.

— Il y a quelques semaines, répliqua-t-elle en glissant lentement son pied le long de la jambe de Jack, je n'aurais jamais pensé mettre cette robe dans l'unique but que tu me la retires. Et c'est pourquoi…

Elle se rapprocha encore un peu plus, la flamme des bougies dansant dans ses yeux, les lèvres à quelques millimètres de celles de Jack.

— … je ne porte rien en dessous.

Il ne la quittait pas des yeux. Soudain, il leva la main.

— L'addition !

Il fallait qu'il se force à rester concentré sur la route, d'autant plus qu'il explosait tous les records de vitesse. Emma avait une façon aguicheuse de baisser le siège, de croiser ses magnifiques jambes nues pour faire remonter davantage le tissu de sa robe sur sa cuisse. Elle se pencha en avant – dans un but bien précis, il le savait –, aussi, quittant la route des yeux quelques secondes, il put assister au spectacle délectable de sa poitrine débordant du décolleté rouge.

Elle trafiqua la radio, tout en penchant la tête pour lui adresser un sourire félin, puis se redressa dans son siège. Et croisa de nouveau les jambes. La robe remonta encore un peu plus. Il en aurait presque bavé de désir.

Quelle que fût la musique qu'elle avait choisie, seules les vibrations parvenaient à ses oreilles. Le reste n'était qu'un vague bruit semblant venir du lointain auquel son cerveau restait insensible.

— Tu es un danger public, fit-il remarquer.

— Je pourrais être encore plus dangereuse si je te décrivais mes fantasmes. Je suis d'humeur joueuse, dit-elle en baladant les doigts le long de sa poitrine. Aurais-tu jamais pensé avoir à jouer avec moi, Jack ?

220

— Oui, la première fois après t'avoir vue sur la plage. J'imaginais te rejoindre, la nuit, et t'entraîner dans la mer, dans l'écume. J'arrivais presque à sentir le goût de ta peau mêlée au sel. Pendant que les vagues allaient et venaient sur nos corps, je tenais dans ma main ta poitrine, puis dans ma bouche. Je t'ai prise sur le sable, jusqu'à ce que tu puisses seulement prononcer mon nom.

— Ça commence à dater. Il va falloir retourner sur cette plage.

Cette plaisanterie aurait dû le détendre mais il sentit la pression monter. Emma avait le pouvoir de l'attiser tout en le faisant rire. Une exception parmi toutes les femmes qu'il avait connues.

La voiture bifurqua pour pénétrer dans la propriété des Brown. Il y avait encore de la lumière au deuxième étage du bâtiment principal, dans les deux ailes, ainsi que dans le studio de Mac. Enfin, il aperçut le perron d'Emma, éclairé, ainsi que la veilleuse qu'elle avait laissée à l'intérieur.

Le temps de mettre le frein à main, puis de détacher sa ceinture de sécurité, et il se rua sur elle sans lui permettre de défaire sa propre ceinture, la saisit et lui dévora les lèvres. Puis il lui agrippa la poitrine et fit glisser ses mains sous le tissu rouge, en remontant le long des cuisses. Elle lui mordilla la langue et s'attaqua à sa braguette.

D'un geste brusque, il parvint à retirer une bretelle avant de se cogner le genou dans la boîte à vitesse.

— Aïe, dit-elle avec un rire haletant. Nous penserons à ajouter le protège-genou à la liste.

— Fichue caisse. C'est trop petit. On ferait mieux de rentrer avant de finir à l'hôpital.

— Dépêche-toi, ordonna-t-elle en tirant sur sa veste pour lui voler un dernier baiser.

Ils se dirigèrent vers la maison tant bien que mal, titubant tel un couple de danseurs frénétiques. Parvenus sur le seuil, elle le poussa contre la porte, l'embrassa avec avidité et tira sur son sweat-shirt, lui griffant le torse de ses ongles avant de réussir à ôter le vêtement.

Les talons et l'angle aidant, elle se trouvait à hauteur de sa mâchoire, la mordit, puis s'attaqua à la ceinture du pantalon qu'elle retira prestement.

Les mains dans le dos, Jack trifouilla la poignée de la porte ; une fois à l'intérieur, il la plaqua au sol et lui maintint fermement les mains au-dessus de la tête, faisant d'elle sa prisonnière. Il releva sa jupe et constata qu'elle n'attendait plus que lui. Son souffle se transforma en plainte. Il la conduisit sur la voie de l'orgasme avec des gestes rapides et fermes.

— Tu en veux plus ?

— Montre-moi ce que tu as en réserve, répondit-elle sans le quitter des yeux, haletante, le corps encore secoué de spasmes.

Il la releva, fit glisser sa robe le long de ses hanches libérant du même coup sa poitrine qu'il saisit à pleine bouche. Tout ce qu'elle eût voulu ou imaginé, il le lui offrit, impatient et brutal, réveillant chaque repli oublié de son corps.

Elle lui appartenait tout entière, mais le savait-il seulement ? Mue par le désir, elle prit appui sur la porte et d'une jambe, enlaça Jack à la taille.

— Encore.

Enivré par le parfum de son corps, le goût de sa peau, l'expression de son regard, Jack s'enflamma. Soudain pris d'une nouvelle frénésie, il la plaqua contre la porte et plongea en elle, jusqu'à ce qu'ils atteignent tous deux l'extase, puissante et brutale.

Désorienté, Jack ignorait s'il était debout ou allongé, ou même si son cœur ne cesserait jamais de battre à cette cadence infernale. Car sa poitrine semblait prête à exploser, au point qu'il respirait à grand-peine.

— Nous sommes encore vivants, parvint-il à dire.

— Je n'aurais certainement pas toutes ces sensations si j'étais morte. Par contre, à un certain moment, j'ai eu l'impression de voir ma vie défiler.

— J'en faisais partie ?

— Dans chaque scène.

Après quelques instants, il recula. Effectivement, il était toujours debout. Elle aussi d'ailleurs, le teint empourpré, éclatante, et complètement nue – ou presque – si ce n'était la paire de talons aiguilles qu'elle portait.

— Emma, tu es… je ne trouve pas les mots, balbutia-t-il en la touchant, cette fois avec une quasi-déférence. Tu penses pouvoir atteindre la chambre ?

— Voyons voir : le canapé serait un bon compromis ?

Alors il l'embrassa de nouveau, et elle enserra sa taille avec ses jambes.

— On va tenter.

Il la transporta sur le sofa où ils tombèrent enlacés.

Deux heures plus tard, ils finirent par monter à l'étage, où ils s'endormirent, leurs deux corps indistincts ne formant plus qu'un enchevêtrement de chaleur humaine.

Cette nuit-là, elle rêva. Elle dansait dans un jardin au clair de lune. L'air printanier était empli du parfum des rosiers. Tout autour d'elle, les fleurs renvoyaient l'éclat argenté des astres au-dessus. Ils tournoyaient et se balançaient, leurs doigts entremêlés. Puis il approcha son visage du sien et l'embrassa.

Au moment où leurs regards se rencontrèrent, elle sourit et sut avant même qu'il ne prononce les mots ce qu'il allait lui dire.

— Je t'aime, Emma.

Dans son rêve, son cœur s'épanouissait comme une fleur.

13

Dans la perspective de l'entretien avec les Seaman, Emma plaça sur le perron de grands pots d'hortensias d'un bleu intense, une couleur captivante dont la mariée raffolait.

D'humeur guillerette, elle se rendit à sa camionnette pour décharger une caisse de tulipes blanches – les favorites de la mariée – qu'elle avait l'intention de placer sur les marches du porche. Une teinte plus délicate que celle des hortensias. Somme toute, un mélange agréable de textures, de formes et de styles.

— Emma !

La tête dans les pots, les bras chargés de tulipes, Emma se retourna. Mac brandissait son appareil photo.

— Jolie !

— Parle pour les fleurs. Quant à moi, j'espère avoir le temps de m'apprêter avant le rendez-vous avec notre plus gros client. Il requiert une tenue impeccable. Ça vaut aussi pour le décor.

Vêtue d'un tailleur du même vert que ses yeux, Mac campait là, les jambes écartées.

— Difficile de faire mieux.

— J'ai presque fini. C'est le dernier pot, répondit Emma, prenant une profonde inspiration. Quelle belle journée !

— Tu es bien pétillante.

— J'ai passé une soirée géniale, dit-elle en prenant Mac par le bras. La totale : comédie, drame, conversation, galipettes. Je me sens… pleine de vie.

— Et des étoiles plein les yeux.

— Peut-être bien, répliqua-t-elle en enfouissant la tête dans l'épaule de Mac. Je sais qu'il est trop tôt pour en parler – pour parler de choses sérieuses. Mais… tu connais mon fantasme à propos de la nuit au clair de lune, avec les étoiles…

— La danse dans le jardin, etc. Bien sûr ! Depuis notre enfance.

— J'en ai rêvé cette nuit. Or, c'était avec Jack que je dansais ! C'est la première fois que je vois la tête de mon cavalier. Tu crois que c'est un signe ?

— Tu es amoureuse.

— C'est ce que Parker m'a dit, hier, avant mon rencard. Évidemment, j'ai nié en bloc. Et puis comme d'habitude, elle avait raison. Tu penses que je délire ?

— Qui a dit que l'amour était sensé ? Tu n'en es quand même pas à ta première expérience.

— Pas tout à fait. En réalité, j'ai déjà voulu, voire espéré, tomber amoureuse. Mais maintenant que c'est le cas, c'est encore plus fort que ce que je pensais. Ça me rend heureuse.

Emma fit une pirouette.

— Tu as l'intention de le lui dire ?

— Ça va pas la tête ! Il prendrait ses jambes à son cou. Tu connais Jack.

— Oui, en effet.

— Ça me rend très heureuse, répéta Emma, la main sur le cœur. Je me contenterai de ça pour le moment. Au moins, je sais qu'il a des sentiments pour moi – une femme sent quand un homme tient à elle.

— C'est vrai.

— Donc j'ai décidé de voir la vie en rose : il finira bien par tomber amoureux à son tour.

— Promis ? Sérieusement, je ne vois pas comment il pourrait te résister. Vous faites une belle paire, ça saute aux yeux. Si tu me dis que cette situation te convient.

Emma connaissait Mac par cœur. Ses intonations, l'expression de son visage…

— Tu crains que ça ne tourne mal. Ta voix t'a trahie. Parce qu'on sait toutes comment est Jack. Mac, toi non plus, au départ, tu ne voulais pas tomber amoureuse de Carter.

— J'avoue. C'est vrai, malgré mes réticences, j'ai craqué pour lui. Je dois arrêter d'être si cynique.

— Bien. Maintenant, fini la flânerie ! Je file me métamorphoser en pro de la déco. Je reviens dans vingt minutes. Dis à Parker que tout est prêt.

— D'accord.

Elle partit en trombe. Mac la suivit du regard, sans plus cacher son inquiétude.

Une heure plus tard, avec son tailleur impeccable et ses petits talons, Emma escortait à travers le jardin la future mariée, sa mère au regard d'aigle, et la sœur de cette dernière, qui semblait fascinée.

— Les jardins ne sont pas aussi fleuris que vous le souhaiteriez, mais vous pouvez d'ores et déjà vous faire une idée de ce qui poussera au printemps prochain.

— Ces jeunes gens refusent catégoriquement d'attendre jusqu'au mois de mai ou de juin, murmura Kathryn Seaman.

— Maman, on ne va pas remettre ça sur le tapis.

— Il s'avère que nous sommes en plein dans la saison des tulipes, vos favorites, reprit Emma en s'adressant à Jessica. Nous en planterons davantage à l'automne – des tulipes blanches et crème –, vous en aurez à foison, sans oublier les jacinthes bleues. Nous agrémenterons le jardin de bacs de roses couleur pêche, de delphiniums, d'hortensias et de mufliers. Toutes ces fleurs seront dans vos teintes, rehaussées par du blanc, ici et là. J'ai l'intention de créer un panneau de roses de ce côté-ci.

Alors elle se tourna vers Kathryn, un sourire aux lèvres.

— Je vous le promets, ça sera un jardin comme on en voit dans ses rêves, luxuriant et romantique à souhait. Vous ne pourrez espérer mieux pour le mariage de votre fille.

— Eh bien, à présent que j'ai vu votre travail, je vous fais confiance, dit Kathryn en se tournant vers Mac. Les portraits de fiançailles étaient à la hauteur de ce que vous nous aviez promis.

— Quand un couple est aussi fusionnel, ça me facilite la tâche.

— On s'est beaucoup amusés, ajouta Jessica. En plus, j'avais l'impression d'être dans la peau d'une princesse de conte de fées.

— Ce dont tu avais l'air, lui assura sa mère. Très bien, parlons des terrasses maintenant.

— Vous vous souvenez des croquis que nous vous avions montrés ? demanda Emma en les guidant.

— J'ai déjà eu l'occasion d'admirer votre ouvrage, intervint Adele, la tante de la mariée, en examinant les terrasses. J'ai été invitée à trois mariages dans cette propriété, tous parfaitement exécutés.

— Merci, ajouta Parker avec un sourire poli.

— En réalité, ce que j'ai vu ici m'a inspirée. Nous envisageons, mon mari et moi, de monter une entreprise similaire. Nous vivons une partie de l'année en Jamaïque, le lieu de prédilection des jeunes gens qui convolent.

Un endroit rêvé pour une agence de mariage haut de gamme.

— Tu es sérieuse ? demanda Kathryn.

— Je me suis documentée, et là ça devient du sérieux. Mon mari va bientôt prendre sa retraite, ajouta Adele à l'intention de Parker. Nous avons envie de passer plus de temps dans notre propriété d'hiver, là-bas. Je pense que ce serait un excellent investissement – et un bon divertissement.

Elle adressa un sourire à Emma, suivi d'un clin d'œil.

— Si je pouvais vous convaincre de nous suivre en vous promettant une bonne dose de fleurs tropicales et un climat doux, j'aurais alors posé la première pierre de mon édifice.

— C'est tentant, répondit Emma sur le même ton léger. Malheureusement, avec Vœux de Bonheur, je suis déjà très occupée. Si votre plan venait à se concrétiser, soyez assurée que nous serions très heureuses de répondre à vos questions, si du moins vous en avez. Maintenant, permettez-moi de vous montrer cette partie…

À l'issue de la visite, les quatre jeunes femmes se laissèrent choir sur le canapé du salon.

— Bon sang ! s'exclama Laurel en étirant les jambes. Pas de doute, cette femme sait mettre les gens à l'épreuve. J'ai l'impression d'avoir dû gérer l'événement en soi plutôt qu'un simple rendez-vous pour en parler.

— Si tout le monde est d'accord, j'aimerais bloquer le vendredi et le samedi proches du mariage Seaman. Étant donné l'ampleur de la cérémonie, nous aurons largement compensé deux jours de congé. Sans compter la publicité et le bouche-à-oreille que nous en tirerons. Nous aurons ainsi toute une semaine pour nous concentrer sur les Seaman.

— Dieu merci, dit Emma avec un long soupir de soulagement. La quantité de fleurs, l'aménagement du jardin, le type de bouquets et d'arrangements demandés, les milieux de table, guirlandes et compagnie ! Il me faudrait agrandir mon équipe pour réaliser le tout dans les temps. Mais avec une semaine entière pour se consacrer à un événement unique, les extras habituels suffiront. Peut-être que j'embaucherai de la main-d'œuvre supplémentaire pour mettre en place le décor, mais je préférerais vraiment m'en tenir à mon équipe.

— Je suis d'accord avec Emma, dit Laurel. Gâteaux, buffets, chocolats personnalisés… toute une ribambelle de desserts sophistiqués qui exigeront un travail acharné. Si on me donne une semaine rien que pour l'événement, alors j'arriverai peut-être à dormir une heure ou deux.

— Ils veulent archiver toute la répétition, dîner inclus, par des photos. Si nous avions un autre événement de prévu ce vendredi-là, je devrais assigner un autre photographe vu que je serais prise par la fête des Seaman. Quant à la véritable cérémonie, je rajoute deux autres photographes ainsi que deux vidéastes. Si nous bloquons le dimanche, nous n'aurons pas à défaire tout le décor pour en remonter un autre en deux temps trois mouvements. Ce qui nous évitera de nous tuer à la tâche.

— Nous sommes donc d'accord, conclut Parker. J'en ferai part à la mère de la mariée. Elle sera ravie de savoir que nous consacrons une semaine entière à la préparation du mariage de sa fille.

— Elle nous apprécie, souligna Emma. Le principe même d'une entreprise dirigée par quatre femmes lui plaît.

— Sans parler de sa sœur, la perfide Adele. Qui d'autre a-t-elle essayé de kidnapper en Jamaïque ? demanda Laurel.

Quatre mains se levèrent de concert.

— Sans même se rendre compte que c'était grossier de sa part, ajouta Parker. C'est notre entreprise, nous la gérons, ce n'est pas comme si nous étions de simples employées.

— Grossier, certes, mais je ne crois pas qu'elle pensait à mal, intervint Emma en haussant les épaules. Je suis d'avis que nous nous en sentions flattées. Selon elle, mes fleurs sont fabuleuses, les desserts de Laurel superbes, la supervision de Parker sans égale. Sans oublier que Mac a assuré avec les portraits de fiançailles.

— C'est vrai, ajouta Mac, j'ai assuré un max.

— Prenons quelques secondes pour trinquer à notre talent, offrit Parker en levant sa bouteille d'eau. Maintenant, revenons-en à nos moutons.

— J'aimerais profiter de ce court instant pour remercier Emma du divertissement de la nuit dernière, intervint Laurel.

Emma ouvrit des yeux gros comme des soucoupes.

— Pardon ?

— Avant d'aller me coucher, j'ai voulu prendre l'air sur ma terrasse, quand j'ai aperçu une voiture qui déboulait dans l'allée. J'ai cru qu'il était arrivé quelque chose. Mais non, le spectacle ne faisait que commencer.

Emma enfouit le visage dans ses mains.

— Comme je ne voyais personne jaillir de la voiture en pissant le sang, j'étais prête à courir porter secours. C'est à ce moment-là que les deux portières se sont ouvertes, simultanément, Jack sortant d'un côté, Emma de l'autre.

— Tu as *regardé* ?

Laurel fit une grimace de dégoût.

— Continue, exigea Mac. Nous voulons des détails.

— Vous allez être servies. Ils se sont rués l'un sur l'autre comme deux vulgaires animaux en rut.

— Ah oui, je m'en souviens, dit Emma.

— Ensuite, le traditionnel câlin contre la porte.

— Ça fait tellement longtemps que je n'ai pas eu droit au câlin contre la porte, intervint Parker en frémissant.

— Emma lutte avec sa veste, la lui enlève, arrache son sweat-shirt.

— Aïe aïe aïe, s'écria Mac, anticipant la suite.

— Cependant, c'est avec la ceinture qu'elle remporte la médaille d'or. Elle la fait glisser d'une traite, expliqua Laurel en imitant le geste, puis la jette dans les airs.

— Je vais avoir besoin d'une autre bouteille d'eau.

— Malheureusement non, Parker, parce qu'ils ont fini à l'intérieur.

— Les rabat-joie ! marmonna Mac.

— Pour le reste… je m'en remets à mon imagination fertile. Donc je tiens à remercier Emma pour le spectacle auquel j'ai assisté depuis mon balcon. Lève-toi et tire ta révérence.

Ce qu'Emma fit.

— À présent, madame la voyeuse, mesdames, je vous abandonne à vos pensées salaces. Le travail m'appelle.

— Le câlin contre la porte, murmura Parker. Je suis assez mesquine pour l'envier.

— Moi, je ne l'envierai pas. J'ai officiellement entamé mon moratoire sexuel.

— Un moratoire sexuel ? répéta Mac.

— Oui. À cause du moratoire sexuel, j'ai interdiction de sortir avec des hommes. Or, ces derniers mois, j'en ai ma claque des rencards, expliqua Laurel en haussant les épaules. Pourquoi s'obliger à faire quelque chose qui nous agace ?

— Pour le sexe, peut-être bien ? suggéra Mac.

Les yeux plissés, Laurel brandit un doigt accusateur vers son amie.

— Facile à dire pour toi. Tu as ta dose quotidienne.

— En effet, acquiesça Mac. Oui, je couche régulièrement avec mon homme.

— Cesse de nous narguer. C'est injuste et impoli, fit remarquer Parker. Nous sommes en manque.

— Mais il s'agit d'amour, conclut Mac avec un sourire.

Laurel s'esclaffa.

— Tu veux nous donner la nausée ?

— Je ne suis pas la seule dans ce cas, ajouta Mac. Du moins en ce qui concerne Emma – je ne sais pas pour Jack. Tu avais vu juste, Parker. Elle est amoureuse.

— Évidemment qu'elle est amoureuse, intervint Laurel. Autrement, elle n'aurait jamais couché avec lui.

— Hum, sans vouloir te blesser, madame Je-sais-tout, Emma a déjà eu l'occasion de coucher avec des hommes qu'elle n'aimait pas. Et a gentiment refusé les avances de plus d'hommes que nous n'en avons jamais connu – nous trois réunies, ajouta Mac.

— Tu n'as pas tort, répliqua Laurel. Par exemple, que se passe-t-il quand on sort en boîte de nuit toutes les quatre ? Nous, quatre jeunes femmes sexy ? OK, nous nous faisons draguer. Mais Emma, les hommes s'agglutinent autour d'elle comme des mouches sur un pot de confiture.

— Je ne vois pas où…

— Je vois où tu veux en venir, coupa Parker. Elle a l'embarras du choix. Elle peut soigneusement sélectionner sa proie. Ce qui fait d'elle une fille exigeante. Si c'était juste pour assouvir un désir, elle irait chercher ailleurs, parce que avec Jack, les choses sont compliquées d'emblée. Elle est sur le fil du rasoir.

— Ce qui explique qu'elle ait attendu si longtemps avant de passer à l'acte, continua Mac. Et zut ! Je déteste quand tu trouves la bonne réponse en premier.

— À présent qu'elle se rend compte de sa situation, je me demande comment elle va réagir.

— Elle a eu son fameux rêve où elle danse au clair de lune. Et c'était avec Jack, dit Mac.

— D'accord, c'est du lourd, répliqua Laurel. Elle n'est pas juste amoureuse, elle est raide dingue de lui.

— Pour le moment, ça lui convient. Elle prend les choses comme elles viennent.

Sa réplique fut accueillie par un silence pesant.

— Tant qu'elle l'aime, je ne vois pas le mal, dit Parker.

— Allons, nous savons toutes qu'Emma cherche le grand amour, rétorqua Mac. Ce n'est pas juste l'histoire d'une nuit.

— Mais qui ne tente rien n'a rien.

— Et si jamais ça tournait mal, suggéra Laurel, nous serions là pour l'épauler.

Dans son bureau, Emma mettait à jour ses papiers tout en laissant agir le masque facial hydratant dont elle s'était badigeonnée. Sérieusement, combien de femmes avaient la chance de pouvoir remplir leurs factures en prenant soin de leur peau ? Le tout pieds nus, avec du Norah Jones en musique de fond ?

Combien, parmi elles, avaient également passé une nuit torride – voire deux – avec un homme étonnant dans les dernières vingt-quatre heures ? Très, très peu. Elle était prête à le parier.

Pendant que le masque faisait des miracles, elle plaça une commande auprès de ses fournisseurs. Mousse mouillable, fils de fer à tiger, pierres colorées et naturelles. Ensuite, elle parcourut la page Web des bonnes affaires et sélectionna quelques articles supplémentaires.

Avec ce ravitaillement, elle aurait des réserves pour quelque temps. Elle confirma l'achat, puis consulta le grossiste en bougies pour voir ce qu'il offrait d'intéressant.

— Toc, toc. Emmaline ? Tu es là ?

— Maman ? Oui, je suis à l'étage.

Avant de quitter le bureau, elle sauvegarda son panier achat. Elle rejoignit sa mère dans l'escalier.

— Bonjour, ma puce. Tu as la frimousse écarlate.

— Mince, j'avais oublié. Il faut que je le retire, dit-elle en se tapotant les joues. Je me suis laissé accaparer par les bougies, ajouta-t-elle en se dirigeant dans la salle de bains pour se nettoyer le visage. Tu fais l'école buissonnière ?

— J'ai travaillé toute la matinée. Je suis libre comme l'air pour le reste de la journée, donc j'ai tenu à faire un détour pour voir ma fille avant de rentrer. C'est efficace ? ajouta-t-elle en attrapant le pot de crème.

— Je te laisse en juger. C'est la première fois que j'en applique.

Elle finit de se rincer puis se sécha la figure.

— Tu es bien trop jolie. Impossible de dire si c'est dans tes gènes ou grâce à ce masque magique.

Le visage d'Emma s'éclaira d'un sourire. Elle s'examina dans la glace, se tapotant le menton et les joues.

— En tout cas, ça m'a fait du bien. C'est toujours ça de pris.

— Tu es rayonnante, ajouta Lucia pendant qu'Emma se barbouillait de crème hydratante. D'après ce qu'on m'a dit, rien à voir avec le masque facial.

— Les gènes, alors ?

— Ta cousine Dana est passée à la librairie ce matin. Apparemment, son amie Livvy – tu la connais, non ?

— Vaguement.

— Livvy était de sortie avec son nouveau petit copain. Ils dînaient dans un resto, et devine qui ils ont remarqué, à l'autre bout de la salle, confiné dans un coin, autour d'un verre de vin et d'un plat de pâtes ? Quelqu'un en grande conversation avec un certain architecte de notre connaissance.

Emma papillota des yeux.

— J'ai droit à combien d'essais ? Viens, on descend. Je t'offre un truc à boire. Café ou boisson fraîche ?

— Boisson fraîche.

— Jack m'a invitée à un vernissage. Une histoire rocambolesque.

— Tu me raconteras ça ensuite. Tout d'abord, parle-moi du vin et du plat de pâtes.

— Après le vernissage, nous sommes allés dans un bistro.

Arrivée dans la cuisine, Emma sortit deux verres qu'elle remplit de glaçons.

— Tu ne me racontes pas tout.

Emma s'esclaffa.

— Oui, et c'est idiot vu que tu es déjà au courant que je sors avec Jack.

— Tu préfères rester évasive parce que tu as peur que je n'approuve pas ?

— Non… Peut-être.

Emma ouvrit une bouteille d'eau gazeuse qu'elle versa dans les verres, et y ajouta des rondelles de citron.

— Tu es heureuse ? Vu ta tête, je connais déjà la réponse, mais je t'écoute.

— Oui.

— À partir du moment où tu es épanouie, je ne vois pas pourquoi je désapprouverais.

— Ce n'est pas un peu étrange, après tout ce temps ?

— Certaines choses demandent du temps ; d'autres pas, répliqua Lucia qui s'installait sur le canapé du salon. Le simple fait que tu sois satisfaite de ta vie, de ton travail, de ton foyer – ça m'aide à dormir sur mes deux oreilles. Si en plus tu t'épanouis en compagnie d'un homme que j'apprécie, rien ne me fait plus plaisir. Il faut qu'il vienne dîner à la maison.

— Maman, nous n'en sommes pas encore là.

— Il est déjà venu dîner, pourtant.

— Oui, en effet, Jack, l'ami de Del, a eu l'occasion de venir à des barbecues et autres fêtes. Mais cette fois-ci, ce n'est pas ce Jack-là que tu voudrais que j'amène.

— Tout d'un coup, il est hors de question qu'il vienne à mes dîners, ou même qu'il boive une bière avec ton père ? Je commence à deviner la nature de votre relation, *niña*. Tu devrais lui dire de venir pour le *Cinco de Mayo*. Tous tes amis devraient venir. Nous organiserons un barbecue – et je te promets de ne pas mettre Jack sur la sellette.

— Bon, j'admets, maman, je suis amoureuse.

— Bien sûr, ma chérie, répondit Lucia en câlinant sa fille. Je te connais, c'est moi qui t'ai faite.

— Mais lui, il n'est pas amoureux.

— Dans ce cas, il n'est pas aussi intelligent qu'il en a l'air.

— Il m'aime beaucoup. Pas besoin de te le préciser. Et nous sommes attirés l'un vers l'autre comme des aimants. Pourtant il ne m'aime pas. Pas pour le moment du moins !

— Je te retrouve enfin !

— Tu trouves ça sournois de piéger un homme pour qu'il tombe amoureux ?

— Tu as l'intention de mentir, de faire semblant d'être quelqu'un d'autre, d'user de tous les stratagèmes trompeurs et de faire des promesses impossibles ?

— Non, bien sûr que non.

— Alors aucune raison de parler de sournoiserie. Si moi-même je n'avais pas fait en sorte que ton père tombe amoureux, nous ne serions pas assises dans ton salon en ce moment même.

— Tu l'as piégé ? C'est vrai ?

— J'étais folle amoureuse de lui. Je pensais que ma situation était un cas désespéré. Lui, il était beau, gentil, drôle et attentionné avec son enfant. Et tellement seul. Il me traitait avec respect jusqu'à ce qu'on devienne amis avec le temps. Moi, je voulais qu'il me ravisse, qu'il me voie enfin en tant que femme et qu'il m'ouvre son lit, même si c'était juste pour une nuit.

— Maman ! s'exclama Emma, qui fondait littéralement sur place.

— Quoi ? Tu penses que tu es la seule à qui c'est arrivé ? J'étais jeune. Ton père et moi ne venions pas du même monde. Il y avait de nombreux obstacles tels que l'argent, la position sociale – du moins, c'était ce que je croyais. Alors je rêvais. Et je faisais tout pour lui plaire, ajouta-t-elle, un sourire aux lèvres. Je m'arrangeais toujours pour refaire sa cravate quand il sortait. Car je savais qu'il y avait quelque chose de très spécial entre nous. Je le sentais, je pouvais le lire dans son regard. Aussi j'essayais de lui montrer, à ma façon, que je tenais à lui. Par de petits gestes en apparence anodins.

— Maman, tu ne m'avais jamais dit cela.

— Ton père s'efforçait de cacher ses sentiments. Il ne gardait jamais ma main trop longtemps dans la sienne, ne soutenait pas mon regard. Jusqu'à ce fameux jour sous le cerisier. À la façon dont il m'a regardée, j'ai compris ce qu'il ressentait. Et vice versa.

— C'est ce sentiment que je veux expérimenter. Malheureusement, il faudra plus qu'un nœud de cravate pour le rendre baba.

— Concentre-toi sur les détails, Emma. Les gestes, les instants volés. Mais il faut aussi prendre ton courage à deux mains et lui dire ce que tu ressens – au risque qu'il te brise le cœur. L'amour nécessite de la bravoure.

— Je ne suis pas aussi forte que toi.

— Détrompe-toi. Vous en êtes aux balbutiements de votre relation, profites-en. Amuse-toi.

— C'est ce que je fais.

— Et amène-le à notre fête.

— D'accord.

— À présent, je vais te laisser travailler. Tu as un rendez-vous galant ?

— Pas ce soir. Nous avons eu un long entretien avec des clients aujourd'hui. Les Seaman.

— Ah ! De gros clients.

— Oui, donc, ce soir, j'ai du pain sur la planche. Et demain, une longue journée m'attend. Quant à Jack, il a un repas d'affaires mais il va essayer de passer après, et puis…

— Pas besoin de préciser la suite ! Je peux très bien l'imaginer, interrompit Lucia en riant. Eh bien, profite de ta soirée en célibataire pour te reposer, ajouta-t-elle en se levant.

— Merci d'être venue. Ça m'a fait très plaisir. Embrasse papa pour moi.

Emma étreignit longuement sa mère.

— Il a prévu de m'inviter au restaurant ce soir. Au programme : vin et plat de pâtes pour nous prouver que nous n'avons rien perdu de notre jeunesse.

Emma salua Lucia dans l'embrasure de la porte. Mais au lieu de retourner à son bureau, elle préféra faire un tour dans le parc pour respirer l'air frais du printemps.

Elle flâna un bon moment dans les serres, à son grand plaisir. Les graines qu'elle avait semées l'hiver dernier s'étaient développées en de jeunes plantes. Elle refit un tour dans le jardin et remplit la mangeoire des oiseaux qu'elle partageait avec Mac. Quand elle regagna la maison, le fond de l'air s'était rafraîchi.

Sur un coup de tête, elle sortit un pot où elle planta des herbes aromatiques congelées l'été dernier. Après avoir mis une marmite de soupe sur le feu, elle monta dans son bureau pour finir de passer sa commande. Une heure plus tard, elle redescendit pour remuer la soupe. Une voiture s'approchait dans l'allée ; elle jeta un œil par la fenêtre. À sa grande surprise, elle aperçut Jack et se précipita vers la porte d'entrée pour l'accueillir.

— J'ai pu boucler ma réunion assez tôt. Et devine quoi : j'avais encore oublié ma veste ici ! Comme c'était sur ma route… Tu cuisines ?

— Je me promenais quand il a commencé à faire frais. Ça m'a donné envie de concocter une bonne soupe. Si ça te dit de rester, j'en ai fait assez pour tout un régiment.

— C'est-à-dire qu'il y a un match ce soir…

— J'ai la télévision, répliqua-t-elle en s'approchant de lui pour redresser sa cravate, avec un sourire intérieur. Et les matchs sont autorisés.

— Vraiment ?

— Goûte la soupe. Si tu aimes, tu peux rester pour regarder le match. Autrement, je te rends ta veste et tu seras libre de rentrer chez toi.

Il la suivit dans la cuisine.

— Penche-toi et soulève le couvercle, dit-elle.

Il obéit, et elle plongea une cuiller dans la marmite et la porta à ses lèvres pour qu'il goûte la mixture.

— C'est bon, dit-il avec surprise. C'est même sacrément bon. Un autre de tes talents cachés.

— En même temps, ce n'est pas comme si tu passais souvent après une réunion tardive pour récupérer ta veste. Tu veux rester dîner ?

— Ça sera avec plaisir.

— Il y en a encore pour une heure de cuisson. On s'ouvre une bouteille de cabernet ?

— Banco. Dis donc, j'ai bien fait de passer.

Il se pencha vers elle pour l'embrasser. S'écarta puis recommença, avec douceur.

14

Les drapeaux mexicain et américain flottaient fièrement en ce 5 mai, jour de célébration nationale, qui était l'occasion pour les parents d'Emma d'encenser ensemble les cultures yankee et latino.

Chaque année, sur le vaste terrain des Grant, se déroulaient toutes sortes de jeux récréatifs, allant de la pétanque aux trampolines gonflables en passant par les toboggans à eau. Familles, proches et voisins s'amusaient à s'affronter, ou bien se regroupaient autour des tables où ils piochaient volontiers dans les assiettes remplies de porc ou de poulet, de tortillas chaudes, dans les bols de *chili con carne*, *guacamole* et autres sauces relevées à vous mettre la bouche en feu. Et pour calmer cette sensation, des litres de limonade, de Negra Modelo et Corona, de Tequila et Margaritas glacées.

Si Jack pouvait y faire un saut, il ne manquait jamais d'être surpris par le nombre d'invités que les Grant arrivaient à nourrir. Et sidéré par le choix de *fajitas*, burgers, haricots noirs et salades de riz et de pommes de terre. Flans et tartes aux pommes. À ses yeux, cette combinaison de mets symbolisait sans nul doute la relation fusionnelle et peu commune que partageaient Phillip et Lucia.

Tout en sirotant sa bière, il observait un groupe d'invités danser au son d'un trio de guitares et marimbas. À ses côtés, Del buvait également une bière.

— Sacrée fête !

— Ils pourraient apparaître dans le Guinness des records.

— Alors, ça ne te fait pas drôle d'être venu cette année en tant que petit ami de la benjamine ?

Jack s'apprêtait à nier. Par principe. Et puis zut ! C'était Del, après tout.

— Un peu. Mais jusque-là, personne n'a réclamé une corde.

— La fête vient à peine de commencer, laisse-leur le temps.

— Brown, quel réconfort de t'avoir à mes côtés ! Je me trompe ou il y a deux fois plus de gosses que l'an passé ? Qu'il y a deux ans en fait. Je n'ai pas pu venir la dernière fois.

— C'est fort possible. Mais je ne crois pas qu'ils fassent tous partie de la famille. Par contre, j'ai entendu dire que Celia était de nouveau enceinte.

— Emma m'a annoncé la bonne nouvelle. Dis-moi, tu es venu en célibataire ?

— Oui, répondit Del avec un sourire. On ne sait jamais ! Regarde-moi cette blonde avec la petite robe bleue. De sacrées gambettes !

— En effet. J'ai toujours admiré les jambes de Laurel.

Del avala de travers.

— Non ! Tu me fais marcher ?

Puis il se mit à rire quand elle se retourna.

— Je n'ai pas l'habitude de la voir en robe, reprit-il en faisant exprès de lui tourner le dos. De toute façon, ce ne sont pas les brunettes et les jolies blondinettes qui manquent. Sans parler des rouquines sexy. Beaucoup sont venues sans chevalier servant. Je parle pour moi, puisque pour toi, le flirt, c'est du passé.

— D'accord, je sors avec une fille, mais rien ne m'empêche de regarder. Je reste un homme.

— Et où est passée Emma ?

— Elle a dû aller donner un coup de main à quelqu'un. Une histoire de plat à préparer. Et puis, nous ne sommes pas comme des siamois.

— Si tu le prends sur ce ton, répondit Del en haussant les sourcils.

— Même si nous partageons certains amis, elle a ses propres copains et j'ai les miens. Nous ne sommes pas obligés de passer toute une fête collés l'un à l'autre.

— OK. Donc, si je te suis bien, le gars qui est en train de l'embrasser en ce moment même, serait-il ton ami, le sien ou bien une connaissance commune ?

Ni une ni deux, Jack s'était retourné. Juste à temps pour apercevoir Emma échanger ce qui avait tout l'air d'un baiser avec un homme qui ressemblait à un dieu nordique. Elle riait et faisait de grands gestes. Puis elle attrapa « Thor le guerrier » par le bras pour l'attirer vers un groupe de gens.

— De toute évidence, ce n'est pas un de tes amis, commenta Del.

— Dis donc, vas donc voir là-bas si j'y...

Mais il s'interrompit car Lucia venait de se planter devant eux.

— Vous deux, au lieu de vous contenter de faire vos gravures de mode, vous feriez mieux de manger.

— Je me tâte, répondit Del. Tarte aux pommes ou bien flan ? Ce n'est pas une décision à prendre à la légère.

— Tu oublies les *empanadas* et le gâteau sablé aux fraises.

— Comme je vous disais : grosse décision.

— Prends donc un assortiment. Regardez qui voilà !

Son visage s'illumina quand Mac et Carter firent leur entrée.

— Désolée d'arriver si tard, s'excusa Mackensie en embrassant Lucia. La séance photo a duré plus longtemps que prévu.

— Du moment que vous êtes ici ! Et toi, viens par là ! ajouta Lucia en prenant Carter dans ses bras.

Carter la souleva affectueusement. Ils se connaissaient depuis toujours.

— Tu n'étais pas venu au *Cinco de Mayo* depuis des lustres !

— Ça a pris de l'ampleur, sourit Carter.

— Parce que le cercle s'est agrandi ! Tes parents sont là, avec les petits de Diane. Sherry et Nick aussi, ajouta-t-elle en mentionnant son frère et sa sœur. Quant à Diane et Sam, ils ne devraient plus tarder. Mac, ta future belle-mère m'a fait savoir que les préparatifs du mariage avançaient.

— Comme sur des roulettes.

— Remontre-moi ta bague. Ah ! Comme le diamant est raffiné, dit-elle en faisant un clin d'œil à Carter. Suis-moi, Mac. Allons exhiber ce joyau sous le nez de Celia. Quant à toi, Carter, sers-toi à manger et à boire.

Mais Carter ne bougea pas d'un pouce.

— Cela fait bien dix ans que je ne suis pas venu à une de ces fêtes. J'avais oublié. C'est un vrai carnaval.

— On ne trouve pas mieux dans toute la région, commenta Del. Les Grant semblent connaître la moitié du pays. Et voici notre mécano et partenaire de poker. Salut Mal !

Vêtu de couleurs sombres – T-shirt noir et jean élimé –, le mécanicien s'approcha, une bière dans chaque main.

— Alors, Maverick, une petite soif ? fit-il aussitôt à Carter.

— Avec plaisir. J'ignorais que tu connaissais les Grant.

— Ça fait environ six ou sept mois qu'ils me confient la révision de leurs autos. Et avant même de t'en rendre compte, tu te retrouves à raconter toute ta vie à Lucia, en mangeant son pain au maïs et en priant les dieux qu'elle plaque son mari pour s'enfuir avec toi à Hawaï.

— N'est-ce pas ! confirma Jack.

— Elle m'a proposé de passer après le boulot, pour un petit pot en l'honneur du fameux *Cinco de Mayo*. Certes, j'imaginais quelque chose d'original, un barbecue avec des bières mexicaines et des tortillas, ajouta-t-il en secouant la tête. Mais là, tout le pays semble s'être donné rendez-vous, ma parole !

— Je pense en effet qu'ils n'ont oublié personne.

— Désolée d'avoir mis aussi longtemps, interrompit Emma qui arrivait un verre de Margarita à la main. J'ai des circonstances atténuantes.

— Dont une que j'ai eu le loisir d'apercevoir.

Emma jeta un coup d'œil étonné à Jack puis elle se tourna vers Malcolm.

— Bonjour, je m'appelle Emmaline.

— C'est donc vous la cobalt.

Emma écarquilla les yeux. Elle exprima aussitôt du repentir.

— Oui. J'en conclus que vous êtes Malcolm.

— Mal, rectifia-t-il en la jaugeant de haut en bas. Vous avez de la chance de ressembler à votre mère – que j'aimerais épouser. Autrement, je vous aurais secoué les puces, comme à votre amie que j'avais prise pour vous.

— Et je ne l'aurais pas volé. Même si j'ai retenu la leçon. Désormais, je bichonne ma voiture. Vous avez fait du bon boulot ; c'est un vrai don que vous avez. Je me demandais si vous auriez le temps de réviser ma camionnette, la semaine prochaine.

— La ressemblance ne s'arrête pas au physique, à ce que je vois.

247

Emma accueillit sa remarque avec un sourire, tout en sirotant sa Margarita.

— Il faut que vous vous serviez à manger, et copieusement !

— Vous pourriez peut-être me montrer où…, répliqua Mal avant de s'interrompre car il avait remarqué le regard menaçant de Jack, et la main possessive dont il caressait la chevelure d'Emma. En fait, ne vous dérangez pas, je trouverai mon chemin tout seul, comme un grand.

— Je te suis, dit Carter.

Del intervint à son tour, en agitant sa bouteille vide.

— On dirait bien que j'ai besoin de me ravitailler. Emma, qui est cette grande brune, avec le top rose et le jean moulant ?

— Paige. Paige Haviller.

— Célibataire ?

— Affirmatif.

— Dans ce cas, je vous dis à tout à l'heure, les amis.

— Il aurait mieux fait de me demander si elle avait un brin de jugeote, remarqua Emma après que Del se fut éloigné. Je ne lui donne pas trente minutes pour s'ennuyer à mourir.

— Tout dépend de la façon dont ils occupent cette demi-heure.

Emma éclata de rire et prit sa main.

— Évidemment, si l'on voit les choses comme ça. C'est une belle journée, hein ?

— Je ne comprendrai jamais comment ils arrivent à organiser tout ça.

— Ils s'y prennent des semaines à l'avance et recrutent toute une escouade pour les aider à installer les jeux. Sans oublier Parker, qui coordonne le tout. D'ailleurs, à ce propos…

— Qui était le type ?

248

— Le type ? Lequel ? Il y en a pas mal. Donne-moi un indice.

— Celui que tu embrassais.

— Un autre indice ?

Nouveau coup dans l'estomac.

— Celui qui ressemblait au prince du Danemark.

— Le prince du… Oh ! Tu fais sans doute allusion à Marshall. Une des raisons pour lesquelles j'ai été absente si longtemps.

— J'ai cru voir.

Elle pencha la tête de côté et fronça légèrement les sourcils.

— Le voyage en voiture fut long. Avec sa femme et son bébé. Après l'avoir salué, j'ai passé un peu de temps à l'intérieur avec l'enfant. Ça te pose un problème ?

Quel imbécile il faisait !

— Non. Del m'a fait marcher et moi j'ai couru, voilà tout. Si on rembobinait pour recommencer ? Tu allais parler de Parker…

Mais elle continua sur sa lancée.

— Nous nous sommes fréquentés quelque temps, il y a plusieurs années. Marshall et moi. J'ai fini par lui présenter sa femme. Nous avons organisé leur mariage il y a environ dix-huit mois.

— Mille excuses pour avoir douté de toi.

Elle esquissa un sourire.

— Au moins, il n'a pas eu l'aplomb de m'attraper les fesses contrairement à une certaine artiste de ta connaissance.

— Dommage pour lui.

— Ça te dirait qu'on se mêle aux autres ? Histoire de sociabiliser ?

— Bonne idée.

Ils se dirigèrent vers un groupe de gens.

— Dis donc, vu que demain j'ai deux ou trois courses à faire en ville, si je restais chez toi ce soir, ça m'éviterait d'avoir à faire des allers-retours. Je suis venue avec Parker, mais Laurel pourrait la raccompagner.

— Tu veux rester chez moi ?

— Je peux toujours squatter le canapé si tu n'es pas d'humeur à avoir de la compagnie.

— Pas du tout. Je pensais juste que tu voudrais rentrer chez toi après la fête. D'habitude, tu démarres la journée de bon matin.

— Demain, je commence en ville – et pas si tôt que ça. Cependant, si ça te pose un problème…

— Non, dit-il en la regardant droit dans les yeux. Il n'y a pas de problème. Mais tu n'auras pas besoin d'affaires de rechange ?

— J'ai déjà tout prévu. C'est dans ma voiture.

— Dans ce cas, c'est réglé.

Il se pencha pour l'embrasser.

— On dirait qu'il te faut une autre bière.

La voix du père d'Emma fit bondir Jack. Phillip se contenta de sourire. Il avait l'air plutôt aimable et détaché, jugea Jack. À condition de ne pas être celui qui venait de programmer une nuit avec sa fille.

— Une Negra Modelo, c'est bien ça ? demanda Phillip qui lui tendit la bière en question.

— Oui, merci. Votre fête est très réussie, comme toujours.

— La meilleure de l'année.

Phillip passa son bras autour de l'épaule d'Emma d'un geste protecteur. Une manière simple et affectueuse de marquer son territoire.

— Cette tradition a débuté le printemps où Lucia attendait Matthew, reprit-il. Les amis, la famille, les enfants. À

250

présent, nos enfants sont adultes et construisent à leur tour leur propre famille.

— Tu es d'humeur romantique, fit remarquer Emma qui lui embrassa la joue du bout des lèvres.

— Je te revois galoper sur le gazon en essayant de fendre la *pinata*. Tu es comme ta mère, tu es le soleil et la vie de cette maison.

— Papa.

Phillip s'adressa à Jack sans détour.

— Heureux celui qui reçoit ce concentré de chaleur et de vie. Mais il faut être sage pour savoir l'apprécier à sa juste valeur.

— Papa, répéta Emma, cette fois sur un ton de mise en garde.

— Je vais jeter un œil au barbecue. Je me méfie de ton oncle et de tes frères. Jack, ajouta-t-il avec un signe de la tête avant de s'éloigner.

— Désolée. Il ne peut pas s'en empêcher.

— Ça va. Est-ce que les marques de transpiration se voient sur ma chemise ?

Elle pouffa de rire et enlaça Jack par la taille.

— Non. Allons montrer à ces petits jeunes comment briser une *pinata*.

Dans la soirée, ils s'allongèrent sur le gazon pour observer un groupe d'adolescents en plein match de football improvisé. Parker les rejoignit, retira ses sandales et défroissa le bas de sa petite robe.

— Football nocturne, commenta Jack.

— Tu joues ? demanda Emma à Jack.

— Ce n'est pas mon truc. On peut tout me donner : une batte, un ballon ou un cerceau. Mais là, je préfère observer.

— À partir du moment où il y a une balle, tu observerais n'importe quoi, intervint Mac qui s'écroula à côté d'eux, entraînant Carter dans sa chute. Mon estomac va exploser. Je n'arrivais pas à m'éloigner des tables.

— Quel dommage, murmura Emma quand la balle fut interceptée. Qu'est-ce qu'il croit ? Que la balle a des yeux – ou un radar ?

— Tu aimes le foot ?

Emma jeta un œil en direction de Jack.

— Équipe féminine de football de la fac.

— Vraiment ?

— Co-capitaine, précisa-t-elle en agitant le pouce à l'intention de Parker.

— De vraies brutes, intervint Laurel qui s'assit près d'eux. Quand nous assistions aux matchs, Mac et moi, nous avions pitié de l'équipe adverse. Allez, dit-elle en bousculant Parker. Montre-leur de quoi tu es capable.

— Partante ? renchérit Emma.

— Eh bien, ça fait une bonne dizaine d'années depuis la dernière fois.

Emma s'agenouilla de manière à faire face à Parker, les mains sur les hanches.

— Qu'essaies-tu de me dire ? Que nous sommes trop vieilles pour jouer contre ces chiffes molles ? Que tu n'es plus de taille ?

— D'accord, d'accord. Un seul but alors.

— Allons leur montrer à quoi ressemble un véritable joueur.

Emma retira ses sandales. Fasciné, Jack observa les deux jeunes femmes, court vêtues, s'approcher du terrain. Elles s'engagèrent dans un pourparler, auquel se joignirent hululements et coups de sifflet.

— Qu'est-ce qui se passe ? demanda Malcolm, qui arrivait d'un pas nonchalant.

— Emma et Parker sont sur le point de casser du footballeur, répondit Laurel.

— Sans rire ? Je ne veux surtout pas manquer le spectacle.

Les joueurs se positionnèrent sur le terrain éclairé par des projecteurs, l'équipe d'Emma et de Parker prête à recevoir. Les jeunes femmes se regardèrent, Emma leva trois doigts, puis deux. Parker s'esclaffa avec un haussement d'épaules.

Le coup d'envoi fut donné, la balle fila dans les airs. Emma la réceptionna, fit une passe à Parker, qui la prit au rebond et se fraya un passage entre deux opposants au moyen d'un jeu de jambes rapide qui lui valut cette fois des encouragements.

Elle pivota, feinta, et dégagea la balle en direction d'Emma qui bondit pour l'intercepter, fit un lob qui envoya la balle au fond du filet et sidéra le gardien par la même occasion. Les deux jeunes femmes levèrent les bras en signe de triomphe et crièrent de concert.

— Typique, commenta Mac. Aucune modestie. Allez les Robins[1] !

— C'est l'équipe de foot féminine, expliqua Carter. D'après l'oiseau national.

Au moment où Parker s'apprêtait à quitter le terrain, Emma la retint par le bras. Jack l'entendit dire : « Encore un. » Parker secoua la tête, désigna sa jupe ; Emma insista. Quels que fussent ses arguments, ils firent rire son ex-co-capitaine.

Cette fois, l'équipe adverse les accueillit avec beaucoup plus de considération. Elles luttèrent pour repousser l'opposant, le bloquer, et le garder à distance. Quand Emma tacla un adversaire – dans un geste sublime –, le sourire sur le visage de Jack s'agrandit. Comme elle chargeait

---

1. Le rouge-gorge est l'oiseau emblématique du Connecticut, du Michigan et du Wisconsin. (*N.d.T.*)

un autre adversaire, elle eut un petit air féroce qui fit naître en lui une nouvelle vague de désir. Un tacle glissé lui permit de déséquilibrer l'adolescent qui manqua sa passe intérieure. Parker, qui était aux aguets, bondit pour rattraper la balle dans les airs, et comme sa jupe s'envolait, elle exécuta une tête piquée.

— Eh bien, murmura Malcolm.

— Interception ! cria Laurel au moment où Emma amortissait la balle.

Un léger crochet permit à Emma de garder la balle en sa possession et de faire échouer les tentatives adverses. Par un tir de volée acrobatique, elle renvoya le ballon à Parker, qui le mit directement au fond du filet, entre les jambes du gardien. Les bras en l'air, et un cri de triomphe plus tard, Parker prit Emma par l'épaule.

— On s'en tient à cette victoire ?

— Oh que oui ! répondit Emma, haletante. Nos dix-sept ans sont loin derrière. Mais c'est toujours aussi bon.

— Partons en vainqueurs.

Les mains jointes dans les airs, elles saluèrent et quittèrent le terrain.

— Une vraie tigresse ! s'exclama Jack en plaquant Emma sur le gazon.

— Oui !

Avant qu'elle eût pu boire l'eau que lui tendait Mac, Jack s'était emparé de sa bouche. Le baiser leur valut une salve prolongée d'applaudissements.

— Je sors avec une femme qui est capable de faire un tir de volée en extension.

— Il faudra que je te montre mon attaque intérieure, répliqua-t-elle en lui mordillant la lèvre inférieure.

— Je te prends au mot.

Au bord du terrain, Malcolm s'approchait de Parker pour lui offrir une bière.

— Tu as soif ?

— Non. Merci.

Le contournant, elle se dirigea vers la glacière, dont elle sortit une bouteille d'eau minérale.

— Tu vas à quelle salle de gym ?

Elle ouvrit la bouteille.

— La mienne.

— Je l'aurais parié. Tu te débrouilles pas mal. Tu joues à autre chose ?

Elle but une gorgée d'eau.

— Au piano.

Il la regarda s'éloigner en sirotant sa bière avec nonchalance.

Vers la fin de la soirée, Laurel s'avachit sur les marches du perron, appuyée sur ses coudes, les yeux clos. Le calme s'empara d'elle, ainsi que l'odeur du gazon. Une pluie d'étoiles ornait le ciel.

Quand elle entendit des pas se rapprocher, elle garda les yeux fermés en priant pour que la personne – quelle qu'elle fût – ne vienne pas perturber son moment de solitude.

— Tout va bien ?

Manque de bol, se dit-elle avant d'ouvrir les yeux pour regarder Del.

— Oui. Je me suis juste assise.

— C'est ce que je constate.

Il s'installa à côté d'elle.

— J'ai dit au revoir à tout le monde. Parker, fidèle à ses habitudes, fait un tour de ronde à l'intérieur – ou dans le jardin – pour vérifier si on a encore besoin de son aide. Quant à moi, j'ai trop de tequila dans le sang pour m'en préoccuper.

Il l'examina plus attentivement.

— Je vais te raccompagner chez toi.

— J'ai filé mes clefs à Parker. C'est elle qui conduit. Pas besoin d'être sauvée ce soir, monsieur le super-héros.

— Très bien. J'ai entendu dire que les Robins avaient fait leur grand retour tout à l'heure. Dommage, j'ai manqué le spectacle.

— Elles ont tout déchiré, comme d'habitude. J'imagine que tu étais toi-même très occupé, commenta-t-elle en jetant un œil derrière eux, puis sur les côtés. Comment ? Delaney repart seul ? Avec toutes ces ouvertures possibles à la fête ? Je n'arrive pas à croire que les Robins aient marqué alors que toi, tu rentres bredouille.

— Ce n'est pas pour ça que je suis venu.

Elle fit un « pfft » et le bouscula. Del eut un sourire réticent.

— Ma chère, tu es complètement saoule.

— Affirmatif. Demain, je vais m'en vouloir, mais en ce moment, c'est le pied. Je n'arrive même pas à me rappeler la dernière fois que j'ai pris une cuite à la tequila – ou à autre chose. D'ailleurs, moi aussi, j'aurais pu marquer, ce soir.

— Pardon ?

— Et je ne parle pas de football, ajouta-t-elle en explosant de rire puis en le bousculant de nouveau. Un type très mignon qui s'appelait… Machin chose. Malheureusement, je me suis déclarée en marotoire sexuel… morat… Euh… Mo-ra-toire sexuel.

Del repoussa une mèche blonde pour lui dégager le visage.

— Vraiment ?

— Absolument. Je suis ivre et je suis en période de… ce que je viens de dire et que je n'ai pas envie de répéter, dit-elle en secouant la mèche qu'il venait de remettre en place, et en lui offrant un sourire grisé. Tu n'as pas l'intention de me sortir le grand jeu, j'espère ?

Le sourire de Del s'évanouit.

— Non.

Elle refit un « pfft », se remit dans sa position avachie et agita la main à plusieurs reprises.

— Bouge de là.

— Je vais rester jusqu'à ce que Parker arrive.

— Monsieur Brown. Delaney Brown. Tu n'en as pas marre de voler au secours des gens ?

— Je ne te porte pas secours. Je suis juste assis.

Oui, c'est ça, pensa-t-elle. Juste assis. Par une belle nuit de printemps, sous une pluie d'étoiles, enveloppé par le parfum des roses à peine écloses.

Emma se gara derrière Jack et attrapa le sac à main plein à craquer. Puis elle descendit et ouvrit le coffre où se trouvait son sac pour la nuit.

— Tiens donc, pas de commentaire sur mon bagage ?

— En réalité, je m'attendais à ce qu'il soit beaucoup plus lourd.

— Je me suis limitée. J'ai oublié de te demander à quelle heure tu commences demain.

— Autour de huit heures. Pas trop tôt.

Elle lui prit la main, puis balança le bras.

— Ton hospitalité sera récompensée. En plus, j'ai prévu de m'occuper du petit déjeuner. S'il y a suffisamment d'ingrédients chez toi ?

— Probablement.

Ils gravirent l'escalier qui menait à son appartement, au-dessus de sa firme.

— C'est pratique d'avoir sa maison et son bureau au même endroit, hein ? Pourtant, je me dis parfois que si la frontière était plus marquée, on ferait plus facilement la part des choses. Nous ne travaillerions pas comme des bêtes. J'adore ce bâtiment, il a du caractère, ajouta-t-elle.

257

— J'ai eu un vrai coup de foudre, expliqua Jack en tournant la clef dans la serrure.

— Il te correspond tout à fait. Caractère et tradition à l'extérieur. Lignes épurées et équilibre de l'espace à l'intérieur, fit-elle en pénétrant dans la cuisine.

— À propos d'équilibre, je suis encore sous le choc de ta petite démonstration de foot.

— Mes quadriceps me feront sans doute regretter ce coup de folie, demain.

— Je t'ai déjà parlé de mon faible pour les femmes sportives ?

Elle le suivit jusque dans la chambre.

— Pas besoin de le préciser. Je connais ton penchant pour les femmes, ainsi que pour le sport.

— Mélange le tout et je fonds sur place.

— Tu aurais dû me voir dans ma tenue de football.

— Tu l'as toujours ?

Dans un éclat de rire, elle déposa son sac sur le lit et l'ouvrit.

— Il s'avère que oui.

— Là-dedans ?

— J'ai bien peur que non. Par contre, voici ce que j'ai... si ça t'intéresse.

Elle dévoila un vêtement très fin, très court et très noir.

— La journée se termine en beauté.

Le lendemain matin, elle prépara du pain perdu et une salade de fruits.

— Le rêve : une femme artiste, championne de foot et cordon-bleu.

— J'ai plus d'un tour dans mon sac.

Elle s'assit en face de lui, dans le coin-repas où il avait l'habitude de dîner. L'espace manquait de fleurs. Elle songeait à des teintes vives et osées dans un vase cuivré.

— J'ai fini ta réserve d'œufs, et tu n'as presque plus de lait à présent. Je dois aller faire quelques courses aujourd'hui, si tu veux que je t'en achète – ou si tu as besoin d'autre chose...

Il mit quelques secondes avant de lui répondre ; elle sentit poindre l'hésitation.

— Non, ce n'est pas la peine. J'irai faire le plein dans la semaine. Comment vont tes quadriceps ?

Non, elle n'allait pas se laisser abattre parce que monsieur refusait qu'elle lui rachète une fichue boîte d'œufs.

— Ça va. Le vélo elliptique doit finir par porter ses fruits. Et toi, comment t'entretiens-tu ?

— Je vais à la gym deux à trois fois par semaine ; je joue au basket-ball, ce genre de choses.

Elle lui lança un regard accusateur.

— Je parie que tu aimes ça, la gym.

— J'admets.

— Parker aussi. Vous êtes de vrais malades, tous les deux.

Elle finit sa tasse de café.

— Je ferais mieux d'aller prendre une bonne douche, vu que j'ai trimé au-dessus d'une plaque chauffante pendant que tu te lavais. Je vais faire vite pour ne pas te mettre en retard, ajouta-t-elle en jetant un œil à l'horloge. Très vite même.

— Écoute, ce n'est la peine de te presser. Tu n'auras qu'à sortir par la porte de derrière quand tu seras prête.

Elle sourit, ravie.

— Dans ce cas, je vais me resservir une tasse.

Elle flâna avec son café, puis ensuite sous la douche. Enveloppée d'une serviette-éponge, elle se barbouilla le visage avec une crème puis passa une deuxième couche de pommade hydratante. Comme elle s'apprêtait à s'attaquer au maquillage, elle aperçut le reflet de Jack dans le miroir. Et son regard, quand il découvrit la montagne de pots de

259

crème qu'elle avait entreposés dans la salle de bains, autour de l'évier. Il s'efforça de ne rien montrer, mais elle avait eu le temps de détecter dans ses yeux une once d'incertitude et de malaise. Elle en fut blessée.

— Je dois me sauver. On se voit plus tard.

D'un geste délicat, il lui caressa les cheveux, encore mouillés, avant de l'embrasser.

— Pas de problème.

Une fois seule, elle finit de s'apprêter, se coiffa, s'habilla et fit son sac. Quand elle eut tout remballé, elle retourna dans la salle de bains et se mit à récurer l'évier avec brutalité, ainsi que l'endroit où elle avait posé ses crèmes. Au moins, elle ne laisserait pas de trace de son passage !

— Inutile de paniquer, Jack. Tout est propre, ton territoire est sauf.

Avant de partir, elle alla écrire un mot sur le tableau de la cuisine.

Jack – j'avais oublié que ce soir je ne suis pas dispo. On se verra plus tard. Emma.

Elle avait besoin d'air. Après avoir vérifié que la porte s'était bien verrouillée en se refermant, elle se dirigea vers sa voiture. Une fois installée au volant, elle brandit son portable et composa le numéro de Parker.

— Bonjour, Emma. Je suis déjà en ligne avec…

— J'en ai pour une seconde. On se fait une soirée entre filles ?

— Qu'est-ce qui se passe ?

— Rien. J'ai juste besoin d'une soirée entre filles.

— À la maison ou dehors ?

— Chez nous. Je n'ai pas envie de sortir.

— Je m'en occupe.

— Merci. Je suis là dans quelques heures.

Elle raccrocha. Les amies : il n'y avait que cela de vrai.

15

— J'ai réagi au quart de tour.

Emma avait passé la journée à revivre le scénario dans sa tête. Après avoir trimé comme une folle, elle se posait enfin.

— Laisse-nous juges, répliqua Laurel, la bouche pleine.

Installées au deuxième étage de la maison, elles s'étaient réunies autour d'une délicieuse pizza maison – recette Mme Grady.

— Le fait est qu'il n'a rien fait ou dit de mal. Si vous saviez comme je m'en veux.

— Plutôt que de blâmer quelqu'un, tu préféreras toujours porter le chapeau. Même si cette personne l'a mérité, commenta Mac en offrant un verre de vin à Laurel.

— Non. Je purge ma tequila. Ça peut durer des jours.

— Je ne suis pas telle que vous me décrivez, dit Emma, boudant sa pizza. À vous entendre, je ne serais qu'une geignarde.

— Pas du tout. Ce que nous voulons dire, c'est que tu es trop tolérante. Tu es de nature douce et généreuse, rétorqua Mac en remplissant le verre de vin d'Emma. Et finalement, quand tu finis par en vouloir à quelqu'un, c'est qu'il l'a vraiment cherché.

— Je ne me laisse pas facilement marcher sur les pieds !

— Ce n'est pas parce que tu es moins mauvaise que nous que tu te laisses marcher sur les pieds, rectifia Laurel.

— Mais je peux être méchante !

— Absolument, concéda Mac en lui donnant une tape sur l'épaule. Tu en as largement les capacités. Il ne te reste plus qu'à mettre du cœur à l'ouvrage.

— Pourtant, il n'y a rien de mal à être profondément bon, intervint Parker. J'aime à penser que nous le sommes toutes.

— Sauf moi, protesta Laurel en levant son Coca light.

— D'accord, sauf toi. Emma, dis-nous simplement ce qui te perturbe à ce point.

— Ça va vous sembler stupide, voire mesquin.

Les yeux rivés sur son verre de vin, elle ruminait, laissant ses amies en suspens.

— Il tient tellement à préserver son espace vital, reprit-elle. Il ne me dira rien, mais je le sens. C'est comme s'il y avait un panneau « Interdiction d'entrer, propriété privée » sur le seuil de sa maison. À présent, je me rappelle qu'il y a eu des signes avant-coureurs. Tu t'en souviens, Mac ?

— Tu peux développer ?

— L'hiver dernier, quand tu voulais restructurer ta chambre. Le micmac autour du placard. Tu as pété les plombs parce que Carter avait laissé traîner quelques vêtements chez toi. Jack est arrivé à ce moment-là et a pris ta défense. Il a débité tout un discours sur les risques qu'il y avait à laisser quelqu'un de proche envahir son intimité.

— Il plaisantait – en grande partie. Mais toi, tu es sortie de tes gonds, et tu es partie en claquant la porte.

— D'après lui, une femme commence toujours par oublier son nécessaire de toilette dans la salle de bains, pour ensuite exiger qu'on lui libère un tiroir. Et en moins de temps qu'il n'en faut pour le dire, elle prend possession de l'endroit. Comme si le simple fait de vouloir laisser une brosse à dents chez son amoureux équivalait à commander sa bague de mariage.

— Alors il a flippé parce que tu voulais laisser ta brosse à dents chez lui ? demanda Laurel.

— Non. Pas exactement. Il n'a jamais été question d'une fichue brosse à dents ! C'est simple, voilà comment ça marche : d'habitude, quand nous sortons, nous passons la nuit chez moi, même si nous sommes plus près de sa maison. Or, la nuit dernière, je lui ai demandé de dormir chez lui car j'avais des courses à faire en ville le lendemain matin. Il a eu un moment d'hésitation.

— Peut-être qu'il n'avait pas rangé son appart, suggéra Mac. Il a dû prendre quelques secondes de réflexion : avait-il laissé traîner des chaussettes sales ou des magazines X un peu partout ? Et ses draps, les avait-il changés au cours de la dernière décennie, etc.

— Non, il y avait autre chose. C'est toujours impeccable chez lui. Chaque chose a sa place. Comme avec Parker.

— Ohé !

— Je n'exagère pas, assura Emma avec un sourire. Sauf que toi, tu n'en ferais pas une montagne si un type laissait sa brosse à dents chez toi. Tu te contenterais de la ranger à un endroit bien spécifique. Sans plus.

— Un type laisser quelque chose chez moi ? Quel type ? J'exige un nom, une adresse – ou même une photo !

Emma, que cette conversation détendait légèrement, éclata de rire.

— Ce n'est qu'une hypothèse. Bref, au petit déjeuner, je lui ai proposé de lui faire quelques courses, ses placards étant quasiment vides. Et voilà ! De nouveau cet air hésitant, puis un « non merci » sec. La cerise sur le gâteau, c'est le moment où il m'a surprise en pleine séance de maquillage. J'avais étalé mes crèmes dans la salle de bains.

Vous auriez dû voir sa tête. Agacé et… sur le qui-vive. Ça semble anodin, mais je vous avais prévenues.

— Non, rectifia Parker. Tu as eu l'impression d'être une intruse, de ne pas être à ta place.

— Oui, dit Emma en fermant les yeux. Il n'a pas dû s'en rendre compte.

— Peu importe. Rien de pire que l'inconscient qui s'exprime.

— Exactement, répondit Emma, reconnaissante, à Parker.

— Et comment as-tu réagi ? demanda Laurel.

— Je te demande pardon ?

— Tu as bien entendu. Par exemple, tu aurais pu lui dire de s'en remettre, que ce n'était pas la fin du monde, seulement un tube de mascara.

— Il est parti travailler. Quant à moi, j'ai passé la demi-heure suivante à récurer son lavabo pour être sûre de ne pas avoir laissé la moindre trace de ma présence dans son précieux espace.

— Bien joué ! Ça lui apprendra ! ironisa Laurel. À ta place, j'aurais laissé mon soutien-gorge pendre au rideau de la douche, et je lui aurais bariolé un mot d'amour sur son miroir au rouge à lèvres. Mieux encore, j'aurais été acheter une boîte de tampons modèle économique pour la poser bien en évidence dans sa salle de bains. Voilà qui lui aurait remis de l'ordre dans les idées.

— Ça n'aurait pas plutôt apporté de l'eau à son moulin ?

— Non, car il n'a aucun argument qui tienne la route. Quand on dort chez quelqu'un, il nous faut un minimum d'affaires sous la main. Après tout, peu importe à qui appartient le lit ! Emma, en fais-tu tout un fromage quand il oublie son rasoir chez toi ?

— Ça ne lui arrive jamais.

— Allons ! Ne viens pas me dire que pas une seule fois…

— Jamais.

— Eh ben dis donc ! Il est légèrement obsessionnel, non ?

Mac leva la main.

— J'aimerais juste ajouter une chose. J'étais moi-même un peu comme lui. Pas autant, certes. Je laissais des affaires chez Carter et vice versa. Le jour auquel tu fais allusion, Emma, c'est ce qui m'a mise en boule. Sa veste, sa crème à raser, bref tout son nécessaire de toilette qu'il avait mélangé au mien. À mes yeux, ça symbolisait sa présence, ce n'était plus juste du bon temps, une relation passagère. Tout se concrétisait. J'ai paniqué. Cet homme incroyable était amoureux de moi. Ça m'a fichu la trouille. Jack doit se sentir pareil.

— Sauf que moi, je n'ai pas parlé d'amour.

— Tu devrais peut-être y penser, intervint Parker. Tu ferais mieux de jouer cartes sur table ; ça te faciliterait la vie. Tant qu'il ne connaît pas tes sentiments, comment veux-tu qu'il les prenne au sérieux ?

— Hors de question qu'il prenne mes sentiments au sérieux ! Je veux qu'il fasse comme il le sent. Qu'il reste spontané. Autrement, je ne serais pas amoureuse de lui. Et moi qui croyais que l'amour était merveilleux.

— Ça peut le devenir, une fois que tu auras dénoué ce sac de nœuds.

— Le problème, c'est que je le connais si bien que je décortique tout. Je dois mettre de l'eau dans mon vin, et surtout, il faut que j'arrête de tout idéaliser.

— Tu ne peux pas refouler tes sentiments, insista Parker.

— Il faudrait que je joue franc jeu.

— J'étais assez fière de mon idée de boîte de tampons. C'est plus efficace que n'importe quel discours ennuyeux, déclara Laurel en haussant les épaules. Mais s'il faut te conduire en adulte.

— Loin de moi l'envie… En même temps, j'en ai marre de bouder. Autant voir comment marche une conversation sensée. Je m'y attellerai la semaine prochaine, je pense. Pour le moment, nous avons tous les deux besoin de prendre l'air.

— Il faudrait instaurer une soirée par mois où les hommes seraient bannis, et le travail aussi, déclara Laurel.

— C'est déjà le cas, rappela Mac.

— Oui, mais à présent que deux d'entre nous sont casées, nous devrions le faire passer dans notre règlement interne. Une soirée réservée aux œstrogènes.

— Sans hommes et sans boulot, acquiesça Emma. Ça me semble…

Le téléphone de Parker se mit à sonner. Elle jeta un œil au numéro qui s'affichait.

— Willow Moran, premier samedi de juin. Ça devrait être expéditif. Bonjour Willow ! dit-elle avec engouement tout en sortant de la salle. Pas de problème. C'est mon travail.

— Eh bien, presque sans boulot et avec plus de pizza pour ma part, conclut Laurel en se resservant.

Même si on les interrompit à plusieurs reprises, la soirée entre filles ragaillardit Emma. Un peu d'air, quelques amies. Fatiguée, mais l'âme légère, elle regagna sa maison. Dans l'escalier, elle passa mentalement en revue son emploi du temps de la semaine. Elle aurait à peine le temps de souffler. Tant mieux. La charge de travail arrivait à point nommé.

Elle sortit son portable, qu'elle avait délibérément snobé durant la soirée, et vit qu'elle avait reçu un message vocal de Jack. Son sang ne fit qu'un tour. Elle se força à se calmer et à reposer l'appareil. Après tout, si ç'avait été urgent, il aurait appelé la maison principale. Ça attendrait jusqu'au lendemain matin.

À qui essayait-elle de servir son refrain ? Elle s'assit sur son lit pour écouter.

Bonsoir. Je suis déçu de ne pas t'avoir vue. Écoute, avec Del, nous avons entrepris de débaucher Carter. Il est prévu de le traîner à un match dimanche. Peut-être que je pourrais passer te voir samedi pour te donner un coup de main. Avant de kidnapper Carter, je te préparerais le petit déj'. Rappelle-moi quand tu as une minute. Là, je vais dessiner des plans pour ta maison, donc... Je pense à toi.

Qu'est-ce que tu portes ?

La dernière phrase la fit rire. Il parvenait toujours à l'amuser. Le message était gentil. Attentif, affectueux, et drôle. Que demandait-elle de plus ?

Tout. Elle voulait tout.

Elle retarda le moment de lui parler, prétendant être trop occupée pour une conversation de cet acabit-là. Mariages, enterrements de vie de jeune fille, fête des mères... Au mois de mai, les célébrations n'en finissaient pas de s'enchaîner. Quand elle n'avait pas la tête dans les fleurs, c'est qu'elle préparait les arrangements suivants.

Au vu de son emploi du temps, il semblait plus opportun que ce soit Jack qui vienne à la propriété. Elle se considérait chanceuse de fréquenter un homme qui ne se plaignait pas de ses journées à rallonge, qui ne voyait pas d'inconvénient à ce qu'elle travaille le week-end, et qui était toujours prêt à donner un coup de main en cas de besoin.

Par un après-midi orageux, elle travaillait dans son atelier, seule. À son grand bonheur. Si ses oreilles bourdonnaient encore des babillages de Tink et Tiffany, le grondement du tonnerre, le crépitement de la pluie et le hurlement du vent apaisaient désormais cette impression.

Une fois le bouquet de la demoiselle d'honneur terminé, elle se leva un instant pour s'étirer, se tourna et bondit comme un lièvre en voyant Jack. Son cri de surprise se transforma en rire nerveux et elle porta la main à son cœur.

— Tu m'as fait une de ces peurs !

— Désolé. J'ai eu beau frapper et crier, la colère divine a masqué ma voix.

— Tu es trempé.

— Probablement à cause de la pluie, railla-t-il en se passant la main dans sa chevelure dégoulinante. Ma dernière visite de chantier a été fortement compromise. Du coup, j'ai fait un crochet par ici, à tout hasard. Pas mal, ajouta-t-il en désignant le bouquet.

— Tu as vu. J'étais sur le point de le placer dans la chambre climatique avant de commencer celui de la mariée. Je t'offre un café et de quoi te sécher ?

— Je n'en espérais pas moins, dit-il en se rapprochant d'elle pour l'embrasser. J'ai apporté mes dessins pour que tu y jettes un œil. Quand tu auras une minute. Si le temps nous le permet, les travaux débuteront lundi matin chez Mac. De très bonne heure. Prépare-toi.

— Super ! Ils le savent ?

— Je suis passé au studio juste avant. Un café ?

— Non, merci.

Elle fit un aller-retour à la chambre climatique, puis s'installa à son plan de travail munie de ses outils et de ses fleurs. Elle leva la tête quand il revint.

— Ça te dérange si je te regarde travailler ?

— Non, assieds-toi et fais-moi la conversation.

— J'ai vu ta sœur aujourd'hui.

— Vraiment ?

— Oui, je suis tombé sur elle en ville. Dis-moi, tu travailles sans croquis ?

— D'habitude, je m'aide d'un support. Mais pour ce bouquet-là, c'est différent. Il existe déjà dans ma tête. Une gerbe de roses blanches, de la viorne pastel. Légèrement en cascade.

Il l'observa travailler le fil de fer, couper, élaguer au son du tonnerre.

— Tu disais que c'était un bouquet ?

— Oui.

— Dans ce cas, pourquoi un vase ?

— J'ai imbibé la mousse d'eau et fixé le support. Tu vois cette partie ? ajouta-t-elle en penchant le vase. Je la dépose dans le vase pour y mettre les fleurs où je les arrange. Pour obtenir la bonne forme, l'effet de cascade souhaité.

— Comment faites-vous quand vous travaillez à plusieurs dans le même atelier ? Ne me dis pas que vous vous installez toutes en rang d'oignons ?

— Oui et non. Nous sommes effectivement alignées, mais nous travaillons sur différentes compositions. Ce n'est pas comme si je faisais tout le boulot et qu'ensuite je passais le bouquet à Tink – nous ne travaillons pas à la chaîne.

— Tu as besoin d'un plan de travail en L, remarqua-t-il en balayant la pièce du regard. Un U serait encore mieux. Avec tiroirs et poubelles sous le comptoir. Tu travaillais en solo quand j'avais conçu cet espace. Il est devenu trop petit pour toi. Sans compter qu'il te faut de l'espace pour ton compost. Et un autre pour les déchets non végétaux. Ça t'arrive de recevoir des clients ici pendant le boulot ?

Elle se piqua avec une épine et se suça le pouce.

— Quelquefois.

— D'accord.

Sous le regard dubitatif d'Emma, il se leva pour revenir un moment plus tard, de nouveau dégoulinant, muni d'un carnet qu'il avait dû trouver dans sa voiture.

— Continue de travailler, dit-il. Je vais ajuster quelque peu les plans que j'ai déjà réalisés. Il va falloir repousser ce mur.

— Repousser le mur ?

Il avait su capter son attention.

— Oui, nous allons agrandir ton espace de travail pour plus d'aération. Ça sera peut-être un peu prétentieux pour un atelier solo, mais… désolé. Je pense à voix haute. C'est agaçant.

— Non, ça ne me dérange pas.

C'était un peu étrange de travailler avec lui, par un après-midi d'orage. Ils continuèrent ainsi pendant un certain temps. Elle se rendit compte qu'il avait tendance à marmonner, une fois le stylo à la main. Bien que cela ne la dérangeât pas, elle trouvait surprenant qu'ils aient encore des choses à découvrir l'un sur l'autre.

Quand elle eut fini, elle leva le bouquet et l'examina sous tous les angles possibles et imaginables. Il l'observait.

— Quand les roses se seront ouvertes, le bouquet semblera plus fourni.

— Tu travailles vite.

— Ce n'est pas un arrangement très compliqué, répliqua-t-elle en se tournant vers la psyché. La robe est très chargée. Un bouquet simple adoucira l'effet d'ensemble. Pas de rubans, rien qui dégringole, seule une légère cascade. Porté comme ceci, au niveau de la taille, avec les deux mains. Ça va être…

Leurs regards se croisèrent dans le miroir. De nouveau, elle aperçut la même expression renfrognée dans ses yeux.

— Ne t'inquiète pas, Jack. Je ne m'entraîne pas.

— Hein ?

— Je vais poser le bouquet dans la chambre climatique.

Ce faisant, elle l'entendit qui lui parlait depuis l'atelier.

— J'ai remarqué que tu ne portais jamais de fleurs. C'est sûrement trop « cliché » pour toi. Je n'aurais peut-être pas dû.

— Pas dû ?

— Je reviens tout de suite.

Il sortit une nouvelle fois. Elle referma la chambre climatique et anticipa la composition suivante.

— J'ai l'habitude de faire un essai avec le bouquet, lui dit-elle quand il réapparut. Pour m'assurer qu'il est agréable à tenir, que la forme et les couleurs conviennent.

— Oui, j'avais compris.

— Bien, je voulais juste éclaircir ce point.

Elle allait partir dans toutes sortes de digressions quand elle se tourna et remarqua la longue et fine boîte qu'il tenait à la main.

— J'avais une réunion en ville, quand je suis tombé sur cet objet qui semblait me crier depuis la vitrine : « Eh Jack ! Je suis fait pour Emma. » C'était sans doute vrai...

— Tu m'as acheté un cadeau.

— C'est toi qui m'as dit aimer qu'on t'offre des fleurs.

Elle ouvrit le coffret.

— Jack !

Le bracelet, constitué de pierres semi-précieuses représentant chacune une petite rose parfaite, dardait ses couleurs vives.

— Tu aimes les fleurs mais tu n'en portes jamais.

Elle ne le quittait pas des yeux, ne cherchant à cacher ni sa surprise ni son ravissement.

— Désormais, j'en porterai. C'est magnifique. Je ne sais pas quoi dire.

Elle le sortit de l'écrin et le mit à son poignet.

— Le joaillier m'a montré comment l'attacher. Tu vois, de cette manière, le fermoir demeure invisible.

— Merci… Mince ! Regarde dans quel état sont mes mains !

Elles étaient tachées et écorchées. Il les prit et les embrassa.

— Je te parle sèchement, et toi, tu m'offres des fleurs, fit-elle en le prenant par le bras. Je tâcherai de te parler mal plus souvent. Tiens, la pluie s'est arrêtée. Je dois faire un peu de rangement, puis aller aider pour la répétition de ce soir. Après, si tu veux, nous pourrions manger un truc et boire un verre dans le patio ?

— Je vais t'attendre.

Ses yeux se voilèrent soudain ; son visage s'obscurcit.

— Emma, je ne pense pas t'avoir assez répété combien je tiens à toi.

— Je sais, dit-elle en l'embrassant avec douceur. Je sais.

Après le départ d'Emma, resté seul, il fouilla dans les placards de la cuisine pour rassembler de quoi préparer un repas sur le pouce. Il était tout à fait capable de cuisiner quand il le fallait – voire quand ils ne sortaient pas –, ce qui arrivait de plus en plus souvent.

Mieux encore, il savait concocter une petite merveille de plat en un tour de main. Et s'il pouvait s'en vanter, c'est parce qu'il avait autrefois fréquenté une sous-chef cuisinier.

Une cuiller d'huile d'olive, rehaussée d'un soupçon d'ail, quelques pincées d'herbes aromatiques, un émincé de tomates fraîches, et hop ! Un plat de pâtes en perspective. D'ailleurs, ne lui avait-il pas déjà préparé le petit déjeuner ? Une fois.

Tout d'un coup, il eut le sentiment de profiter d'elle, de la considérer comme un bien acquis. Or, il savait très bien pourquoi.

L'expression de son regard dans le miroir ne lui avait pas échappé, cette seconde où il avait senti le chagrin faire place à la colère. « Je ne m'entraîne pas. » Au fond, elle avait vu juste. Elle avait senti son malaise, la sorte d'électrochoc qui l'avait secoué au moment où il la regardait tenir le bouquet. L'espace d'une seconde.

Évidemment, la réaction qu'il avait eue l'avait blessée, bien que ce fût la dernière chose au monde qu'il eût souhaitée. Quant à elle, elle avait laissé couler. Et non pas parce qu'il lui avait offert le bracelet – non, elle n'était pas le genre de femme que l'on soudoyait avec un cadeau. C'était... Emma.

Peut-être qu'il l'avait prise pour acquise de temps à autre. À présent qu'il se rendait compte de son erreur, il allait rectifier le tir. Il ferait plus attention. Après tout, ils se fréquentaient depuis un certain temps...

Nouveau choc. Il s'en pinça le pouce. Sept semaines ! Non, presque huit, ce qui revenait à deux mois. Quasiment une saison tout entière. Le quart d'une année. Cela faisait un bail qu'il n'avait plus calculé une relation exclusive en mois. Bientôt, ils auraient passé tout le printemps ensemble et entameraient l'été. Ce n'était plus qu'une affaire de semaines. Eh bien, ça lui convenait. Il n'eût voulu être avec personne d'autre.

Avant peu, elle serait de retour et ils partageraient un repas tranquille dans le patio. Il attendait cela avec impatience.

Tout en faisant revenir l'ail dans une poêle, il se versa un verre de vin.

— Au reste du printemps ! dit-il en levant son verre. Et au commencement de l'été !

« Alerte rouge ! »

Du haut de son échelle, les bras chargés de guirlandes fragiles, Emma se contorsionna pour lire le message qui s'affichait au bipeur accroché à la poche arrière de son pantalon.

— Et zut ! Alerte rouge. Beach, tu vas devoir finir sans moi. Tiff, occupe-toi des festons. Tink, tu prends la barre.

Comme elle attaquait la descente de l'escabeau, Jack s'avança pour la recevoir.

— Fais attention ! Ce n'est pas une urgence nationale.

— Si, quand Parker brandit l'alerte rouge. Viens avec moi. Parfois, une autre paire de bras n'est pas superflue ; on ne rechigne jamais à accepter l'aide d'un mâle. Si c'est un problème de filles, tu pourras revenir ici et t'occuper de draper les chaises. Mince ! Et moi qui étais pile poil dans les temps.

— Tout se passera bien.

À la vitesse de l'éclair, elle fila à travers les terrasses, gravit l'escalier et parvint au couloir qui précédait la suite de la mariée. Une scène d'hystérie totale.

Un petit groupe s'amassait là, certains habillés et fin prêts pour la cérémonie, d'autres à peine vêtus. Les voix n'étaient plus que des cris aigus, presque des ultrasons. Les larmes coulaient à flots.

Au milieu de cette scène apocalyptique se tenait Mac, inébranlable. Toutefois, sous ces dehors stoïques, Emma crut déceler un début de désespoir.

— Silence, tout le monde m'écoute ! Tout va s'arranger. Mais pour cela, il faut vous calmer et m'écouter. Madame Carstairs, je vous en prie, asseyez-vous là. Asseyez-vous et prenez une profonde inspiration.

— Mais, mon bébé… mon bébé.

Arrivant à la rescousse, le courageux Carter se fraya un chemin à travers le groupe et prit la femme par le bras.

— Allons, allons. Asseyez-vous sur cette chaise.

— Il faut faire quelque chose ! Il faut faire quelque chose !

Emma reconnut la mère de la mariée. Si elle ne pleurait pas encore, son visage était cramoisi jusqu'aux oreilles. Un coup de sifflet strident ramena le silence.

— Bon, tout le monde se tait ! ordonna Laurel.

Elle portait un tablier blanc maculé de ce qui avait tout l'air d'être du coulis de framboise. Parker profita de ce répit pour intervenir.

— Monsieur Carstairs, asseyez-vous donc un instant auprès de votre femme. Quant au marié, ayez la gentillesse de retourner dans votre suite avec vos amis. Carter va s'occuper de vous. Madame Princeton, Laurel va vous accompagner au rez-de-chaussée pour vous offrir une tasse de thé. Donnez-moi un quart d'heure. Jack, pourrais-tu suivre Laurel ? Et qu'on apporte du thé pour M. et Mme Carstairs à l'étage.

— Vous n'auriez pas du whisky par hasard ? demanda M. Princeton.

— Si, bien sûr. Demandez à Jack, il vous en apportera. Emma, j'aurais besoin de toi dans la suite de la mariée. Qu'on me donne un quart d'heure. Et que personne ne panique.

— Tu me fais un récapitulatif ? demanda Emma.

— Très brièvement. Deux des demoiselles d'honneur ont une très sévère gueule de bois. Il y a tout juste quelques minutes, l'une d'elles avait la tête dans les toilettes de la salle de bains. La mère du marié s'est effondrée quand elle a rendu visite à son fils dans la suite, ce qui a agacé la mère de la mariée – elles sont comme chien et chat. Les deux femmes se sont crêpé le chignon, ont échangé des paroles fâcheuses tout en entrant dans la suite de la mariée. Le drame a rejailli sur la demoiselle d'honneur de la mariée, qui est enceinte jusqu'au cou, et qui a alors commencé à avoir des contractions.

— Mon Dieu ! Elle est en train d'accoucher ? En ce moment même ?

— Contractions de Braxton Hicks, précisa Parker, dont le visage trahissait un sang-froid à toute épreuve. Son mari a appelé le médecin ; pour le moment, nous calculons la fréquence des contractions. Mac, la mariée et le reste du groupe qui n'est pas occupé à vomir ou à gémir sont à ses côtés. Les deux seules à rester calmes sont la demoiselle d'honneur et la mariée – et Mac, évidemment.

Parker inspira un grand coup, puis ouvrit la porte de la suite.

La jeune femme enceinte était allongée sur l'étroit canapé, pâle mais calme. À son chevet se tenait la mariée, affublée d'une blouse de coiffeur qui cachait à peine son corsage et ses jarretières. À l'autre bout de la pièce, Mac tendait une compresse froide à une demoiselle d'honneur blafarde.

— Comment vous sentez-vous ? demanda Parker qui se dirigeait vers la future mère. Vous désirez voir votre mari ?

— Non, laissez-le avec Pete. Je vais bien. Je n'ai pas eu de contractions depuis dix minutes.

— Presque douze, maintenant, rectifia la mariée en désignant le chronomètre.

— Maggie, je suis navrée.

— Arrête de t'excuser, dit la mariée en lui caressant l'épaule. Tout va bien se passer.

— Il faut que tu finisses de te maquiller et de te coiffer.

— Rien ne presse.

— En fait, vous devriez écouter votre amie, Maggie, intervint Parker sur un ton à la fois professionnel et enthousiaste. Jeannie, si vous préférez, nous pouvons vous transporter dans ma chambre. Vous y serez plus au calme.

— Non, je suis très bien ici. Et j'aimerais vraiment regarder les préparatifs. Je crois qu'il s'est endormi, ajouta-t-elle en tapotant la bosse de son ventre. Franchement, Jan est plus à plaindre que moi, ajouta-t-elle en désignant la demoiselle d'honneur au teint verdâtre.

— Je suis trop stupide, fit cette dernière. Maggie, achève-moi.

— Je vais vous faire apporter du thé et des toasts. Ça devrait aider. Entre-temps, Emma et Mac sont ici pour vous assister. Je reviens tout de suite. S'il y a de nouvelles séries de contractions, ajouta-t-elle à l'adresse d'Emma, tu me bipes.

— Allons, Maggie. Au travail.

Emma la confia aux bons soins du coiffeur. Puis, le chronomètre en main, elle s'installa auprès de la future maman.

— Alors, Jeannie, c'est un garçon ?

— Oui, notre tout premier. Encore quatre semaines avant le terme. J'ai fait un examen de contrôle, jeudi. Tout va bien. Comment va ma mère ?

Emma mit quelques instants à se rappeler que Jeannie était la sœur du marié.

— Eh bien, très émotive et nerveuse, bien sûr, mais…

— C'est une épave ! l'interrompit Jeannie en riant. Il lui a suffi de jeter un œil au costume de Pete pour s'effondrer. Ses plaintes résonnaient dans toute la maison.

— Ce qui n'a pas manqué d'énerver ma mère, évidemment, ajouta Maggie depuis la coiffeuse. Ensuite, elles se sont battues comme des chiens enragés. Jan se vide dans la salle de bains et Shannon est pelotonnée dans son coin.

— Ça va mieux maintenant, rectifia Shannon, une petite brune occupée à siroter de la ginger ale.

— Chrissy va bien. Elle a emmené les enfants prendre l'air dans le parc. Elle devrait déjà être de retour.

Constatant que la situation semblait sous contrôle de ce côté-là, Emma jeta un coup d'œil à Maggie.

— Un quart d'heure sans contractions, à ce qu'il semblerait. Si Shannon se sent d'attaque, elle peut me relayer avec le chronomètre ; pendant ce temps-là, moi je vais chercher Chrissy et les enfants.

— Merci ! On a l'impression d'être dans un asile d'aliénés.

— Nous avons connu pire. Mac, tu montes la garde ?

— Pas de problème. Eh ! Et si on en profitait pour prendre quelques photos ?

— Vous êtes une femme sans scrupule, commenta Jan.

Emma s'éclipsa. Elle repéra la mère du marié sur la terrasse, qui versait toutes les larmes de son corps dans un mouchoir pendant que son époux tentait de la réconforter. Elle fit un crochet vers l'escalier principal où elle tomba sur Parker qui remontait.

— Quel est le rapport ?

— L'alerte rouge est retombée. Plus aucune contraction et une gueule de bois en voie de guérison. Quant à l'autre, on ne peut pas encore se prononcer. La mariée est entre les mains du coiffeur, et moi, je pars à la recherche de la dernière demoiselle d'honneur et des enfants.

— Tu les trouveras dans la cuisine, autour d'un verre de lait et de cookies. Mme G prépare une collation. Tu pourrais envoyer les enfants à l'étage ? Je vais jeter un œil au marié et dire au futur papa que tout s'arrange.

— J'y cours. La mère du marié est sur la terrasse, en larmes.

— Je m'en occupe, décréta Parker, la mâchoire crispée.

— Bonne chance.

Emma reprit sa course vers la cuisine. À ce moment précis, Jack arrivait du grand salon.

— Rassure-moi, dis-moi que personne n'accouche au premier étage ?

— La crise est passée.

— Dieu merci !

— Et les parents de la mariée ?

278

— Carter s'en occupe. Apparemment le neveu d'un membre de la famille est un de ses élèves au lycée. De son côté, la mère retouche son maquillage.

Emma le dévisagea quelques secondes ; de toute évidence, elle avait une idée derrière la tête.

— Tu sais comment parler aux enfants, si je me souviens bien ?

— Je me débrouille. Je les vois comme des hommes miniatures.

— Pourrais-tu t'occuper du porteur d'alliances – il a cinq ans – et le divertir pendant un quart d'heure. Tu me rendrais un immense service. Il faudrait le conduire dans la suite du marié dès que la voie sera libre. Quant à moi, je m'occupe de la petite fille.

Quand son bipeur retentit de nouveau, elle trépigna sur place, puis soupira de soulagement après l'avoir consulté.

— Alerte jaune. C'est plutôt bon signe.

— Ces enfants-là n'ont donc pas de parents ? demanda-t-il en la suivant dans la cuisine.

— Si, mais ils participent tous les deux activement au mariage. Je n'ai besoin que de quelques minutes. Le temps que la tempête s'apaise. Une fois que j'en aurai fini avec la petite fille, je dois aller finir la déco extérieure, et puis…

Elle s'interrompit. À la place, elle se contenta d'afficher un large sourire et poussa la porte de la cuisine. Une heure plus tard, les mariés et leurs compagnons, propres comme des sous neufs, étaient sur leur trente et un. Mac organisait les portraits de groupe, Parker faisait son possible pour garder les deux belles-mères à distance l'une de l'autre, et Emma mettait le point final au décor.

— Tu veux une autre mission, demanda-t-elle à Jack qui finissait de draper la dernière rangée de chaises.

— Hors de question. Et dire que vous faites ça tous les week-ends !

— Au moins, nous n'avons pas le temps de nous ennuyer. Tink, je vais me changer. Les invités commencent à arriver.

— Tout est prêt.

— Parker estime que nous n'aurons que dix minutes de retard sur l'horaire prévu. Un vrai miracle ! Quand vous aurez fini, filez à la cuisine ; une collation vous y attend. J'en ai pour un quart d'heure. Jack, va prendre un verre !

— C'était bien mon intention.

Douze minutes plus tard, elle était de retour, ayant troqué sa tenue de travail contre un tailleur noir d'une élégante simplicité. Elle agrafait des boutonnières quand la voix de Parker grésilla dans son oreillette.

— Sur le point de quitter la suite de la mariée. L'escorte va commencer.

Emma arrangea encore quelques cols, tout en plaisantant avec le marié, sans oublier de prêter une oreille attentive au compte à rebours. Elle repéra Parker qui coachait les parents, et Mac qui brandissait son appareil pour les instantanés.

Un clic plus tard, le marié était en place, les belles-mères escortées à leur siège – l'une avait encore la larme à l'œil, l'autre semblait avoir bu un peu trop de whisky. Les jeunes femmes étaient en file indienne. Emma leur passa les bouquets.

— Vous êtes toutes ravissantes. Jeannie, vous tenez le coup ?

— Le bébé est réveillé, mais il se tient à carreau.

— Maggie, vous êtes splendide.

— Je vous en prie, Emma, ne me dites pas ça. Je ne pensais pas que ça m'arriverait, et pourtant me voilà toute nerveuse.

— On inspire. On expire, ordonna Parker. Tout en douceur.

— J'inspire, et j'expire. Papa…

— Ne dis rien. Tu veux vraiment que je te conduise à l'autel en pleurnichant comme un bébé ?

— Tenez, dit Parker en soulevant le voile pour lui tamponner les yeux à l'aide d'un mouchoir. On relève la tête, et on sourit. Voilà. Demoiselle n° 1, c'est parti.

— On se voit à l'autre bout de l'allée, Maggie, dit Jan, joyeuse malgré son teint blafard.

— N° 2… C'est à vous.

À présent que Parker avait les rênes en main, Emma pouvait s'écarter.

— Maintenant, je peux te faire un aveu, murmura Jack, à ses côtés. Je ne pensais pas que vous vous en tireriez avec ce mariage. Pas aussi bien, du moins. Je suis impressionné. Presque terrifié, même.

— Nous avons déjà affronté pire situation.

Ses yeux se remplirent de larmes.

— Parfois, elles montent sans crier gare, dit-elle. Je crois que c'est à cause de la mariée. Elle a tenu le coup tout au long des préparatifs, malgré la succession de crises, et hop, au dernier moment, elle vacille. Mais elle a l'air de prendre sur elle. Regarde son sourire rayonnant. Et vois la façon dont son fiancé la dévisage, soupira-t-elle. Parfois, je craque, comme ça.

Jack lui tendit un verre de vin.

— Tu l'as bien mérité.

— Et comment ! Merci.

Elle le prit par le bras, posa la tête sur son épaule et observa la cérémonie.

16

Quand l'événement fut bouclé, ils s'installèrent quelques instants dans le salon familial pour s'y détendre. Profitant de ce moment de répit, Emma savourait tranquillement son second verre de vin de la soirée.

— En apparence, pas de gros pépins, fit-elle en déroulant les épaules et repliant les orteils. C'est le principal. Les invités vont certainement se délecter pendant des semaines des incidents divers et variés : gueules de bois, prise de bec entre belles-mères, fausse alerte d'accouchement prématuré, et j'en passe. Mais c'est le genre d'aventures qui rend chaque mariage unique.

— Jamais je n'aurais cru qu'on puisse pleurer pendant six heures d'affilée, s'exclama Laurel en avalant deux aspirines suivies d'un verre d'eau gazeuse cul sec. C'était comme s'ils enterraient leur fils au lieu de le marier.

— La mère du marié va avoir droit à un sérieux coup de Photoshop. Ce qui ne servira très certainement à rien, d'ailleurs, dit Mac en haussant les épaules. En tout cas, je tire mon chapeau à la mariée ! Quel courage de prendre pour belle-mère une femme qui hurle pendant l'échange des vœux.

Renversant la tête en arrière, Mac fit une imitation terrifiante de Mme Carstairs en pleine lamentation.

— Je t'en prie, marmonna Laurel. Épargne ma pauvre tête.

283

Assis sur un coin du sofa, Carter explosa de rire à la parodie de Mac, tout en réconfortant affectueusement Laurel.

— Je ne sais pas vous, mais moi, cette femme m'a terrorisé.

— C'est la quasi-survenue d'un petit-fils qui l'aura chamboulée, répliqua Emma. Un événement qui aurait été des plus impromptus. La goutte d'eau qui a fait déborder le vase.

— Dans ce cas, quelqu'un aurait dû penser à lui glisser un calmant dans son verre, dit Laurel. Sans rire. Je m'attendais à ce qu'elle se jette sur la pièce montée comme sur un bûcher.

— Imaginez un peu les photos que j'aurais pu prendre, soupira Mac. Quel gâchis !

Parker leva sa bouteille d'eau pour trinquer.

— Carter, Jack. Ce soir, vous nous avez sauvé la mise. Si j'avais pu deviner que la belle-mère était une pleureuse, j'aurais pris des dispositions. Pourtant, tout s'était bien passé lors de la répétition. Elle était même plutôt exaltée.

— Sûrement parce que quelqu'un avait eu l'idée de la droguer, rétorqua Laurel.

— Tu aurais pris quel genre de dispositions ? demanda Jack.

— Nous ne sommes pas à court de ressources, répondit Parker avec un sourire énigmatique. Si je n'ai pas pu la retenir de pleurnicher pendant toute la cérémonie, par contre je l'ai quand même empêchée de déranger les mariés au moment des préparatifs. Et si Maggie et Pete n'avaient pas gardé leur sang-froid, le mariage aurait été un carnage. Il faut toujours veiller à occuper les personnes émotives, pour les empêcher de flancher. C'est le b.a.-ba de notre métier.

— C'est donc pour ça que je n'ai pas pleuré ! s'écria Jack.

— Demain, nous allons devoir nous débrouiller sans nos troupes de réserve, les filles, dit Mac en chahutant gentiment Carter. Les hommes nous désertent au profit des Yankees.

— À ce propos, si je ne vais pas de ce pas m'étaler dans mon lit, je risque de ne pas être capable de me lever demain, dit Laurel. Bonne nuit les petits.

— Nous aussi. On remballe la marchandise, professeur. Mince ! Qu'est-ce que j'ai mal aux pieds !

Carter présenta son dos à Mac, qui s'empressa de sauter dessus dans un éclat de rire.

— C'est ça, l'amour ! professa-t-elle en lui plantant un baiser sonore sur le haut du crâne. Lui pour la généreuse attention, et moi pour la confiance que je lui accorde, de ne pas me lâcher sur le sol. À demain. Hue cocotte !

— Qu'ils sont mignons ! dit Emma, tout sourire après leur départ. Je mets au défi Linda la Terreur de faire de l'ombre à leur idylle.

— Mac a reçu un coup de fil d'elle, ce matin, dit Parker.

— Zut !

— Elle a changé d'avis. Maintenant, elle veut que Mac et Carter assistent à son mariage, en Italie, la semaine prochaine. Quand Mac lui a expliqué qu'elle l'avait prévenue trop tard, que ce n'était pas possible, elle a piqué sa crise habituelle, a tenté de la faire culpabiliser, comme toujours.

— Mac ne m'a rien dit.

— Vu la tournure de l'événement d'aujourd'hui, elle ne voulait pas en rajouter. Évidemment, Linda a choisi d'appeler au moment où Mac se préparait pour le mariage. Mais je crois que tu as vu juste. Linda n'a plus le pouvoir de gâcher son bonheur. Avant l'arrivée de Carter dans sa vie, un tel coup de fil l'aurait achevée. Alors qu'aujourd'hui, même si ça a été dur, elle a réussi à faire la part des choses.

— Les super pouvoirs de Carter ont eu raison des charmes maléfiques de Linda. Il aura droit à un gros bisou de ma part.

— Je le vois demain, si tu veux que je le lui transmette, intervint Jack.

Elle se pencha vers lui et lui donna un baiser pincé.

— Un peu radin.

— C'est un bisou d'ami. Bon, il est temps de rentrer au bercail.

— Briefing à huit heures, rappela Parker.

— Oui, oui, dit Emma qui étouffa un bâillement. Jack, que dirais-tu de me prendre sur ton dos ?

— Je dirais que c'est chose faite ! dit-il en la soulevant dans un geste théâtral.

— Bonne nuit, Parker !

— Bonne nuit.

Rêveuse, elle regarda Jack kidnapper Emma hors du salon comme Rhett Butler aurait enlevé Scarlett O'Hara.

— Quelle sortie ! s'exclama Emma, ravie. Ne te sens pas obligé de me porter jusqu'à la maison.

— Tu crois vraiment que je vais permettre à Carter de me détrôner ? Tu ne connais pas l'esprit de compétition. Ça fait du bien de voir Mac si heureuse. J'ai déjà eu l'occasion d'assister à une scène de Linda. Pas commode, la mère, ajouta-t-il.

Avec nonchalance, Emma passa les mains dans la chevelure blonde de Jack.

— C'est la seule personne au monde pour laquelle j'éprouve une réelle animosité. J'ai essayé de lui trouver des excuses pendant longtemps. Jusqu'au jour où j'ai compris qu'elle n'en avait aucune.

— Tu sais qu'elle m'a dragué un jour.

— Comment ? La mère de Mac a flirté avec toi ?

— Il y a un bail. En réalité, j'ai eu droit à un second assaut, il n'y a pas si longtemps. La première fois, j'étais encore à la fac. Je venais passer quelques semaines ici pendant les vacances d'été. On devait tous aller à une fête, alors je suis passé prendre Mac. Elle n'avait pas de voiture à cette époque. C'est sa mère qui m'a ouvert. Elle m'a sorti le grand jeu et m'a piégé dans un coin jusqu'à ce que Mac descende. C'était… intéressant, et terrifiant ! Linda la Terreur, pas mal trouvé.

— Tu avais quoi ? À peine vingt ans ? Quelle honte ! On aurait dû la mettre au trou. Ça y est, je la hais encore plus qu'avant. Si tant est que ce soit possible.

— J'ai survécu. Par contre, dorénavant, je compte sur toi pour me protéger, si elle tente encore de me sauter dessus. Tu as intérêt à faire mieux qu'avec Kellye la Redoutable.

— Un jour, je lui balancerai à la figure tout ce que je pense d'elle – à Linda, pas à Kellye. Si elle a le culot de venir au mariage de Mac et qu'elle essaie de faire une scène, je risque de sortir les griffes.

— Je pourrais assister au spectacle ?

Emma posa la tête sur son épaule.

— C'est décidé, demain, j'appelle ma mère pour lui dire à quel point elle est géniale. D'ailleurs, toi aussi, tu es super, ajouta-t-elle en l'embrassant sur la joue. C'est la première fois qu'on me porte au clair de lune.

— En réalité, le ciel est couvert.

Elle sourit.

— Pas de là où je suis.

Jack prit connaissance de ses deux cartes. Jusque-là, les soirées poker avaient tourné en sa faveur, mais la paire de deux qu'il avait à présent entre les mains lui semblait peu prometteuse. Il dit parole, et patienta pendant le premier tour de mise. Quand ce fut au Dr Rod de parler, il misa vingt-cinq dollars. À ses côtés, Mal se coucha. Del, quant à lui, suivit en jetant la même somme dans le pot. Franck, le paysagiste, s'aligna. Henry, l'avocat, se coucha. Après une courte délibération intérieure, Jack décida de suivre et ajouta ses jetons au pot.

Del brûla la carte sur le dessus du tas puis étala le flop. As de trèfle, dix de carreau, quatre de carreau.

Couleur possible ; suite également. Jack envisageait les deux. Sans oublier sa fichue paire de deux.

Il dit parole.

Rod relança la mise de vingt-cinq dollars. Carter se coucha, Del et Franck suivirent. Jack suivit. Il allait sûrement le regretter, mais il avait un bon feeling.

Del brûla une nouvelle carte et retourna la suivante. Deux de carreau. Voilà qui devenait intéressant ! Jack, qui connaissait les tactiques de jeu de Rod, dit parole. Rod misa vingt-cinq dollars et Del relança de la même somme. Franck se coucha. Jack songea à un brelan de deux. Mais il pouvait faire mieux. Son bon feeling ne le lâchait pas.

Il relança de cinquante dollars.

— Content de voir que tu n'as pas froid aux yeux. Car j'ai l'intention de gagner. Il va falloir engraisser le pot, fit Rod en souriant. Je viens juste de me fiancer.

Del leva le nez de ses cartes.

— Tu es sérieux ? On tombe comme des mouches, les gars.

— Félicitations, ajouta Carter.

— Merci. Allez, relancez de cinquante dollars. À vrai dire, rien ne me retenait de lui faire la demande. Alors, j'ai fait le grand saut. Shell veut absolument aller visiter la propriété de ta sœur pour le mariage. Tu pourrais peut-être m'obtenir un prix en tant que partenaire de poker.

— N'y compte pas. En revanche, pour les cinquante dollars, on va voir. Vu que c'est probablement ton dernier tournoi de poker et tes derniers cigares.

— Bon sang ! Non, Shell n'est pas comme ça. C'est à toi de miser, Jack.

Rod n'était pas du genre à bluffer. Tout du moins, il mentait si mal qu'on le voyait venir à des kilomètres. Il avait peut-être une paire d'as dans son jeu. Ou alors une paire de carreaux. Cependant…

— Je te suis. Prends-le comme mon cadeau de fiançailles.

— J'apprécie. On voudrait faire ça en juin, l'année prochaine. Shell veut la totale. Moi, j'avais pensé m'évader sur une île pendant l'hiver, faire le plein de soleil, prendre quelques vagues et nous marier. Mais elle, elle veut le grand jeu.

— Voilà comment on commence, dit Malcolm sur un ton funèbre.

— Carter, vous ne faites pas non plus les choses à moitié avec Mac ?

— Mac est du métier. Elles font un travail de pro. Elles font de chaque mariage un moment unique. Sur mesure.

— Ne te prends pas la tête, intervint Malcolm à l'adresse de Rod. De toute façon, tu n'auras pas ton mot à dire dans l'histoire. Tout ce qu'il faut, c'est que tu t'entraînes à répéter : « Oui, chérie » dès qu'elle te demande si tu aimes un truc, ou dès qu'elle fixe son choix.

— Qu'est-ce que tu en sais ? Tu n'as jamais passé le cap.

— J'ai failli. Mais je n'ai pas su dire assez de : « Oui, chérie ». Heureusement pour moi.

— Moi, je suis impatient de me marier, répliqua Rod en ajustant ses lunettes sur son nez. D'être enfin installé, posé. J'imagine que toi aussi, Jack, tu te diriges dans ce sens.

— Quoi ?

289

— Ça fait un petit bout de temps que tu sors avec la jolie fleuriste. Que tu n'es plus sur le marché.

Del serra son cigare entre les dents.

— On joue ou poker ou quoi ? Allez, plus que trois joueurs pour la rivière.

Del retourna la dernière carte du tableau, mais Jack était trop occupé à fixer Rod pour s'en soucier. C'était le dernier tour de mise.

— Tapis.

— Intéressant, Rod, dit Del en tirant sur son cigare. Je relance. Et toi, Jack ? Tu suis ou tu préfères te coucher ?

— Comment ?

— C'est à ton tour de parler, mon ami.

— D'accord.

« Plus sur le marché » ? Que voulait-il dire ? Il prit une lente gorgée de bière et s'obligea à se concentrer sur la partie. À ce moment-là, il vit que la carte rivière était un deux de cœur.

— Je vous suis.

— À moi le jackpot ! s'écria Rod.

— Pas si vite, lui lança Del en retournant ses cartes. Regarde mes deux beaux carreaux. Suite royale.

— Enfoiré. Je pensais que tu jouais les dix.

— Mauvaise pioche. Et toi, Jack ?

— Pardon ?

— Jack, nom d'un chien ! Montre-nous tes cartes.

— Désolé les mecs, vraiment. Car j'ai ces deux petits deux, ce qui en fait quatre avec ceux du tableau. Et voilà comment je remporte le pot !

— Tu as pêché le quatrième dans la rivière, commenta Rod en secouant la tête. Quel veinard !

— Eh oui ! Un sacré veinard !

Quand Jack eut empoché les cinquante dollars de chaque participant, il se rendit avec Del sur la terrasse à l'arrière du bâtiment.

— Je vois que tu t'es resservi une bière. Tu as donc l'intention de crécher ici, cette nuit ?

— Peut-être bien, répondit Jack.

— Dans ce cas, c'est toi qui fais le café demain matin.

— J'ai une réunion aux aurores. Alors le café sera prêt vers six heures.

— Ça me convient. J'ai un dépôt de requête de divorce. Je déteste quand un ami me force à m'occuper de son cas. C'est ce que j'exècre le plus dans mon boulot.

— Qui ça ?

— Tu ne la connais pas. On se fréquentait par intermittence au lycée. Elle a fini par épouser un gars et est partie s'installer à New Haven il y a environ cinq ans. Deux enfants.

Tout en secouant la tête, il but une gorgée de bière.

— Ils ont décidé qu'ils ne pouvaient plus se voir en peinture. Elle est revenue vivre dans le coin, chez ses parents, le temps de retomber sur ses pattes. Du coup lui, il l'a mauvaise, car la distance complique les droits de visite. Quant à elle, elle est dégoûtée parce qu'elle estime avoir mis sa carrière de côté pour élever ses enfants. Elle pense qu'il ne la traitait pas à sa juste valeur ; et lui il considère qu'elle ne se rendait pas compte du poids qu'il avait sur les épaules. Typique.

— Tu n'avais pas dit que tu ne traiterais plus les divorces ?

— Quand une femme à qui tu as tripoté les seins dans ta jeunesse réapparaît dans ton bureau en te suppliant de l'aider à divorcer, tu ne fais pas la fine bouche.

— Je te fais confiance sur ce point. Ça ne m'arrive pas tous les jours dans mon boulot.

291

Del lui lança un sourire satisfait par-dessus sa bouteille de bière.

— Il se pourrait que j'aie tripoté plus de seins que toi dans ma carrière.

— Tu paries ?

— À partir du moment où tu peux te rappeler le nombre exact de poitrines que tu as caressées, c'est que tu n'en as pas connu assez.

Jack éclata de rire et se renversa dans sa chaise.

— Nous devrions aller à Las Vegas.

— Pour les poitrines ?

— Pour Las Vegas ! Un ou deux jours au casino, avec en prime un club de strip-tease. Donc, en effet, les poitrines seraient au programme. Juste histoire de flâner pendant deux jours.

— Tu détestes Las Vegas.

— C'est un grand mot. Non, j'ai une meilleure idée : Saint Barthélémy ou Saint Martin. Ou ailleurs, peu importe l'endroit à partir du moment où on peut jouer de l'argent au casino, écumer les plages et pêcher au gros.

Del écarquilla les yeux.

— Tu veux pêcher maintenant ? Si je ne m'abuse, tu n'as jamais ne serait-ce que tenu une canne à pêche de ta vie.

— Il y a un commencement à tout.

— Tu as la bougeotte ?

— J'ai seulement envie de prendre l'air pendant quelques jours. L'été arrive. J'ai été coincé au travail tout l'hiver. Et je ne te parle même pas du séjour de ski à Vail, qui s'est soldé par trois jours au lieu de sept. On peut rattraper le coup sans plus attendre.

— Un week-end prolongé me semble envisageable.

— Parfait. On organise ça, conclut Jack, satisfait, en avalant une gorgée de bière. Bizarre, ce qui arrive à Rod.

— Qu'est-ce que tu veux dire ?

— Ses fiançailles. Qui l'eût cru !

— Ça fait environ deux ans qu'il est casé avec Shelly. Il fallait s'y attendre.

— Voyons, il n'a jamais évoqué l'idée d'un mariage. Je ne pensais pas que c'était son genre. Contrairement à un type comme Carter, j'entends, qui aime le train-train quotidien : rentrer à la maison après le boulot, enfiler les charentaises.

— Les charentaises ?

— Tu vois où je veux en venir. Rentrer chez soi, câliner le chat à trois pattes, regarder la télé, et éventuellement sauter Mac si l'humeur s'y prête.

— Jack, tu sais que j'évite d'associer Mac au sexe.

— Se lever de bon matin, recommencer la routine, continua Jack sur un ton qui frisait la diatribe. Faire un ou deux gosses en route – peut-être même adopter un chien borgne pour tenir compagnie au chat estropié. Mais, à cause des bambins qui ne te lâchent plus d'une semelle, c'en est fini des parties de jambes en l'air avec ta femme. Adieu aussi pêche en haute mer et clubs de strip-tease. Bonjour mini-van, après-midi cauchemardesques au centre commercial, allers-retours à la garderie, et épargne pour la fac. Bon sang ! s'exclama-t-il avec désespoir. À quarante ans, tes rêves de succès sont derrière toi, tu entraînes l'équipe de base-ball des gosses de ton quartier, tu as la rage, tu n'as plus le temps d'aller à la gym parce qu'il faut aller faire le plein au supermarché. En un battement de cils, tu as la cinquantaine bien tassée, et te voilà affalé dans ton fauteuil réglable devant un épisode des *Experts*.

Pendant quelques instants, Del ne pipa mot, occupé à dévisager son ami.

— Intéressant récapitulatif de ce qui attend Carter dans les vingt années à venir. J'espère au moins qu'un de leurs enfants portera mon nom.

— C'est à ça qu'il faut s'attendre, hein ?

Quel était ce sentiment de panique qui s'emparait de lui. Il ferait mieux de ne pas penser à tout cela.

— La bonne nouvelle pour toi, c'est que Mac ne viendra pas te supplier de te charger de son divorce. Car ça va sûrement bien coller entre eux. En plus, elle n'est pas du genre à péter un câble parce qu'il fait une soirée poker entre amis ou même à lui reprocher de ne jamais la sortir.

— Par contre, c'est le genre d'Emma ?

— Comment ? Je ne suis pas en train de parler d'Emma.

— Vraiment ?

— Non, rétorqua Jack qui prit une profonde inspiration, choqué par son propre babillage. Tout marche comme sur des roulettes avec Emma. Il n'y a rien de personnel dans mes paroles.

— De manière générale, si je te suis bien, le mariage se résume à un mini-van et à un fauteuil réglable ; c'est la fin de la vie de célibataire, telle que nous la connaissons ?

— Il pourrait aussi se résumer à un La-Z-Boy et un break. Tu verras, ça va redevenir branché. D'accord, ce genre de schéma conviendra parfaitement à Mac et Carter. Et tant mieux pour eux. C'est une situation que beaucoup de gens auraient du mal à gérer.

— Tout dépend de la dynamique du couple.

— Elle peut changer.

N'était-ce pas ce qui s'était produit avec ses parents, sans crier gare ? Une famille unie devenue deux entités séparées du jour au lendemain. Sans raison, sans logique aucune. Or, ne disait-on pas que la plupart des couples – tout du moins la moitié – subissaient ce funeste sort ?

— C'est pour ça que tu poses une requête de divorce demain, reprit Jack, d'une voix plus calme, en haussant les épaules. Les gens changent, les mentalités évoluent.

— Bien sûr qu'ils changent. Néanmoins, ceux qui y croient assez fort font en sorte de surmonter les obstacles.

Décontenancé, et profondément agacé, Jack jaugea Del.

— Alors, monsieur est devenu un fervent défenseur du mariage ?

— Je ne m'y suis jamais opposé. Après tout, je viens d'une longue lignée de couples mariés. Il faut sûrement beaucoup de courage et de foi pour sauter le pas, et davantage d'efforts et de souplesse pour que ça dure. Étant donné les familles où ont grandi Carter et Mac, j'aurais tendance à penser que c'est elle qui a le courage et lui la foi. Bonne combinaison.

Del se tut, but une gorgée de bière, puis reprit :

— Es-tu amoureux d'Emma ?

Le sentiment de panique refit surface. Pour le chasser, Jack se désaltéra.

— Je t'ai déjà dit qu'il ne s'agissait pas d'elle.

— Tu mens, Jack. Allons ! Tu viens de sortir triomphant du tournoi de poker alors que moi, j'ai fini dernier. Mais au lieu de me mettre en boîte, tu te lances dans une longue diatribe sur le mariage et la pêche en haute mer. Deux sujets qui ne t'ont jamais vraiment passionné.

— Nous tombons comme des mouches. Ce sont tes propres mots.

— Oui, et c'est le cas. Ça fait bientôt quatre ans que Tony est marié ; Franck a sauté le pas l'année dernière ; Rod est fiancé, tout comme Carter. Quant à moi, je n'ai pas l'ombre d'une relation sérieuse en ce moment, et Malcolm non plus, à ce que je sache. Et enfin, il reste Emma et toi. Après la petite annonce de Rod, ce soir, j'aurais été étonné que tu ne montes pas au créneau.

— Je commence à me poser des questions sur ses attentes. Rien de plus. Après tout, elle bosse dans le milieu du *mariage*.

— Elle organise des *cérémonies*, nuance.

— Si tu préfères. En revanche, elle vient d'une famille nombreuse ; une grande famille très unie et très heureuse. Or, même si tu distingues cérémonie et mariage, l'une entraîne forcément l'autre. Une de ses meilleures amies d'enfance est sur le point de se marier. Tu les connais toutes les quatre, Del. Tu sais comment elles fonctionnent. Elles sont comme les doigts de la main. S'ils remuent individuellement, ils sont tous rattachés à la même paume. Et bien que Parker et Laurel soient encore sur la touche, Mac fait changer la donne. Et voilà qu'un de mes potes de poker va devoir parler préparatifs de mariage avec elles. La roue tourne.

Sa bière à la main, il gesticulait dans tous les sens.

— Alors si moi j'y pense, tu peux mettre ta main au feu que ça la titille aussi.

— Tu ferais mieux d'en parler avec elle.

— Surtout pas ! Rien de pire que d'en parler pour mettre le feu aux poudres et lui donner des idées.

— Ou alors, ça pourrait aussi vous permettre d'éclaircir la situation. De quel côté penches-tu, Jack ?

— Qu'est-ce que je suis supposé faire ?

— Sois sincère avec elle.

— Je ne sais pas. À ton avis, qu'est-ce qui me fait paniquer ?

— C'est à toi de voir. Tu n'as toujours pas répondu à la vraie question : es-tu amoureux d'elle ?

— Comment suis-je censé le savoir ? Et comment être sûr que les sentiments durent ?

— Le courage, la foi, si tu en as. Mais d'après ce que je constate, Jack, tu es la seule personne à te mettre la pression. Songes-y.

— Hors de question de la blesser ou de la laisser tomber.

— Il vaut mieux que ça n'arrive pas, répliqua Del avec détachement. Autrement, je serai dans l'obligation de te botter le derrière.

— Essaie un peu, et c'est toi qui te prendras un coup de pied aux fesses.

La soirée s'acheva sur une note gaie, les dernières bières mêlées aux taquineries les plus grivoises.

Pour surveiller de près le chantier du studio, Jack s'efforçait d'y faire un saut tous les jours. De là, il avait une vue imprenable sur la routine de Mac et Carter.

Chaque matin, par la fenêtre de la cuisine, il les apercevait, l'un occupé à nourrir le chat, l'autre à verser le café. Jusqu'à ce que Carter file à l'école, sa sacoche sous le bras, et Mac au studio.

S'il arrivait à Jack de passer dans l'après-midi, il voyait Carter sortir du bâtiment principal pour se diriger vers le pavillon de billard, mais jamais, au grand jamais, quand Mac recevait un client. Ce type-là devait être équipé d'un sonar.

Parfois, l'un des deux sortait pour le saluer et lui poser des questions sur l'évolution des travaux ; on lui proposait alors un café ou un soda, en fonction de l'heure où il faisait son apparition.

Fasciné par leur rythme de vie, Jack n'hésita pas à arrêter Carter un beau matin.

— L'école est donc finie ?

— Oui, les grandes vacances ont commencé.

— J'ai remarqué que tu allais au bâtiment principal presque tous les jours.

— Le studio est très fréquenté en ce moment. Et trop bruyant à mon goût, ajouta-t-il en lorgnant du côté d'où provenaient les grondements des scies électriques et les martèlements des pistolets à clous. J'enseigne à des

297

adolescents, autant dire que j'ai l'habitude du chahut ! Pourtant, je me demande comment Mac fait pour travailler au milieu de ce tintamarre de tous les diables.

— Qu'est-ce que tu fiches toute la journée ? Tu prépares des interros surprises pour la rentrée ?

— Non, l'un des avantages de mon travail, c'est que tu peux ressortir les mêmes interrogations à volonté. J'en ai un classeur entier.

— Et donc ?

— J'ai transformé une chambre d'amis en bureau temporaire. J'y suis au calme, et Mme Grady me fait de bons petits plats.

— Tu étudies ?

Quelque peu embarrassé, Carter dansa d'un pied sur l'autre.

— Comment dire… Je travaille en quelque sorte sur un livre.

— Sérieux ?

— Ce n'est sûrement pas très sérieux, en fait, mais je me suis quand même donné l'été pour voir.

— C'est une grande nouvelle. Comment fais-tu pour savoir que les clients sont partis ? C'est elle qui t'appelle pour te dire que la voie est libre ?

— Elle essaie de caser le maximum de séances photo dans la matinée, tout en s'arrangeant pour recevoir les clients dans la maison principale si le chantier est en cours. Pour ne pas la déranger en plein travail, je consulte son agenda en début de journée. C'est une méthode simple et efficace.

— Apparemment, ça fonctionne.

— Je ne m'attendais pas à ce que les travaux commencent si tôt, reprit Carter en désignant le studio. Les changements sont visibles de jour en jour.

— Tant que le temps joue en notre faveur, et que les inspections de chantier passent, ça avancera à une bonne allure. L'équipe est compétente. Sans doute... Ah, désolé, dit-il quand son portable sonna.

— Vas-y, réponds. De toute façon je dois me mettre en marche.

Comme Carter s'éloignait, il sortit le téléphone de sa poche.

— Cooke à l'appareil. Oui, je suis sur le chantier Brown, répondit-il en s'écartant du bruit. Non, on ne peut pas se contenter de... D'accord, si c'est ce qu'ils veulent, il faudra modifier les plans et présenter un nouveau permis de construire.

Il fit quelques pas le téléphone collé à l'oreille. Ses visites quotidiennes lui permettaient également d'avoir un aperçu de la routine d'Emma. En début de semaine, les clients défilaient, les visites étant réglées comme sur du papier à musique. Puis arrivaient les commandes à partir du mercredi. Des cartons de fleurs à n'en plus finir. En ce moment même, elle devait être occupée à les défaire. Elle commençait le travail seule, dès potron-minet, puis Tink ou une autre fleuriste venait lui donner un coup de main dans la journée.

Vers midi, quand elle en avait le temps, elle prenait une pause à l'arrière de la maison, dans le patio, où elle s'étendait. Si Jack se trouvait alors sur le chantier, il la rejoignait pour bavarder quelques minutes. Comment résister au spectacle d'Emma prenant un bain de soleil ?

Et voilà qu'il tombait sur elle ! Non pas installée dans son patio, mais agenouillée dans les plantes, les cheveux retenus en queue de cheval sous un chapeau, un plantoir à la main, occupée à retourner la terre.

— Dis-leur que ça prendra deux à trois semaines, signifia-t-il à son interlocuteur. Je serai au bureau dans deux heures. Pas de problème. À plus tard.

Au son de sa voix, Emma se retourna, inclina son chapeau et lui sourit. Il raccrocha puis contempla le parterre de fleurs.

— Tu n'as pas déjà assez de fleurs ?

— Jamais. J'ai eu envie de planter davantage de plantes annuelles sur le devant. C'est un beau spectacle à offrir aux regards depuis les terrasses, lors des réceptions.

Il s'accroupit pour l'embrasser.

— Tu es déjà un beau spectacle à toi toute seule. Je pensais te trouver dans ton atelier.

— Je n'ai pas pu résister. Et ça ne va pas me prendre longtemps. Je finirai après le travail s'il le faut.

— Tu as quelque chose de prévu ce soir ?

Elle lui lança un regard provocateur par-dessous le chapeau.

— Tout dépend de ton offre.

— Que dirais-tu d'un dîner à New York ? Un endroit où les serveurs ont un ego surdimensionné, et où les plats sont hors de prix. Mais je ne verrai rien de tout ça, tant ta beauté me subjuguera.

— Eh bien, je te répondrai que je suis libre comme l'air après le boulot.

— Super. Je passe te prendre à sept heures.

— Je serai prête. Et puisque tu es là, fit-elle en l'embrassant avec ardeur, voilà qui devrait te permettre de patienter jusqu'à ce soir.

— Prévois un sac.

— Pardon ?

— Prends de quoi passer la nuit à New York. Je vais réserver une suite à l'hôtel. Histoire de faire durer la soirée.

— Tu es sérieux ? demanda-t-elle en dansant sur place. Si tu me donnes dix secondes, je peux même faire mon sac sur-le-champ.

— Je prends ça pour un oui.

— Par contre, demain matin, je dois rentrer tôt.

— Moi aussi, dit-il en prenant son visage pour l'embrasser. Voilà qui devrait te permettre de tenir jusqu'à ce soir.

Ravi de son idée et de la réaction d'Emma, il se leva et sortit son portable pour appeler son assistante afin de faire les réservations nécessaires.

17

— Et moi qui me vantais de pouvoir faire mon sac en moins de dix secondes. Quelle menteuse !

Propre comme un sou neuf, le corps délicatement oint et parfumé de crème, Emma se chargeait à présent de son bagage.

— Pas besoin de penser aux vêtements que je porterai demain ; par contre, ceux de ce soir...

Elle se tourna et brandit une nuisette de satin blanc à l'intention de Parker.

— Qu'en penses-tu ?

— Elle est magnifique, répondit Parker qui s'approcha pour apprécier la finition du corsage en dentelle. Quand l'as-tu achetée ?

— L'hiver dernier. Je n'ai pas pu résister. Je m'étais dit que je la porterais pour moi, sans occasion particulière. Évidemment, je n'en ai rien fait. Elle va de pair avec ce petit déshabillé. Je n'ai rien contre les peignoirs luxueux de l'hôtel, mais je préfère le mien, plus romantique. Or, je sens que je serai d'humeur après le dîner.

— Dans ce cas, c'est parfait.

— Je ne sais même pas où il m'emmène. J'adore ce sentiment d'être kidnappée, ajouta-t-elle en tournoyant puis en déposant la nuisette dans son sac. J'ai envie de champagne, de bougies et d'un énorme dessert. Je veux qu'il me regarde dans les yeux à la lueur des bougies et qu'il me déclare sa flamme. Impossible de m'empêcher d'en rêver.

— Tu dis ça comme si c'était mal.

— Parce que je devrais me contenter de ce que j'ai : un homme qui m'enlève pour passer une soirée de rêve en sa compagnie. Ça devrait me suffire, non ?

Tandis qu'Emma réunissait ses affaires, Parker se glissa derrière elle et lui massa les épaules.

— Non, pas si tu te sens frustrée.

— Je ne crois pas. J'essaie simplement d'adapter mes attentes, vu que ça m'a rendue malheureuse. Je vais suivre à la lettre le plan que je m'étais fixé au départ : profiter un max et prendre ce qui m'est donné. Ça fait tellement longtemps que je suis amoureuse de lui… mais c'est la vie. En réalité ça ne fait que deux mois que nous sortons ensemble. Il n'y a pas le feu au lac.

— Depuis que je te connais, tu as toujours opté pour la franchise. Alors pourquoi redoutes-tu de parler à Jack ?

Emma ferma son bagage.

— Et s'il n'est pas prêt à entendre ce que j'ai à lui dire, s'il prend peur et veut qu'on redevienne amis ? Non, merci. Je ne pourrais pas encaisser ça. Je n'ai pas l'intention de risquer notre relation. Tout du moins pas encore. Je vais profiter de la soirée en évitant à tout prix de compliquer la situation.

Elle regardait Parker droit dans les yeux.

— Zut ! Il faut que je m'habille. Bon, je serai de retour demain vers huit heures – huit heures et demie au plus tard. Mais si, pour une raison ou une autre, nous sommes coincés dans les embouteillages…

— J'appellerai Tink, je la tirerai du lit par la force – je sais y faire – et lui dirai de réceptionner la livraison et de commencer la préparation des fleurs.

— Voilà, acquiesça Emma qui enfilait une robe en gesticulant. Mais normalement, je serai de retour à temps.

Elle tourna son dos vers Parker pour que cette dernière remonte la fermeture de sa robe.

— J'adore cette couleur citron. Malheureusement, elle me donnerait le teint cireux, tandis qu'à toi, elle te donne une mine rayonnante. Profites-en bien !

Elle prit Emma dans ses bras.

Vingt minutes plus tard, Jack frappait à sa porte. Quand elle ouvrit, il l'admira puis la gratifia d'un large sourire.

— Il y a longtemps que j'aurais dû avoir cette idée ! Tu es belle à couper le souffle !

— Tu me trouves assez bien pour des serveurs collets montés et des plats hors de prix ?

— Trop bien pour eux, répliqua-t-il en embrassant le poignet auquel brillait le bracelet qu'il lui avait offert.

Malgré les embouteillages, le voyage en voiture jusqu'à New York lui parut féerique. Au fur et à mesure que la lumière du jour s'estompait, on pressentait la douceur de la nuit qui tombait.

— J'aimerais venir plus souvent en ville, pour faire les magasins, rendre visite aux fleuristes et flâner sur les marchés. Mais les occasions sont rares. Du coup, chaque excursion s'avère d'autant plus excitante.

— Tu ne m'as même pas demandé où nous allions.

— Peu m'importe. Surprends-moi ! J'adore la spontanéité. Ça change de mon quotidien où tout est réglé comme sur du papier à musique. En ce moment même, j'ai l'impression d'être en mini-vacances. Il faut que tu me promettes de m'offrir du champagne !

— Tout ce qui te fera plaisir.

La voiture se rangea, et elle leva les yeux pour admirer avec surprise l'hôtel Waldorf.

— Tu es un homme plein de surprises. Quelle idée géniale !

— Je pensais que le côté traditionnel ne te déplairait pas.

— Tu as vu juste.

Pendant que le groom se chargeait de leurs bagages, ils attendirent sur le trottoir devant l'hôtel, main dans la main.

— Merci d'avance pour la merveilleuse soirée en perspective.

— Je t'en prie. Attends-moi ici. Je vais chercher les clefs à la réception et vérifier qu'ils montent bien les bagages. Le restaurant n'est qu'à trois rues d'ici.

— On y va à pied ? L'air est tellement doux.

— Bien sûr. Je reviens tout de suite.

Elle patienta dans l'entrée, s'amusant à faire du lèche-vitrines, à détailler les compositions florales, à regarder les gens entrer et sortir. Jusqu'à ce qu'il la rejoigne et caresse sa chute de reins.

— On y va ?

— Allons-y, répliqua-t-elle en lui prenant la main. Une de mes cousines s'est mariée au Waldorf – bien avant la création de Vœux de Bonheur, il va sans dire. Une célébration dans les règles de l'art, énorme, officielle et très branchée, comme nous savons si bien le faire chez les Grant. J'avais quatorze ans, et ça m'a beaucoup impressionnée. Je me souviens encore des fleurs. Des roses jaunes à foison. Ils avaient dû embaucher une armée de fleuristes pour l'occasion. Si j'en ai un tel souvenir, c'est que ça en valait la peine.

Elle lui sourit.

— Et toi ? Tu as déjà été marqué par un bâtiment en particulier ?

— Plusieurs même. Cependant, celui qui m'a le plus impressionné, à ce jour, est le domaine des Brown.

— Vraiment ?

306

— Dans la ville où j'ai grandi, à Newport, ce n'était pas ça qui manquait : des tas de domaines aux architectures incroyables. Mais celui des Brown se détache nettement du lot. L'équilibre, la grandeur et l'élégance qui se dégagent de l'architecture, mêlés à une touche d'excentricité.

— C'est tout à fait cela. Élégance et originalité.

— C'est un domaine plein de vie. Quand on pénètre dans le bâtiment principal, on sent immédiatement que les gens qui y vivent aiment les lieux et les chérissent. C'est de loin mon endroit favori à Greenwich.

— Et le mien.

Il s'arrêta devant l'entrée d'un restaurant et lui ouvrit la porte. À l'instant précis où elle y pénétra, elle sentit toute la pression se relâcher. Le calme régnait dans l'air.

— Beau travail, monsieur Cooke.

Le maître d'hôtel s'inclina devant eux.

— *Bonjour mademoiselle. Monsieur*[1].

— Cooke, dit Jack à la façon pince-sans-rire de James Brown qui manqua de faire rire Emma. Jackson Cooke, précisa-t-il.

— Monsieur Cooke, *bien sûr*, veuillez me suivre, je vous prie.

Il les conduisit à travers une salle où étaient exposés des bouquets de fleurs élaborés, où luisaient des bougies et où brillaient du cristal et de l'argent sur des nappes d'un blanc immaculé. On leur offrit un siège avec force politesses, puis on leur proposa un cocktail.

— Mademoiselle préférerait boire du champagne.

— Parfait. Je vais en informer le sommelier. Passez une excellente soirée.

— Je suis déjà aux anges, dit Emma.

— Tu as attiré tous les regards sur ton passage.

---

1. En français dans le texte (*N.d.T.*).

Elle se contenta de lui sourire – d'un sourire plein de sensualité.

— Nous formons un beau couple.

— Il n'y a pas un seul homme, dans cette salle, qui ne m'envie.

Le sommelier s'approcha de leur table.

Quand il eut choisi une bouteille qui rencontra l'approbation solennelle du sommelier, Jack posa sa main sur celle d'Emma.

— Où en étais-je ?

— Tu me couvrais de compliments.

— J'aime ta compagnie. Tu apportes de la couleur à mon morne quotidien.

Emma sentit son cœur battre la chamade.

— Raconte-moi la fin de ta journée, fit-elle.

— Eh bien, il semblerait que j'aie percé à jour le secret de Carter.

— Il cachait donc quelque chose ?

— Que fait-il de ses journées ? Où se rend-il ? se lança Jack qui lui fit part de ses observations sur la routine du studio. Quand je passe, c'est toujours en coup de vent, reprit-il. Mais ça peut être à n'importe quel moment de la journée. J'ai donc eu l'occasion de l'épier à différents stades.

— Et qu'est-ce que tu en as conclu ?

— Pas de conclusions, juste des théories. S'éclipsait-il chez Mme Grady avec qui il entretenait une aventure torride ? Ou alors s'adonnait-il à la spirale infernale des jeux de paris sur internet ?

— Pourquoi pas les deux à la fois ?

— Pourquoi pas, en effet. Carter est une fine lame.

Jack s'interrompit pour examiner l'étiquette de la bouteille qu'on lui présentait.

— Mademoiselle va goûter.

Pendant que l'on débouchait la bouteille, il se pencha plus près d'Emma.

— Imagine un peu, pendant ce temps-là, notre chère Mackensie se tuant à la tâche, insouciante et confiante. Se pouvait-il que Carter Maguire, l'innocent, l'affable Carter, cache un secret si honteux ? Il fallait que je tire les choses au clair.

— Tu t'es déguisé et tu l'as épié jusque dans la maison ?

— Ça m'a traversé l'esprit. Mais j'ai rejeté l'idée aussi sec.

Le sommelier versa un fond de champagne dans la flûte d'Emma. Elle trempa les lèvres, fit une pause, puis gratifia l'homme d'un large sourire.

— C'est très bon. Je vous remercie.

— Tout le plaisir est pour moi, mademoiselle, répondit le sommelier en finissant de remplir la flûte. Je vous souhaite d'en savourer chaque goutte. Monsieur.

Il replongea la bouteille dans le seau et s'éloigna en s'inclinant.

— Revenons à nos moutons. Comment as-tu résolu l'énigme Carter ?

— J'ai mis au point une stratégie très ingénieuse : je lui ai posé la question.

— Diabolique, en effet.

— Il écrit un livre. Ce que tu savais déjà, j'imagine.

— Je les vois presque tous les jours. Mac me l'a dit. Mais j'admets que ta méthode était plus drôle. Ça fait des années qu'il travaille dessus, quand il en a le temps. Mac l'a poussé à s'y remettre cet été, au lieu de donner des cours particuliers. Je trouve qu'il écrit bien.

— Tu as lu son livre ?

— Non, pas celui sur lequel il travaille, mais des nouvelles et des essais qui ont déjà été publiés.

309

— C'est vrai ? Il n'en a jamais parlé. Une autre énigme Carter.

— Il y a toujours une facette cachée à découvrir. On ne connaît jamais complètement quelqu'un.

— Ce dont nous sommes la preuve vivante.

Son visage s'illumina, puis elle porta la flûte à ses lèvres.

— Sans doute.

— Les serveurs ne sont pas assez prétentieux. Tu les as charmés, maintenant ils font tout pour te plaire.

Emma prit une maigre cuillerée du soufflé au chocolat qu'elle avait commandé pour eux deux.

— Je crois au contraire qu'ils ont trouvé le parfait degré de snobisme, dit-elle faisant disparaître le gâteau dans sa bouche, ce qui provoqua un gémissement de plaisir qui valait tous les discours. Mon Dieu ! Ce fondant est comparable à celui de Laurel, qui est pour ainsi dire le meilleur gâteau que j'aie jamais goûté.

— « Goûté » est le mot juste. Tu ne pourrais pas simplement le manger ?

— Je déguste, rétorqua-t-elle en découpant une autre portion microscopique. Tu oublies que nous avons enchaîné cinq plats ! ajouta-t-elle en levant sa tasse de café. Ah ! J'ai l'impression d'avoir passé la soirée à Paris.

De ses doigts, il effleura la main d'Emma. Elle ne portait jamais de bagues. Sans doute à cause de son travail ; et aussi parce qu'elle ne voulait pas attirer l'attention sur cette partie de son anatomie. Dommage, car elle avait des mains qu'il trouvait fascinantes.

— Tu y es déjà allée ?

— À Paris ? demanda-t-elle en savourant une nouvelle miette de soufflé. Une fois, mais j'étais trop petite pour m'en souvenir ; il y a une photo de ma mère avec ma poussette sur les Champs-Élysées. J'y suis retournée à l'âge de treize ans, avec Parker, Laurel, Mac et Del. À la dernière minute, Linda avait décidé que Mac ne partirait pas, sous prétexte qu'elle avait fait une bêtise. Ce fut un coup dur. Heureusement, la mère de Parker est allée lui parler et a arrangé la situation. Nous n'avons jamais su comment. Le plus beau souvenir de notre vie, ce voyage. Quelques jours à Paris suivis de deux semaines incroyables en Provence. Et toi ?

— Deux fois. Avec Del, nous sommes partis, sac au dos, faire le tour de l'Europe, à la fin de notre première année de fac. Une sacrée expérience !

— Je m'en souviens. Toutes les cartes postales, les photos, les e-mails poilants envoyés depuis des cybercafés. Nous avions prévu de le faire aussi toutes les quatre, et puis les parents de Parker sont décédés… Parker a noyé son chagrin dans le projet Vœux de Bonheur. Du coup, nous n'avons jamais concrétisé le voyage.

Elle se renversa sur le dossier de sa chaise.

— Je ne pourrai pas avaler une bouchée de plus.

Il fit signe au serveur de lui apporter l'addition.

— Surprends-moi, dit-il.

— Pardon ?

— Apprends-moi quelque chose sur toi que j'ignore.

— Voyons voir… Je sais ! Tu n'as sûrement pas connaissance du fait que j'ai été championne d'orthographe du comté de Fairfield.

— Tu me charries ?

— Non. J'ai même été jusqu'au concours national. Là, j'étais à deux doigts de gagner, quand j'ai été éliminée. Sous la pression, j'ai commis une erreur. Par contre, je reste imbattable au Scrabble.

— Je préfère les maths.

Elle se pencha vers lui.

— À ton tour. Surprends-moi.

Il glissa sa carte de crédit dans l'étui en cuir discrètement placé près de son coude.

— Attention, c'est presque aussi palpitant que le championnat d'orthographe.

— À moi d'en juger.

— J'ai interprété le rôle de Curly dans la comédie musicale *Oklahoma !* mise en scène par mon lycée.

— Je t'ai déjà entendu chanter. Tu te débrouilles bien. Par contre, j'ignorais que le théâtre te branchait.

— Pas du tout. Je l'ai fait pour plaire à Zoe Malloy, qui jouait le rôle de Laurey. J'étais raide dingue de cette fille. J'ai donné tout ce que j'avais dans le ventre pour la chanson *The Surrey with the Fringe on Top*, et j'ai décroché le rôle.

— Et tu as eu Zoe ?

— Oui. L'histoire de quelques semaines mémorables. Ensuite, contrairement à Curly et Laurey, on s'est séparés. Ce qui a mis fin à ma carrière de comédien !

— Je parie que le rôle de cow-boy t'allait comme un gant.

Il lui lança un sourire malicieux.

— Zoe serait sûrement d'accord.

L'addition réglée, il se leva et lui offrit sa main.

— Marchons jusqu'à l'hôtel, dit-elle en entrelaçant ses doigts aux siens. Je suis sûre que l'air est agréable.

Une nuit douce et étincelante au point qu'une lueur enveloppait les voitures prises dans les embouteillages de fin de soirée. Ils flânèrent quelque temps de par les rues, jusqu'à l'entrée principale de l'hôtel.

Les gens allaient et venaient dans leur costume de travail, en jean, ou bien en tenue de soirée.

— Une vraie ruche, commenta Emma. Comme dans un film, sauf que là, il n'y a personne pour dire « couper ».

312

— Tu veux boire un dernier verre avant de monter ?

— Hum, non. Je suis déjà comblée.

Ils prirent l'ascenseur. Une fois seuls dans la cabine, elle se blottit dans ses bras et leva les yeux vers les siens. Le rythme de son cœur augmentait au fur et à mesure que l'ascenseur gravissait les étages.

Quand elle ouvrit la porte de la suite, elle fut accueillie par un éclairage tamisé. Sur la table drapée d'une nappe blanche, dans un seau à glace, se trouvait une bouteille de champagne. Dans un vase uniflore, une simple rose s'épanouissait, tandis que le reste de la pièce baignait dans la demi-lumière vacillante des bougies, disposées çà et là dans de petits bocaux transparents. Dans l'air s'élevait une douce musique de fond.

— Jack !

— Mais comment tout ceci est-il arrivé dans notre chambre ? C'est un mystère !

Elle éclata de rire et posa les mains sur son visage.

— Mon « super rencard » s'est soudain transformé en « soirée de rêve ». C'est génial. Comment t'y es-tu pris ?

— J'ai fait en sorte que le serveur prévienne l'hôtel au moment de payer l'addition. Je sais aussi m'organiser !

— Eh bien, j'apprécie ton sens de l'organisation.

Elle l'embrassa longuement.

— J'ouvre la bouteille ?

— Sans plus attendre ! répliqua-t-elle en se dirigeant vers la fenêtre. Regarde-moi cette vue. La ville est toujours en pleine effervescence. Et regarde-nous.

Le bouchon sauta dans un bruit très sophistiqué ; Jack remplit les coupes et la rejoignit. Emma trinqua « à une organisation irréprochable ».

— Dis-m'en plus à ton sujet. Quelque chose d'inédit.

Il lui caressa les cheveux.

313

— Je pense avoir dévoilé tous mes talents cachés, répliqua-t-elle. Te sens-tu prêt à découvrir mon côté obscur ?

— Je relève le défi.

— Parfois, quand je me retrouve seule la nuit, après une longue journée de travail… tout particulièrement quand je n'arrive pas à me poser – ou que je me sens sur le point de craquer…

Elle s'interrompit pour porter la coupe à ses lèvres.

— Je devrais peut-être garder cette histoire pour moi.

— Nous sommes entre amis.

— C'est vrai. Toutefois, peu d'hommes arrivent vraiment à comprendre les besoins d'une femme. Certains ne supportent pas l'idée qu'ils sont incapables de satisfaire tous nos désirs.

Il prit une grande gorgée de champagne.

— D'accord. Je dois avoir peur ou être fasciné ?

— Un soir, j'ai demandé à un homme que je fréquentais alors de me rejoindre pour s'adonner avec moi à cette activité. Mais il n'était pas prêt. Depuis, je n'ai plus jamais proposé à personne de le faire.

— Est-ce que ça implique l'utilisation d'objets ? Je ne suis pas mauvais à ce jeu-là.

Elle secoua la tête et se dirigea vers la table pour remplir sa coupe. Puis elle leva la bouteille pour en proposer à Jack.

— Voilà comment ça se déroule : tout d'abord, je monte un grand verre de vin dans ma chambre. Puis j'allume des bougies. Je revêts une tenue confortable dans laquelle je me sens détendue et… femme. Je saute dans mon lit au milieu de tous mes coussins et oreillers. Je suis alors sur le point de me lancer dans un voyage très intime. Quand enfin je me sens prête, que je suis bien concentrée… Je branche mon DVD de *Truly, Madly, Deeply.*

— Tu regardes des films X ?

— Mais non ! répliqua-t-elle en le bousculant. C'est une comédie romantique étonnante. Juliet Stevenson est dévastée quand l'homme qu'elle aime, Alan Rickman, décède. Elle se noie dans le chagrin. Oh, c'est une histoire très triste, ajouta-t-elle, les larmes aux yeux et la gorge nouée. À chaque fois, je pleure comme une madeleine. Mais il l'aime tellement qu'il revient sous la forme d'un fantôme. C'est à la fois déchirant et hilarant. D'un romantisme inégalable.

— C'est donc ça que tu fais, la nuit, seule dans ton lit ?

— Des centaines et des centaines de fois. J'ai dû racheter le DVD à deux reprises.

Médusé, il l'observait.

— Un type mort ? Tu trouves ça romantique ?

— Il s'agit d'Alan Rickman ! Oui, dans ce cas précis, c'est extrêmement romantique. Après le film, une fois que j'ai eu pleuré toutes les larmes de mon corps, je dors comme un bébé.

— Et *Piège de cristal* ? Rickman fait aussi partie du casting. Voilà un film à regarder en boucle ! Peut-être qu'on pourrait se faire une soirée DVD un de ces quatre. On enchaînerait les deux. Si tu te sens de taille.

— Youpi !

Il lui sourit.

— Choisis ton jour, la semaine prochaine. Par contre, il faut du pop-corn. Pas question de regarder *Piège de cristal* sans pop-corn.

— Très bien. Nous verrons bien si tu es aussi dur à cuir que tu le prétends, dit-elle en lui effleurant les lèvres. Je vais enfiler quelque chose de plus léger. J'en ai pour deux secondes. Tu pourrais peut-être apporter le champagne dans la chambre ?

— Je m'en occupe.

Dans la chambre, il enleva sa veste, puis sa cravate, et se laissa aller à penser à Emma, à ses nombreuses facettes qui n'en finissaient pas de le surprendre. Sans réfléchir, il retira la rose de son vase et la posa sur l'oreiller.

Quand il la vit apparaître, à la lumière des bougies, sa mâchoire faillit se déboîter. Cette longue chevelure noire tombant en cascade sur un négligé de soie blanc. Et ces yeux, d'un brun profond, qui le perçaient à vif.

— Et toi qui parlais de soirée de rêve ?

— Je voulais apporter ma touche.

Elle s'avança vers lui, la soie du vêtement épousant les courbes de son corps, et comme elle allait l'enlacer, dans un geste qui lui était si particulier, son parfum se répandit dans les airs telle la lueur des bougies.

— Je t'ai remercié pour le dîner ?

— Je crois.

— Eh bien… reprit-elle en lui mordillant la lèvre inférieure. Merci encore une fois. Et le champagne ? Je t'ai remercié pour ça aussi ?

— Il me semble.

— Alors, juste au cas où, continua-t-elle en l'embrassant encore. Et pour les bougies, la rose, la promenade, la vue.

Son corps épousait nonchalamment celui de Jack.

— Je t'en prie.

Il l'étreignit. Bouche contre bouche, ils perdirent la notion du temps. Elle s'imprégnait de son parfum, de son odeur. Si familier et pourtant inconnu. Sa main s'égara dans ses cheveux blond foncé décolorés par le soleil, elle exerça une légère pression pour le rapprocher davantage de son visage.

Ils s'étendirent sur les draps blanc satiné, que la rose avait eu le temps de parfumer. Leurs halètements redoublèrent, leurs gestes se firent plus pressants. Elle passa la main sur le visage de Jack, dont les traits s'étaient ouverts

316

à elle. La passion s'entremêlait d'un vague sentiment d'amour.

Elle n'en désirait pas plus. Cette douceur et cette chaleur. La tête lui tournait, elle en donnait plus, toujours plus. Elle était ivre d'amour.

La sensation de sa peau contre la sienne, si chaude, lui procurait une joie intense et secrète. Son pouls s'accéléra. Jack frôla sa poitrine de ses lèvres, là où se trouvait son cœur qui battait précipitamment pour lui. Pouvait-il le sentir ? Le savait-il seulement ?

Telle une brume d'argent, elle brouillait son esprit, pétillait dans ses veines comme du champagne. Chaque geste langoureux, chaque murmure, chaque caresse le charmait, l'envoûtait.

Elle se redressa et murmura son nom. Puis elle sourit. Quelque chose remua en lui.

— Tu es tellement belle.

— Quand tu me regardes, je me sens belle.

De ses doigts, il frôla sa poitrine. Il observa la flamme qui s'allumait dans ses yeux en réaction à la vague de plaisir. S'aidant de sa langue pour faire frémir ce corps en manque, il la couvrit de baisers.

— Je te veux, murmura-t-elle, haletante, ployant sous le plaisir.

Elle l'enveloppa et le prit, et commença à bouger lentement, savourant la cadence. Vaincu, il se laissa fondre en elle.

Comblé, étendu la joue sur sa poitrine, il laissait aller son esprit.

— On pourrait faire l'école buissonnière, demain, et passer la journée ici à la place ?

— Hum, réfléchit-elle en lui caressant les cheveux. Pas cette fois. Mais l'idée est tentante.

317

— On va devoir se lever à l'aube.

— Une nuit blanche vaut parfois mieux que quelques heures de sommeil.

Il lui sourit.

— C'est très précisément ce que je me disais.

— Il serait dommage de gâcher la fin de ce champagne et ces fraises au chocolat.

— Ça serait criminel. Ne bouge pas d'ici. Je vais les chercher.

Elle s'étira et bâilla.

— Je n'ai pas la moindre intention de bouger.

18

Emma n'était pas rentrée depuis cinq minutes que Mac débarquait chez elle.

— J'ai attendu qu'il soit parti, cria-t-elle depuis l'escalier. Ça m'a demandé un effort herculéen, brailla-t-elle en rentrant dans la chambre. Tu défais ton sac. Je hais ton sens de l'organisation. Pourquoi aucune d'entre vous ne peut-elle être aussi flemmarde que moi ?

— Voyons, tu n'es pas une flemmarde. Je dirais plutôt que tu es moins maniaque que nous quand il s'agit de ton espace personnel.

— Ça me plaît. Bon, assez parlé de moi. Raconte-moi tout. J'ai abandonné mon amoureux exprès à son bol de corn flakes.

Sa robe de soirée à la main, Emma virevolta gaiement.

— C'était fabuleux. Chaque seconde de chaque minute.

— Des détails ! Des détails ! Des détails !

— Un élégant restaurant français, du champagne, et une suite au Waldorf.

— Mazette ! Il te connaît sur le bout des doigts ! Dans le genre rencard bling bling. Pour ce qui est du rencard plus décontracté, je verrais bien un pique-nique au clair de lune sur la plage, avec des bougies dans des coquillages.

Emma referma sa valise vide.

— Si seulement je sortais avec toi !

— Nous formerions un couple très assorti, acquiesça Mac en enlaçant Emma puis en étudiant leur reflet dans le miroir. Un couple étonnant, même. Eh bien, nous pouvons toujours poser une option au cas où nos relations respectives finiraient en eau de boudin.

— Il faut toujours mettre une carte de côté. Ah ! Mac, si tu savais. J'ai passé un moment exceptionnel. Nous n'avons pas fermé l'œil de la nuit. Nous avons tant de choses à nous raconter, et à découvrir l'un sur l'autre. Nous avons discuté du début à la fin du dîner ; nous nous sommes baladés. Ensuite, il a fait porter du champagne dans notre suite, avec des bougies. Et il s'était arrangé pour faire mettre de la musique.

— Quel gentleman !

— Nous avons bu un peu plus de champagne, discuté, et nous avons fait l'amour. C'était très romantique. Pour ensuite parler encore, reboire du champagne et refaire l'amour. Enfin, nous avons pris le petit déj' aux bougies et...

— Vous avez fait l'amour.

— Oui. Et rien – non, rien – ne peut venir gâcher mon bonheur, pas même les embouteillages du retour. Je suis sur un petit nuage, conclut-elle en prenant Mac dans ses bras. Et même si je suis heureuse la plupart du temps...

— Ce qui a tendance à être agaçant.

— Bref, malgré tout, j'ignorais qu'un tel bonheur puisse exister. J'ai envie de sautiller, de chanter, de tournoyer et de danser à tout va. Comme Julie Andrews dans *La Mélodie du bonheur*, sur le sommet d'une montagne.

— Pour le coup, tu te retiendras, car ça, c'est terriblement agaçant.

— Je me contente de danser dans ma tête. Depuis toutes ces années, je n'avais pas idée de ce qu'était vraiment l'amour.

320

Un sourire béat aux lèvres, elle se laissa tomber sur le lit, le regard fixé au plafond.

— Tu ressens la même chose pour Carter ?

Mac s'allongea à côté d'elle.

— Je n'aurais jamais pensé tomber amoureuse. Pour être franche, l'idée ne m'avait même jamais effleuré l'esprit, contrairement à toi. Dans un sens, ça m'est tombé dessus sans crier gare. J'ai du mal à croire que quelqu'un éprouve ça pour moi.

Emma lui prit la main.

— Je n'arrive pas à savoir si mes sentiments sont réciproques. Mais il m'aime beaucoup. J'en ai tellement à donner qu'il va bien finir par tomber sous mon charme. Ce que je croyais être de l'amour, avant, c'était juste un gros béguin. Tandis que maintenant, je sais que je l'aime vraiment.

— Tu vas le lui dire ?

— Tu m'aurais posé la question il y a quelques jours, je t'aurais répondu non. C'est d'ailleurs ce que j'ai dit à Parker. J'aurais eu peur de tout gâcher. Mais aujourd'hui tout est différent. Je crois que je vais le faire. Reste à savoir comment m'y prendre.

— Quand Carter me l'a dit, j'ai flippé. Alors attends-toi peut-être à ce qu'il prenne peur. Au début, tout du moins.

— Je vais lui dire que je l'aime sans rien attendre en retour. C'est ma définition de l'amour : un don de soi.

— Tu défais ta valise à peine rentrée ; tu es toujours heureuse ; et tu raisonnes sur l'amour avec sagesse. Ça m'étonne qu'on n'ait pas fait de toi notre souffre-douleur depuis le temps.

— C'est parce que vous m'aimez.

— Nous te soutenons, Emma. Toutes les trois.

— Alors, je n'ai aucun souci à me faire.

Quand on frappa à sa porte, Emma était absorbée dans la préparation de la livraison du matin. Elle laissa de côté ses supports à fleurs en rouspétant. À la vue de Kathryn Seaman et de sa sœur, au travers du carreau, elle fit la grimace. Trempée et débraillée, elle n'était certainement pas en état de recevoir un client.

Piégée, elle afficha un sourire affable avant d'ouvrir la porte.

— Madame Seaman, madame Lattimer. Que me vaut ce plaisir ?

— Je m'excuse de vous importuner ainsi, mais il s'avère que Jessica et ses amies se sont décidées sur la couleur des robes des demoiselles d'honneur. J'ai pensé vous apporter un échantillon du tissu en question.

— Excellente idée. Entrez, je vous en prie. Désirez-vous boire quelque chose ? Un thé glacé peut-être ? C'est une chaude journée.

— Avec plaisir, répondit Adele sans plus attendre. Si ça ne vous dérange pas.

— Pas le moins du monde. Mettez-vous à l'aise. J'en ai pour une minute.

Du thé, pensa Emma qui fila à toute vitesse à la cuisine. Des rondelles de citron, les verres des grandes occasions. Allez, allez ! Une assiette de biscuits. Dieu merci, Laurel laissait toujours une boîte de réserve au cas où ! Elle amassa le tout sur un plateau et se lissa les cheveux.

Du tiroir de la cuisine, elle tira le gloss rangé là pour les urgences, s'en badigeonna les lèvres et se pinça les joues. Au vu des circonstances, elle ne pourrait pas faire mieux pour le moment. Elle prit une longue inspiration pour ne pas avoir l'air de se hâter, et retourna dans le salon.

— Merci.

— Vos appartements privés sont à l'étage ?

— Oui. C'est à la fois pratique et confortable.

— J'ai remarqué que votre partenaire, Mackensie, agrandissait son studio.

— Oui, répondit Emma qui versait le thé debout, aucune des deux femmes ne semblant encline à s'asseoir. Mac se marie en décembre prochain. Ils vont avoir besoin de plus d'espace privé. Du même coup, ils en profitent pour agrandir le studio.

— N'est-ce pas excitant ? commenta Adele qui farfouillait dans les fleurs et les photos. Organiser un mariage pour l'une des vôtres ?

— Tout à fait. Nous nous connaissons depuis l'enfance.

— J'ai remarqué une photo. S'agit-il de vous avec vos deux collègues ?

— Oui, Laurel et Parker. Nous adorions jouer à la mariée. Ce jour-là, c'était à mon tour de porter la robe. Quant à Mac, elle faisait la photographe – il faut croire que c'était un signe. Elle vous dira que c'est à ce moment précis – celui du papillon bleu – qu'elle a décidé d'en faire son métier.

— Charmant, dit Kathryn. Nous vous dérangeons peut-être dans votre travail ?

— J'accueille les pauses impromptues à bras ouverts.

— J'espère que vous le pensez car je meurs d'envie de voir votre atelier. Vous faites des arrangements, aujourd'hui ? Des bouquets ?

— Eh bien, je suis plutôt en pleine préparation de fleurs livrées ce matin même, ce qui explique ma tenue négligée.

— Écoutez, au risque de paraître sans-gêne, je vais vous demander de me montrer votre lieu de travail, demanda Adele.

— Ah ! Bien sûr. Ne paniquez pas, ajouta-t-elle à l'intention de Kathryn.

— J'ai déjà vu votre atelier.

— Pas pendant que je travaillais. Comme vous pouvez le constater, ajouta-t-elle en désignant son plan de travail, la préparation des fleurs crée un certain chaos…

— Regardez-moi ces fleurs ! s'enthousiasma Adele. Sentez ces pivoines !

— Les favorites de la mariée, commenta Emma. Nous confectionnerons son bouquet à partir de ce rouge, en contraste avec ce rose allant du plus vif au plus pâle. Nous l'attacherons avec un ruban lie-de-vin. Les demoiselles d'honneur auront un bouquet semblable mais plus petit, dans les tons roses.

— Vous les gardez dans ces seaux ?

— Elles baignent dans une solution nutritive. Une étape indispensable si l'on veut les conserver fraîches et leur permettre de durer après l'événement. Je vais les placer dans la chambre climatique jusqu'à ce qu'on soit prêtes à les composer.

— Comment faites-vous…

— Adele, la coupa Kathryn. Voilà que tu recommences ton interrogatoire.

— Des tonnes de questions me trottent dans la tête. Le fait est que je suis très sérieuse quand je parle de monter ma propre agence de mariage en Jamaïque, expliqua-t-elle en balayant la pièce du regard. Vous semblez être confortablement installée ici. Peu de chances de vous attirer dans nos projets ?

— En revanche, je suis tout à fait disposée à répondre à vos questions. Toutefois, pour des questions de gestion de l'entreprise, c'est Parker qu'il vous faut.

— Nous allons vous laisser travailler, intervint Kathryn en fouillant dans son sac. Voici l'échantillon.

— Une couleur somptueuse ! Comme une feuille au printemps recouverte d'une fine rosée. Parfait pour un mariage de conte de fées.

Elle se tourna vers ses étagères pour sélectionner une tulipe blanche.

— Vous voyez comme le blanc est rehaussé par ce vert.

— Vous avez raison. Je vous ferai parvenir les croquis dès que les plans définitifs auront été approuvés. Merci, Emma, de nous avoir accordé quelques minutes.

— Notre but est le même : faire en sorte que Jessica passe une journée inoubliable.

— Oh ! « Une journée inoubliable » ! Ça serait un nom formidable pour mon entreprise.

— J'aime beaucoup, acquiesça Emma.

— Si jamais vous changez d'avis, vous avez ma carte, dit Adele. Je vous garantis quinze pour cent de plus que votre salaire annuel chez Vœux de Bonheur.

— Je vais garder mon sang-froid, même si c'est la seconde fois qu'elle tente de te voler à nous, déclara Parker en enlevant ses chaussures au terme de son deuxième rendez-vous.

— Combien t'a-t-elle proposé pour la suivre en Jamaïque ? demanda Emma.

— Carte blanche. Je lui ai dit que c'était une erreur grossière à ne pas commettre. Quand on monte sa propre entreprise, chaque salaire est précieux.

— Elle roule sur l'or, remarqua Laurel.

— Son projet tient la route. Une agence de mariage unique, une formule tout compris, sur un site convoité par les jeunes tourtereaux. En outre, elle a l'intelligence d'esprit de chercher à recruter des gens qui ont déjà roulé leur bosse. Par contre, il lui reste à établir un budget, et à s'y tenir.

— Pourquoi ne pas se joindre à son projet, dans ce cas ? interrogea Mac. Nul besoin de plier bagage pour filer à l'autre bout du monde, il suffit d'ouvrir une branche de Vœux de Bonheur en Jamaïque ? Dans un lieu exotique ? On ferait un tabac.

— Et moi je te passerais à tabac ! menaça Laurel en mimant un pistolet avec sa main. Tu ne crois pas qu'on a déjà assez de boulot comme ça ?

— J'avoue avoir considéré l'offre.

Laurel ouvrit des yeux grands comme des soucoupes.

— Je ne suis pas sûre d'avoir bien entendu.

— Il faut envisager toutes les possibilités, pour l'avenir.

— Dans ce cas, il faudra que le clonage soit au point.

— J'envisageais une franchise plus qu'une filiale, expliqua Parker. Mais ce n'est qu'une ébauche pour le moment. Je n'ai pas encore eu l'occasion d'étudier le projet avec minutie. Nous en reparlerons en temps et en heure. Tout le monde aura son mot à dire. Mais pour l'instant, je suis d'accord, nous avons bien assez de travail. À l'exception de la troisième semaine d'août où rien n'a été planifié.

— Oui, j'avais relevé, intervint Emma. J'ai cru que c'était une erreur de ma part.

— Non. Aucun événement de prévu car j'ai rayé la semaine. Cependant, si personne n'est contre sept jours à la plage, je peux y remédier !

La nouvelle fut accueillie par un court silence. Puis les trois femmes se levèrent et se mirent à danser pour exprimer leur joie. Laurel força Parker à se joindre à elles.

— J'en conclus que vous n'êtes pas contre l'idée ?

— On peut faire nos bagages tout de suite ? Allez ! Allez ! insista Mac.

— Crème solaire, bikini, mixeur à cocktails. Et le tour est joué, ajouta Laurel qui faisait tournoyer Parker. À nous les vacances !

— Où ça ? demanda Emma. Quelle plage ?

— On s'en fiche ! déclara Laurel en s'avachissant sur le canapé. La plage, c'est la plage. Une semaine entière sans fondant au chocolat ou pâte à tarte. J'en ai la larme à l'œil.

— Les Hamptons. Del vient d'y acheter une maison.

Mac leva les poings en signe de victoire.

— Bien joué, Del !

— En réalité, c'est Brown LLC qui l'a achetée. C'est en partie la raison de toutes ses allées et venues dans mon bureau ces derniers temps. Un domaine a été mis sur le marché ; il représentait un bon investissement. J'ai préféré me taire au cas où ça tomberait à l'eau. Mais désormais, l'affaire est bouclée. Tous à la plage, fin août.

— Tous ? répéta Laurel.

— Nous quatre, Carter, Del et Jack. Six chambres, huit salles de bains. Assez d'espace pour toute notre petite troupe.

— Jack est au courant ? demanda Emma.

— Il sait que Del avait des vues sur la maison, mais il ignore le séjour planifié fin août. Nous ne voulions pas vendre la peau de l'ours avant de l'avoir tué.

— Il faut que j'aille prévenir Carter. Youpi ! s'exclama Mac en embrassant Parker avant de filer en trombe.

— C'est génial. Je vais de ce pas l'inscrire dans mon calendrier avec plein de petits cœurs et de soleils. Des balades au clair de lune sur la plage, dit rêveusement Emma en enlaçant Parker. C'est presque aussi réjouissant qu'une danse dans un jardin secret. Je vais appeler Jack.

Une fois seules, Parker et Laurel se dévisagèrent.

— Il y a un problème ? demanda Parker.

— Non ! La plage pendant toute une semaine. Je suis sous le choc. On a besoin de nouveaux maillots de bain !

— Et comment !

Laurel se leva comme un ressort.

— À nous les magasins.

Emma avait pour habitude de donner libre cours à ses impulsions. Quelques reports de rendez-vous lui permirent de libérer son lundi après-midi. Elle prévoyait de préparer une surprise à Jack le soir même, au lieu de leur sortie de début de semaine.

Avant de partir, elle passa par le bureau de Parker. Le casque sur la tête, celle-ci faisait les cent pas dans la pièce. Quand Emma apparut, elle lui lança un regard exaspéré.

— La mère de Kevin n'avait sûrement pas l'intention de vous insulter. Oui, je suis tout à fait d'accord, il s'agit de votre mariage ; c'est votre grand jour, c'est à vous de décider... Oui, il est adorable, Dawn, et très bien dressé. Je sais... je sais.

Parker ferma les yeux et fit mine de se tordre le cou.

— Laissez-moi prendre la situation en main. Ça vous évitera, à vous et à Kevin, de vous ronger les sangs. Il est parfois préférable de faire intervenir une tierce personne, extérieure au conflit pour... Oui, j'en suis certaine. Évidemment, à votre place, je serais aussi en colère. Mais... mais... Dawn !

L'espace d'une seconde, le ton de Parker s'était durci, assez pour mettre un terme à la palabre de la mariée.

— Il ne faut pas perdre de vue le principal : au-delà de toute complication ou désaccord, ce jour sera le vôtre ; à Kevin et à vous. Or, mon rôle est de veiller à votre entière satisfaction.

Cette fois, Parker leva les yeux au plafond.

— Vous savez quoi ? Allez donc dîner tous les deux en amoureux, ce soir. Je m'occupe de la réservation... Oui, très bon choix, j'adore ce restaurant aussi, ajouta-t-elle en griffonnant un nom sur son carnet. Je m'en occupe sur-le-champ. Et je parlerai à sa mère ce soir. Demain, tout sera rentré dans l'ordre. N'ayez aucune inquiétude. À bientôt. Oui, Dawn, c'est pour ça que vous m'avez embauchée. Bien. Au revoir.

Elle leva un doigt.

— Donne-moi encore une minute.

Elle contacta le restaurant en question, réserva une table au nom de Dawn et retira son casque. Elle prit une profonde goulée d'air et poussa de petits cris de joie stridents.

— Mieux. Beaucoup mieux.

— Dawn a des soucis avec sa future belle-mère ?

— Oui. La mère de son fiancé n'est pas d'accord avec le choix du porteur d'alliances.

— Ce ne sont pas ses...

— Beans, le bull-terrier de la mariée.

— Ah ! J'avais oublié cette histoire. Attends, se ravisa Emma en fronçant les sourcils. Étais-je seulement au courant ?

— Je ne pense pas. Elle me l'a dit il y a seulement deux jours. La belle-mère trouve ça ridicule et embarrassant, et l'a fait savoir à la mariée sans mâcher ses mots. Du coup, Dawn s'est mis en tête que sa future belle-maman déteste les chiens.

— Il portera un costume ?

— Pour le moment, il est juste question d'un nœud papillon. Elle veut le chien, donc nous le lui laisserons. Je vais inviter la belle-mère à prendre un verre – il est toujours préférable de parler de ces choses face à face et avec un peu d'alcool –, histoire de calmer la situation.

— Bon courage. Je me sauve en ville. J'ai l'intention de concocter un dîner surprise à Jack. Ne vous attendez pas à me revoir avant demain matin. Je vais en profiter pour faire les magasins de Greenwich – en espérant que Laurel et toi ayez laissé quelques maillots de bain en rayon.

— Nous avons dû épargner un haut de bikini. Peut-être même une paire de sandales.

— Ensuite je fais un saut au marché et à la pépinière. Tu as besoin de quelque chose ?

— Tu as prévu de passer par la librairie ?

— Voyons, Parker, je vais en ville. Que penserait ma mère si je ne passais pas lui dire bonjour ?

— Dans ce cas, je lui ai commandé un livre. Elle devrait l'avoir reçu.

— Je m'en charge. Appelle-moi sur mon portable si tu penses à autre chose.

— Amuse-toi bien.

Après le départ d'Emma, Parker regarda son Blackberry en soupirant. Puis elle composa le numéro de la mère de Kevin.

Ravie d'avoir quelques heures de libre pour flâner, Emma commença par se rendre à la pépinière. Elle s'autorisa un tour de visite avant de se mettre sérieusement à l'œuvre.

L'odeur qui se dégageait de l'endroit – la terre, les plantes, la verdure – l'enivrait au point qu'elle dut se promettre de limiter ses achats. Sans toutefois rejeter l'éventualité d'une seconde visite, le lendemain matin ; elle achèterait des plantes pour la propriété.

Pour le moment, elle avait prévu de s'occuper du porche de Jack, à l'arrière de sa maison, qu'elle tenta de visualiser. Elle opta pour deux pots plutôt étroits de couleur bronze. Ils seraient parfaits de part et d'autre de sa porte de cuisine. Elle appela la gérante.

— Nina, je vais prendre ces deux pots-là. Tu peux les faire charger dans ma voiture ? Elle est garée devant la boutique. Tu m'ajoutes du terreau ? Je vais jeter un œil aux plantes.

— Prends ton temps.

Elle trouva son bonheur : une plante rouge carmin et mauve, tachetée de jaune.

— Très bon choix, commenta Nina à la caisse. Des couleurs puissantes, des textures sans pareil. Sans oublier que l'héliotrope est une plante très odorante. C'est pour un mariage ?

— Non, c'est un cadeau pour un ami.

— Le chanceux. Voilà, c'est bon, tout est chargé dans ton auto.

— Merci.

En ville, elle fit du lèche-vitrines, s'offrit une nouvelle paire de sandales, une jupe légère, et pour l'été en perspective, un long châle imprimé qu'elle pourrait utiliser comme paréo sur la plage.

Puis elle fit un crochet par la librairie. En entrant, elle salua le vendeur occupé à encaisser un client.

— Salut, Emma. Ta mère est dans l'arrière-boutique.

— Merci.

Lucia déballait un carton de livres récemment livré. Voyant Emma, elle mit sa livraison de côté.

— Quelle bonne surprise !

— J'ai passé l'après-midi à gaspiller mon argent, dit Emma en se penchant par-dessus le carton pour embrasser sa mère.

— Mon loisir favori – ou presque. Tu as l'air de t'être fait plaisir ?

— J'ai trouvé des sandales très mignonnes. Je n'ai pas pu m'empêcher de les enfiler sur-le-champ.

Elle fit un tour sur elle-même pour les montrer à sa mère.

— En effet, elles sont très mignonnes !

— Autrement, j'ai l'intention de préparer un bon petit dîner à Jack. Il faut encore que j'aille au marché.

— Mais j'ai croisé Jack, ce matin, qui m'a dit que vous alliez au cinéma.

— Changement de plan. J'ai prévu de lui cuisiner ta fameuse bavette. Mme G en avait en réserve dans son congélateur. Elle me l'a gentiment octroyée. Je l'ai mise à mariner toute la nuit. D'ailleurs, elle attend en ce moment même dans la glacière de ma voiture. Pour l'accompagner, je pensais faire des pommes de terre au four, assaisonnées de romarin, avec peut-être quelques asperges, ainsi qu'une grosse miche de pain à tremper dans l'huile d'olive. Qu'en dis-tu ?

— Un repas très masculin.

— C'est le but. Je n'ai pas osé commander un dessert à Laurel car elle est submergée de boulot. Une crème glacée et quelques baies feront l'affaire.

— Tu te donnes bien du mal. C'est pour une occasion particulière ?

— En partie pour le remercier de la nuit à New York. Mais surtout pour le reste… Maman, j'ai l'intention de jouer cartes sur table, ce soir. Je vais lui dire que je l'aime. Je ne peux pas continuer à cacher mes sentiments.

— N'oublie pas, ma chérie, que l'amour demande du courage. En tout cas, quand il parle de toi, il a l'air heureux. Merci de m'en avoir parlé. Je croiserai les doigts pour toi ce soir.

— Je vais en avoir besoin. Oh ! Parker m'a dit que tu avais un livre pour elle ?

— Je vais te le chercher. Surtout, n'oublie pas de m'appeler demain pour me raconter ton dîner.

Elle quitta la pièce.

— C'est la première chose que je ferai.

— Emma ?

Emma se retourna pour faire face à une petite brune. Malgré tous ses efforts, elle ne parvint pas à la remettre.

— Bonjour.

— C'est bien toi, Emma !

La jeune fille lui sauta littéralement au cou. Emma se retrouva prise au piège de cette embrassade impromptue. Étonnée, elle se laissa faire tout en interrogeant sa mère du regard.

Lucia vint à sa rescousse.

— Rachel, tu as fini la fac ? J'ai l'impression qu'une semaine à peine s'est écoulée depuis la dernière fois qu'Emma est allée te garder.

— N'est-ce pas ? J'ai du mal à...

— Rachel ? Rachel Monning ? Bon sang ! Regarde-toi ! Je ne t'avais pas reconnue. Tu es devenue une femme magnifique. Et dire que dans mon esprit tu avais toujours douze ans.

— Ça fait un bail qu'on ne s'est pas vues, avec le lycée, et puis ensuite la fac. Emma tu es sublime, comme toujours. Quelle surprise de te rencontrer ici ! J'avais d'ailleurs l'intention de t'appeler.

— Tu es à la fac maintenant ? Tu es rentrée pour les vacances d'été ?

— Oui, encore un an à tirer. Je travaille pour Estervil, comme attachée de presse. C'est mon jour de congé ; or il se trouve que j'avais besoin d'un livre pour les préparatifs du mariage. Eh oui, je suis fiancée !

Emma fut sous le choc.

— Comment ça ? Il y a dix minutes à peine, tu jouais encore aux Barbies !

— Dix ans, tu veux dire ! rétorqua Rachel en s'esclaffant. Il faut que je te présente Drew. C'est un type génial. On prévoit de se marier l'été prochain, une fois que je serai diplômée. Je veux que Vœux de Bonheur prenne en main l'organisation de la cérémonie. Ma mère dit que c'est le must. Je vais me marier et toi, tu vas créer mon bouquet, comme quand j'étais petite, et que tu me fabriquais des bouquets en Kleenex. Sauf que, cette fois, ça sera pour de vrai.

Cela lui ficha un coup à l'estomac. Elle s'en voulut de sa réaction, mais c'était incontrôlé.

— Toutes mes félicitations. Quand avez-vous pris la décision ?

— Il y a deux semaines, trois jours, et...

Elle s'interrompit pour vérifier sa montre.

— Seize heures. J'aimerais beaucoup rester un peu plus à parler avec toi, mais je dois filer, sans ça je vais être en retard, ajouta-t-elle en embrassant Emma. Je t'appelle pour parler fleurs et gâteau, et tout le reste. Au revoir, madame Grant, à bientôt !

— Rachel Monning se marie.

— Eh oui, renchérit Lucia en tapotant l'épaule de sa fille.

— J'étais sa baby-sitter. Je lui faisais des nattes et je l'autorisais à rester debout après le couvre-feu. Et voilà que je suis sur le point de faire le décor de son mariage. Bon sang, maman !

Lucia pouffa de rire.

— Allons donc ! Toi, tu es sur le point de passer une soirée de rêve avec un homme merveilleux.

— Tu as raison. Chacun suit sa propre voie. Tout de même...

Elle décida de mettre de côté baby-sitting et mariage pour se concentrer sur le reste de ses courses. À peine était-elle sortie du marché qu'elle fut de nouveau hélée.

— ¡Buenas tardes, bonita !

— Rico ! Comment vas-tu ?

Loin de se contenter d'un salut conventionnel, il l'embrassa affectueusement sur les deux joues.

— Beaucoup mieux, maintenant que je te vois.

— Tu n'es pas en vol vers je ne sais quelle destination affriolante ?

— Je viens de rentrer d'un long-courrier en Italie. Le propriétaire avait envie de partir en virée avec sa famille en Toscane.

— Les déboires de la vie de pilote privé, j'imagine. Comment va Brenna ?

— Nous avons rompu il y a quelques mois.

— Navrée, je l'ignorais.

— C'est la vie, répliqua-t-il avec un haussement d'épaules. Laisse-moi porter tes sacs.

Il la débarrassa de ses sacs et en profita pour regarder à l'intérieur pendant qu'il se dirigeait vers la voiture.

— Voilà des ingrédients frais ! Rien à voir avec le plat cuisiné surgelé qui m'attend.

— Mon pauvre ! fit-elle en riant.

Elle ouvrit la portière du passager.

— Tu n'as qu'à tout mettre là. L'arrière de la voiture est déjà plein à craquer.

Il jeta un œil aux nombreux paquets et aux plantes qui encombraient les sièges.

— C'est ce que je constate. On dirait qu'une grosse soirée se prépare. Si jamais tu changes d'avis, je t'emmènerai dîner, ajouta-t-il en lui effleurant le bras comme s'il cherchait à flirter. Mieux encore : je te donnerai la fameuse leçon de pilotage promise.

— C'est gentil, Rico, mais je vois déjà quelqu'un.

— C'est moi qui devrais être l'heureux élu. Bref, si l'envie t'en prend, passe-moi un coup de fil. À n'importe quelle heure du jour ou de la nuit.

Elle l'embrassa sur la joue puis fit le tour de la voiture.

— Si je change d'avis, tu en seras le premier informé. Tu te souviens de Jill Burke ?

— Une petite blonde au rire tonitruant ?

— Voilà. Elle est de nouveau célibataire.

— Vraiment ?

— Tu devrais l'appeler. Mon petit doigt me dit qu'elle n'aurait rien contre une leçon de pilotage.

Il fit un sourire ; ses yeux s'éclairèrent d'une lueur coquine, rappelant à Emma, du même coup, ce qui l'attirait en lui. Elle se mit au volant et le salua en démarrant.

Arrivée chez Jack, elle se gara dans l'arrière-cour, le plus près de l'escalier, vu les paquets à décharger. Elle étudia un instant la terrasse derrière la cuisine et décida que les pots seraient parfaits pour l'endroit. Impatiente de commencer les préparatifs, elle fit le tour du bâtiment et emprunta l'entrée principale où se trouvait l'accueil.

— Bonjour, Michelle.

— Emma, répondit l'employée, occupée à taper à l'ordinateur devant un bureau méticuleusement rangé. Comment allez-vous ?

— Très bien. Et vous ?

— Plus que vingt-neuf semaines. Nous avons hâte, dit Michelle en caressant son ventre arrondi. Le bébé va très bien. J'adore vos sandales, soit dit en passant.

— Je viens de les acheter.

— Soirée en amoureux avec Jack, c'est bien ça ?

— Tout à fait.

— Vous êtes en avance, non ?

— J'ai un nouveau plan. Jack est occupé ? Je ne lui ai pas fait part du changement de programme.

— Il n'est pas encore rentré. Il a pris du retard à cause d'un problème technique sur un chantier. Ça ne colle pas trop avec l'équipe et l'inspecteur régional. Enfin, rien ne va en ce moment.

— Aïe, grimaça Emma. Dans de telles circonstances, mon plan est peut-être risqué. C'est quitte ou double. Ou il adore, ou il déteste.

— Vous me racontez ?

— J'ai prévu de lui concocter un repas et de décorer sa terrasse. Dîner puis DVD, au lieu de sortir.

— Ça m'a tout l'air d'une excellente idée. Après la journée qu'il a eue, il sera content de rester chez lui. Vous pouvez toujours l'appeler pour vérifier, mais il risque de passer pas mal de temps avec l'inspecteur.

— Je fais confiance au destin. Le seul problème, voyez-vous, Michelle, c'est que je n'ai pas de clef pour rentrer chez Jack.

L'employée laissa transparaître une certaine surprise.

— Eh bien, nous allons y remédier, dit-elle en sortant un double du tiroir de son bureau.

— Vous êtes sûre ?

Qu'il était humiliant d'avoir à demander !

— Oui. Je ne vois pas pourquoi ça poserait problème. Jack et vous vous connaissez depuis si longtemps. Et maintenant, vous êtes…

— En effet. Deuxième hic. Les deux pots, dans mon coffre, pèsent à peu près vingt kilos chacun.

— Chip est là. Je vais vous l'envoyer.

— Merci Michelle, dit Emma en prenant la clef. Vous me sauvez la vie.

Elle refit le tour du bâtiment. Aucune raison de se sentir gênée, ni même de se sentir humiliée parce que le copain avec qui vous couchez depuis trois mois – et que vous connaissez depuis une dizaine d'années – n'a pas cru opportun de vous laisser une clef de chez lui.

Il ne fallait pas y voir un geste symbolique, comme s'il cherchait à la garder à distance. Il était juste… Peu importe. Elle allait mettre son plan à exécution. Lui offrir les fleurs, lui cuisiner un dîner, et lui dire qu'elle l'aimait.

Et tiens ! Elle en profiterait pour lui demander une clef.

19

Pendant près d'une heure, elle s'amusa à arranger les tournesols venant de sa réserve dans la cuisine de Jack, à trier les courses, à préparer les pots.

On aurait dit qu'ils avaient été créés pour encadrer la porte arrière. Des teintes vives et profondes, songea-t-elle en empotant la sauge et l'héliotrope mauve. Le mélange de couleurs qu'elle avait sélectionné illuminerait sa terrasse en toute saison. L'effet serait encore plus frappant quand les cardinales dégoulineraient le long des vases, et quand les corbeilles d'argent auraient formé des touffes.

À chaque fois qu'il gravirait les marches de son perron, les plantes lui offriraient un signe de bienvenue, sans manquer de lui rappeler la femme qui les avait placées là. Accroupie, elle étudia le résultat de ses efforts. Parfait.

Pouvait-elle s'attendre à trouver un arrosoir dans la maison ? Sûrement pas. Elle aurait dû y penser. Pour le moment, elle s'arrangerait autrement. Heureuse de plonger ses mains dans la terre, elle chantonnait au son de la radio. Ce n'était qu'un premier pas. La décoration du perron ne faisait que commencer. Ça manquait encore de couleurs et de vie. Elle apporterait davantage de plantes la semaine prochaine.

Quand elle eut fini, elle remballa ses outils de jardinage, rassembla les pots en plastique et donna un coup de balai à la terrasse. Elle admira son œuvre.

Les fleurs étaient la clef de voûte d'un foyer. À présent, il en possédait. Or, elle s'était toujours imaginé que des fleurs plantées avec amour ne pouvaient que se déployer dans toute leur splendeur. Si c'était vraiment le cas, celles-ci dureraient jusqu'aux premières gelées.

Après un rapide coup d'œil à sa montre, elle se précipita dans la maison. Elle devait désormais se mettre aux fourneaux. D'autant plus qu'elle avait décidé d'ajouter un amuse-bouche au menu du dîner.

En sueur, toujours remonté contre le plombier déserteur et l'inspecteur des travaux arrogant qui n'était pourtant encore qu'un bleu dans le milieu, Jack s'acheminait vers chez lui.

Il n'avait qu'une idée en tête : une douche, une bière et peut-être bien de l'aspirine. Si l'entrepreneur général ne renvoyait pas ce fichu plombier – son beau-frère, comme par hasard –, alors qu'il explique lui-même le retard au client ! Et qu'il se coltine l'inspecteur en bâtiment qui leur prenait la tête à cause d'une maudite porte à laquelle il manquait un quart de centimètre.

Mieux valait commencer par l'aspirine. Ensuite viendrait la douche, et seulement après, la bière. Peut-être que ça parviendrait à le détendre. La journée avait commencé sous les plus mauvais auspices, à six heures, avec l'appel d'un client mécontent parce qu'il manquait huit centimètres à l'encadrement de son bar.

Non pas qu'il en voulût au client. Lui-même était sorti de ses gonds en apprenant la nouvelle. Un mètre quatre-vingts sur le plan signifie un mètre quatre-vingts sur le chantier. Ce n'était pas à l'ouvrier de revoir les mesures !

À partir de ce moment-là, les pépins s'étaient enchaînés. Quitte à bosser douze heures d'affilée, il préférait finir la journée en ayant le sentiment d'avoir accompli du bon boulot, plutôt que de fulminer à travers la région, et d'aboyer sur tout le monde.

Il prit le dernier virage et fut heureux d'être enfin chez lui, où il serait peinard, vu qu'à cette heure-là son bureau était fermé. Personne pour lui demander de régler ou de négocier quoi que ce soit, personne pour lui chercher des poux.

À ce moment-là, il remarqua la voiture d'Emma. Malgré ses maux de tête, il tenta de s'éclaircir l'esprit. Avait-il mal compris ? S'étaient-ils donné rendez-vous en ville ? Avaient-ils prévu de sortir ?

Non, non, non. Un dîner ferait l'affaire ; un film peut-être – un DVD à louer remplacerait le cinéma habituel – mais seulement après un moment de détente. Malheureusement, débordé par les problèmes, il avait oublié de la prévenir. Enfin, puisqu'elle était déjà en ville...

Quand il vit la porte arrière ouverte et les pots de fleurs qui la flanquaient, il se mit sur la défensive. Une fois garé, il resta au volant sans bouger. Il observa la scène et jeta ses lunettes de soleil sur le tableau de bord. En descendant de l'auto, il entendit la musique qui s'échappait par la porte-moustiquaire.

Diable ! D'où venaient ces fichues plantes ? Tout à coup, la colère se joignit à sa migraine. Et pourquoi la porte était-elle ouverte ?

Tout ce qu'il voulait, c'était l'air conditionné et une douche froide pour oublier cette maudite journée. Et voilà qu'on lui imposait des fleurs qu'il allait devoir se souvenir d'arroser, et de la musique à tue-tête ; et quelqu'un qui voudrait qu'on lui fasse la conversation l'attendait chez lui.

Il monta péniblement les quelques marches qui menaient au perron et reluqua les plantes d'un air menaçant avant de pousser la moustiquaire.

La radio à fond – sa tête était sur le point d'exploser –, elle chantait tout en cuisinant quelque chose sur *sa* cuisinière à lui, alors même qu'il venait de décider d'opter pour une pizza à emporter ; sur le bar, à côté d'un vase d'où jaillissaient d'énormes tournesols, était posé le double de sa clef. Les yeux lui sortirent de la tête.

D'une main, elle maniait la poêle à frire ; de l'autre, elle attrapa un verre de vin et s'apprêtait à le boire quand elle l'aperçut. Sa main tressaillit sur le manche de la poêle.

— Oh ! Je ne t'ai pas entendu rentrer, dit-elle en riant.

— Pas étonnant, tu fais profiter tout le quartier de... Bon sang ! Ne me dis pas que c'est ABBA ?

— Pardon ? Oh, tu parles de la musique. C'est très fort, j'admets.

De nouveau, elle remua la poêle avant de réduire le gaz. Faisant un pas de côté, elle saisit la télécommande pour baisser le volume de la chaîne hi-fi.

— De la musique pour cuisiner, reprit-elle. J'avais prévu de te surprendre avec un repas. Encore une minute, et les coquilles Saint-Jacques seront prêtes. La sauce est déjà faite. Tu peux grignoter un petit truc en attendant. Tu veux un verre de vin, peut-être ?

— Non, merci.

Il attrapa un tube d'aspirine dans le placard au-dessus de sa tête.

— Une rude journée, compatit-elle en lui caressant le bras. Michelle m'a raconté. Assieds-toi donc une minute, histoire de retrouver tes esprits.

— Je suis cracra. J'ai besoin d'une douche.

— Je ne te le fais pas dire, convint-elle en lui déposant un baiser sur les lèvres. Je vais te chercher de l'eau glacée.

— Je peux le faire moi-même, rétorqua-t-il en se dirigeant vers le réfrigérateur. C'est Michelle qui t'a donné le double ?

— Elle m'a dit que tu étais coincé sur un chantier, que tu avais une sale journée. Comme j'avais les courses dans la voiture... une bavette marinée. Un bon morceau de viande rouge ne peut que te requinquer. Tu n'as plus qu'à faire un brin de toilette. Ou bien, si tu préfères te détendre plus longuement, je peux réserver le dîner.

— Qu'est-ce que c'est que cette mascarade, Emma ?

Bien que le volume fût bas, la musique continuait à lui taper sur les nerfs. Il attrapa la télécommande pour éteindre la chaîne.

— C'est toi qui as traîné ces pots sur la terrasse ? reprit-il.

— Chip s'en est chargé. Mais c'est moi qui ai choisi les vases et les plantes. Elles ressortent bien contre le mur de la maison, hein ? C'est ma façon à moi de te remercier pour la nuit à New York. Quand cette idée m'est venue, j'ai suivi mon instinct, sans réfléchir.

Elle assaisonna les coquilles Saint-Jacques d'une sauce à l'ail, au citron vert et à la coriandre. Puis se tourna vers lui. Son sourire s'évanouit.

— Je n'aurais pas dû, n'est-ce pas ?

— J'ai passé une sale journée, c'est tout.

— Apparemment, je n'ai fait qu'empirer les choses.

— Oui. Enfin non, balbutia-t-il en pressant les doigts sur ses tempes qui l'élançaient. Il faut que je me relaxe. Tu aurais dû me prévenir avant de faire... tout ça.

Sans même réfléchir, par habitude sans doute, il prit la clef sur le bar et la fourra dans sa poche. Ce qui fit à Emma l'effet d'une gifle.

— Ne t'inquiète pas, Jack, je n'ai rien accroché dans la penderie, et je ne me suis attribué aucun tiroir. Quant à ma brosse à dents, elle est toujours rangée dans mon sac.

— Qu'est-ce que tu baragouines ?

— Mon intrusion s'est arrêtée à la cuisine. Ça ne se reproduira plus. Quant à la clef, je n'ai pas couru chez un

343

serrurier pour me faire faire un double. Par ailleurs, j'espère que tu auras la délicatesse de ne pas t'en prendre à Michelle pour me l'avoir passée.

— Calme-toi un peu.

— Tu n'as pas la moindre idée de l'humiliation que j'ai ressentie en lui avouant que je n'avais pas de clef ! Et dire qu'on couche ensemble depuis avril et que tu ne me fais toujours pas confiance.

— Voyons, ça n'a rien à voir avec la confiance ! Je n'ai jamais eu…

— Arrête ton baratin ! À chaque fois que je passe la nuit ici – quasiment jamais, pour ainsi dire, puisque c'est *ton* territoire – je dois faire attention à ne pas laisser traîner la moindre épingle à cheveux derrière moi. Parce que – mon Dieu ! – ça commence avec l'épingle, et ensuite ? La brosse à cheveux ? Un chemisier ? Et en un rien de temps, il se pourrait que je me sente la bienvenue chez toi !

— Tu *es* la bienvenue. Ne fais pas l'idiote. Je n'ai pas envie de me disputer.

— Dommage, parce que moi si. Tu es en colère car j'ai envahi ton espace, que je fais comme si j'étais chez moi. Je comprends maintenant que je ne fais que perdre mon temps, que je gâche mes sentiments pour quelqu'un qui ne les mérite pas.

— Écoute, Emma, tu es juste arrivée au mauvais moment.

— Non, Jack, ce n'est pas le moment qui était mal choisi. C'est tout le temps pareil. Tu refuses de me faire une place dans ta vie car tu as peur de t'engager dans une relation sérieuse.

— Bon sang, Emma ! Je suis impliqué dans cette relation. Je ne vois personne d'autre. Depuis que je t'ai, je n'ai pas touché d'autre femme.

— Telle n'est pas la question. Je te parle de toi et moi. Tu veux bien être avec moi si, et seulement si, nous respectons *ton* modèle, *tes* conditions, dit-elle en gesticulant. Tant que je les accepte, tout va bien. Sauf que je refuse de continuer ainsi. Si tu fuis ainsi à chaque fois que je veux t'acheter une bouteille de lait, laisser un rouge à lèvres dans ta salle de bains ou t'offrir des plantes, ça ne pourra jamais marcher !

— Du lait ? Quel lait ? Ça n'a ni queue ni tête.

— Je m'escrime à te cuisiner un fichu repas quatre étoiles, et toi, tu me remercies en me traitant comme une criminelle. Ça ne peut pas durer comme ça.

Sur ces paroles, elle saisit l'assiette de coquilles Saint-Jacques et la jeta dans l'évier où elle se fracassa.

— Ça suffit.

— Non, au contraire, répliqua-t-elle en le repoussant de toutes ses forces.

Ses yeux s'embuèrent de chagrin et de rage. Sa voix devint rauque.

— Je n'ai pas l'intention de me contenter de si peu, continua-t-elle. Je suis amoureuse, et je veux que toi aussi tu le sois. Je veux passer ma vie avec toi. Je veux qu'on se marie et qu'on ait des enfants, et surtout un avenir. Alors, tu vois ce que nous avons là ? Ça ne me suffit pas. On dirait que tu avais raison sur toute la ligne, Jack : donne-leur une part et elles prennent tout le gâteau.

— Comment ça ? Attends.

— Mais ne t'en fais pas, pas besoin de prendre tes jambes à ton cou. Je suis seule responsable. C'est fini. J'en ai fini.

— Une minute. Laisse-moi le temps de réfléchir.

Comment se faisait-il que sa tête n'ait pas encore explosé ?

— C'est fini, il n'est plus temps de réfléchir. Ne me touche pas, le prévint-elle comme il s'approchait d'elle. Ne songe même pas à poser tes mains sur moi. Tu as eu ta chance. Je t'ai tout donné. Et si tu en avais voulu davantage, j'aurais remué ciel et terre pour te donner plus. C'est ma façon à moi d'aimer. Cependant, je ne peux pas donner à quelqu'un qui n'est pas prêt à recevoir, ou qui ne m'apprécie pas à ma juste valeur.

— Mets-toi en colère, casse la vaisselle, si tu veux, mais je ne te permets pas te dire que je ne sais pas t'apprécier, ou que je te rejette.

— Tu ne me désires pas comme je le voudrais. Tu souhaiterais que je t'aime autrement, à ta manière, pas à la mienne, la seule que je connaisse. Ça me brise le cœur, Jack, ajouta-t-elle en ramassant son sac. Ne t'approche pas.

Il plaqua sa main contre la porte-moustiquaire pour l'empêcher de sortir.

— Assieds-toi. Moi aussi, j'ai mon mot à dire.

— Ça m'est égal. J'en ai fini avec toi. Maintenant, laisse-moi passer.

À ce moment précis, elle leva les yeux vers lui. Ce qu'il y lut n'était ni de la colère ni de la rage. Des sentiments qu'il aurait su affronter. Mais le chagrin qu'il y vit lui fendit le cœur.

— Emma, je t'en prie.

Elle se contenta de secouer la tête en passant devant lui, et elle courut jusqu'à sa voiture.

Dans une folle tentative de retenir ses larmes, Emma se hâtait de rentrer. Elle ressentait le besoin d'être chez elle. Comme ses mains tremblaient, elle s'agrippa davantage au volant. Chaque inspiration était une torture. Elle entendit une plainte émaner de sa gorge et se força à retenir la suivante. On aurait dit le cri d'un animal blessé.

Elle ne devait pas se lamenter de la sorte. Pas maintenant. Pas encore.

Sans prêter attention à la sonnerie joyeuse de son portable, elle gardait les yeux fixés sur la route, droit devant elle. Un instant plus tard, elle laissa tomber la garde. Les larmes jaillirent au moment où elle empruntait l'allée du domaine. D'une main fébrile, elle tentait de les essuyer. Enfin, la voiture bifurqua dans l'allée et se gara.

À présent qu'elle titubait vers la maison, son corps tout entier était secoué de tremblements. Quand le premier sanglot surgit, elle était enfin à l'abri dans la maison.

— Emma ? appela Parker depuis l'étage. Que fais-tu ici de si bonne heure ? Tu ne devais pas rester...

Malgré les larmes qui lui voilaient le regard, Emma vit Parker dévaler l'escalier. Elle la prit fermement dans ses bras.

— Oh, Emma, viens là.

— Qu'est-ce que c'est que ce remue-ménage ? Qu'est-ce que... Est-elle blessée ? demanda Mme Grady qui se hâtait à son tour auprès d'Emma.

— Non, pas par là. Je vais la conduire à l'étage. Pouvez-vous appeler Mac ?

— Je m'en occupe. Allons, ma douce, tu es à la maison maintenant. Nous allons prendre soin de toi. Monte avec Parker.

Elle lui caressa la tête.

— Je n'arrive pas à me calmer. C'est plus fort que moi.

— Laisse-toi aller. Pleure toutes les larmes de ton corps, s'il le faut. Nous allons dans le salon. Dans notre pièce à nous.

Parker la conduisit à l'étage par la taille. Elles s'apprêtaient à monter le deuxième étage quand Laurel déboula. Sans mot dire, elle prit Emma de l'autre côté pour la soutenir à son tour.

347

— Comment ai-je pu être si stupide ?

— Mais non, ne dis pas ça, murmura Parker.

— Je vais lui chercher un peu d'eau, dit Laurel quand Parker l'installa sur le canapé.

— C'est une douleur insoutenable. Comment les gens font-ils pour supporter ça ?

— Je l'ignore.

Une fois assise, Emma se pelotonna dans les coussins et reposa sa tête sur les jambes de Parker.

— Il fallait que je rentre.

— Tu es à la maison maintenant, la rassura Laurel, qui s'assit sur la moquette et lui tendit un paquet de mouchoirs.

Emma s'en servit pour enfouir son visage et donner libre cours au chagrin qui semblait lui gonfler la poitrine et lui tordre le ventre. De puissants sanglots lui arrachèrent la gorge et elle pleura jusqu'à ce qu'il ne lui en reste plus une seule goutte en réserve. Les larmes ruisselaient le long de ses joues.

— J'ai l'impression que je ne pourrai jamais me relever, comme si j'avais une terrible maladie.

Elle ferma les yeux.

— Bois un peu d'eau. Ça te fera du bien, dit Parker en la soulevant. Et prends ces cachets d'aspirine.

— Comme un rhume carabiné, continua Emma en avalant l'eau, puis les cachets. Le genre de maladie dont on ne se remet jamais complètement.

— Voilà un peu de soupe et de thé, annonça Mac en s'asseyant sur le sol. C'est Mme G qui les a montés.

— Pas maintenant. Merci.

— Ce n'était pas juste une dispute, hein ? demanda Laurel.

— Non, répliqua Emma, lasse, qui reposa la tête sur l'épaule de Parker. C'est sûrement pire, vu que tout est ma faute.

— Ah non ! Tu n'as pas intérêt à te blâmer, intervint Laurel. Je te préviens.

— Crois-moi, il n'est pas tiré d'affaire pour autant. Seulement, je ne peux m'en prendre qu'à moi-même. Surtout pour ce soir. Je me suis monté la tête, je me suis mise à espérer des choses qui n'avaient pas lieu d'être. Je sais comment il est, et pourtant, j'ai pris le risque.

— Raconte-nous ce qui s'est passé, demanda Mac.

— Mais avant, prends un peu de thé, ajouta Laurel en lui tendant une tasse.

Après avoir avalé une première gorgée du liquide chaud, Emma souffla.

— Il y a du whisky là-dedans.

— Mme G a dit que tu devais boire. Que ça t'aiderait.

— Ça a un goût de médicament, dit Emma en prenant une nouvelle gorgée. J'ai transgressé certaines limites – les siennes, du moins celles qu'il impose, parce que je les trouve inacceptables. Donc tout est fini. Tout du moins il le faut parce que je refuse de me sentir aussi mal.

— De quelles limites parles-tu exactement ? demanda Parker.

— Il ne me fait pas de place. Je voulais lui faire plaisir – et me faire plaisir par la même occasion –, lui préparer quelque chose de spécial. Alors je suis allée à la pépinière.

Quand elle eut fini sa tasse de thé, la tête légèrement engourdie, elle sentit que la douleur diminuait.

— Seulement voilà, j'ai été obligée de demander à Michelle de me donner un double de la clef de chez lui. Je n'en avais pas. C'est là que j'ai eu ce déclic : quelque chose en moi s'est bloqué, comme si on me disait de ne pas aller plus loin.

— Et pourquoi pas ? interrogea Laurel.

— C'est exactement ce que je me suis dit. Après tout, nous étions en couple. Et de bons amis par-dessus tout. Rien de mal à rentrer chez lui pour lui préparer une surprise. Toutefois, quelque chose clochait. Au fond de moi, je le savais. C'était peut-être un test. Peu importe. La tension était montée peu à peu. Tout avait commencé avec Rachel Monning, ce matin. Je l'ai rencontrée à la librairie. Tu te souviens d'elle, Parker ? J'étais sa baby-sitter.

— Vaguement.

— Elle est fiancée.

— Sa *baby-sitter* ? s'écria Laurel. Maintenant, on autorise les gamins de douze ans à se marier ?

— Elle est à la fac. Elle finit son cursus l'année prochaine, et se marie juste après. D'ailleurs, elle veut le faire ici. Bref, quand je me suis remise du choc, je n'arrivais pas à penser à autre chose : je voulais pareil. Je voulais tout ce que cette fille que je gardais autrefois allait avoir. Sapristi ! Je voulais avoir le même visage radieux, cette joie, cette assurance, cette impatience à l'idée de partager ma vie avec l'homme que j'aime. Et pourquoi pas ? Après tout, moi aussi j'y ai droit. Vouloir se marier est aussi légitime que de ne pas le vouloir.

— Tu prêches des convaincues, lui rappela Mac.

— Eh bien, je veux toute la panoplie : l'échange des vœux, les enfants. Tout. Et il faut que ça soit comme dans un conte de fées. Danser au clair de lune dans un jardin... Cette image n'est qu'un symbole, au même titre qu'un gâteau ou un bouquet. Ce que je veux, c'est ce que ça représente, expliqua-t-elle en fermant les yeux. Aucun de nous deux n'est vraiment à blâmer. À vrai dire, nous ne sommes pas sur la même longueur d'onde, c'est tout.

— Ce sont ses mots ? Il ne veut pas la même chose que toi ? demanda Parker.

— Il était visiblement fâché que je me sois introduite chez lui. Non, pire, il était agacé. J'ai été présomptueuse.

— Nom d'une pipe ! marmonna Mac.

— Eh bien, j'ai cru qu'il serait heureux de voir tous les efforts que je déployais pour lui, après la rude journée qu'il avait eue. En plus, j'avais apporté *Truly, Madly, Deeply*. On avait plaisanté à ce sujet, on s'était dit qu'on ferait une soirée DVD. Lui, il devait me montrer *Piège de cristal*.

— Alan Rickman, acquiesça Laurel.

— Exactement ! Alors j'ai sorti le grand jeu, tournesols, pots de fleurs – qui sont très beaux d'ailleurs –, et j'avais presque fini de préparer les amuse-bouches quand il est rentré. Alors j'ai babillé pendant quelques minutes, « un verre de vin ? », « va donc te détendre », etc. Bon sang ! Quelle idiote ! Et puis il a pris la clef, comme ça, et l'a mise dans sa poche.

— C'est sans cœur, remarqua Laurel dont la fureur transparaissait.

— Il a récupéré sa clef, reprit Emma. Ses droits. Alors, tout est remonté d'un coup. Je lui ai dit ce que j'avais sur le cœur et que je l'aimais. Tout ce qu'il a trouvé à répondre c'était qu'il avait besoin d'une minute pour réfléchir.

— Eh bien, l'imbécile !

À cette réplique de Mac, Emma esquissa presque un sourire.

— Il m'a sorti l'excuse du « je ne m'y attendais pas », ou même du « j'ai eu une dure journée ».

— Quel homme !

— C'était avant que je lui dise que je l'aimais, mais peu importe. Je l'ai largué et je suis sortie. Je vais avoir du mal à digérer tout ça.

— Il a appelé, dit Mac.

— Je refuse de lui parler.

— Il s'en doutait. Il voulait juste s'assurer que tu étais bien rentrée. Loin de moi l'idée de prendre sa défense, mais il avait l'air plutôt chamboulé.

— Je m'en fiche. Si je fais machine arrière maintenant, et que je retourne le voir en acceptant ses termes, je ne me respecterai pas. Tout d'abord, il faut que je me remette de cette histoire. Hors de question de le voir ou de lui parler avant d'avoir fait mon deuil. Du moins, avant de me sentir de nouveau d'attaque.

— Alors, nous veillerons à ce que ça ne se produise pas. Je reporte tes consultations de demain.

— Parker…

— Tu as besoin d'un jour de repos.

— Pour pleurer sur mon sort ?

— Oui. Mais tu vas commencer par prendre un bon bain moussant. Je m'occupe de faire réchauffer la soupe. Et tu pourras pleurer tout ton soûl.

— Oui, soupira Emma. C'est ce qui risque d'arriver.

— Ensuite, nous te mettrons au lit. Tu dormiras autant que tu en auras besoin.

— Pourtant, je ne vais pas cesser de l'aimer pendant mon sommeil.

— Certes.

— Et je ne me sentirai pas mieux.

— Certes.

— Mais je serai un tout petit peu plus forte.

— Oui.

— Je m'occupe du bain, intervint Mac. J'ai une recette miracle aux huiles essentielles.

Elle se leva et planta un baiser sur la joue d'Emma.

— Nous sommes de tout cœur avec toi.

— D'accord, moi je réchauffe la soupe et je demande à Mme G de faire une fournée de frites. Si on pense que ça réconforte, ce n'est pas sans raison ! s'exclama Laurel en prenant Emma dans ses bras.

— Merci, dit Emma qui prit la main de Parker quand elles se retrouvèrent seules. Je savais que je pouvais compter sur vous.

— Toujours.

— Ah ! Parker ! Ça y est, je sens venir le deuxième flot de larmes.

— Ça va aller, chuchota Parker en lui caressant le dos. Ça va aller.

Pendant ce temps, Jack frappait à la porte de Del. S'il ne trouvait pas un dérivatif sans plus attendre, il savait qu'il ne pourrait pas s'empêcher de se ruer chez Emma. Or, elle lui avait bien fait comprendre qu'elle ne voulait pas le voir, et Mac avait enfoncé le clou.

La porte s'ouvrit laissant apparaître Del.

— Comment ça va ? Bon Dieu ! Jack, tu as une mine épouvantable.

— L'exact reflet de mon état d'âme.

Del fronça les sourcils.

— Houla ! Si tu viens ici pour noyer ton chagrin avec une bière parce que tu t'es disputé avec Emma…

— Non, ce n'était pas une simple… dispute.

Le regard de Del se durcit. Il s'écarta pour le laisser entrer.

— Prenons une bière.

Une fois à l'intérieur, Jack remarqua que Del portait une veste et une cravate.

— Tu sors ?

— C'était ce qui était prévu. Sers-toi une bière. Je dois passer un coup de fil.

— Je pourrais te dire que je peux repasser. Mais non, je reste.

— Prends une bière. J'en ai pour une minute.

Jack sortit deux bières du réfrigérateur et se dirigea sur la terrasse à l'arrière. Au lieu de s'installer, il marcha jusqu'à la rambarde et se mit à scruter la nuit. Il cherchait à se rappeler s'il lui était déjà arrivé de se sentir si mal. Hormis le jour où il s'était réveillé à l'hôpital avec une commotion cérébrale, un bras dans le plâtre et quelques côtes fêlées suite à un accident de voiture, il n'en avait pas le souvenir. D'ailleurs, ce jour-là, le mal n'était que physique.

En fait, il y avait bien une fois où il avait eu l'impression que le monde s'écroulait autour de lui. Quand ses parents lui avaient annoncé leur intention de divorcer. « Ce n'est pas ta faute », lui avaient-ils dit. « Nous t'aimons toujours, et ça ne changera pas… »

Pourtant, comparé à ce qu'il vivait à présent, il lui semblait que c'était un moindre mal. Il venait de se rendre compte qu'Emma était capable de lui tourner le dos et de le quitter. Comment cela pouvait-il être pire que la mise en pièces de sa famille suite à la rupture de ses parents ? Il ne s'était pas montré à la hauteur. Il aurait dû la combler et non l'anéantir.

La porte s'ouvrit.

— Merci, mon vieux, dit-il à Del. Je le pense.

— Je pourrais te dire que ce n'est pas grand-chose, mais non, je n'en ferai rien.

Jack parvint presque à esquisser un rire.

— Bon sang, Del, j'ai tout gâché et je n'ai rien vu venir. Tout ce que je sais, c'est que je l'ai blessée. Si tu as l'intention de me botter le derrière, je le comprendrai. Attends juste que j'en aie fini avec mon histoire.

— Mon pied me démange.

— Elle m'a avoué qu'elle m'aimait.

Del but une gorgée de bière.

— Jack, tu es loin d'être un idiot. Ne viens pas me dire que tu ne le savais pas.

— Je n'en étais pas si sûr. Bref, c'est arrivé… Non, je ne suis pas bête. Je savais que ça devenait sérieux. Or, tout à coup, elle me prend de court et moi, je réagis comme un manche. Je n'ai pas su quoi dire, et plus je tardais à répondre, plus elle s'énervait. Elle était tellement blessée qu'elle a refusé de m'écouter ensuite quand j'ai repris mes esprits. Tu la connais. Elle ne se laisse jamais aller mais quand c'est le cas, elle explose ; et dans ces moments-là, on donne peu cher de sa peau.

— Qu'est-ce qui l'a poussée à bout ?

Jack se rapprocha de la table pour prendre la bouteille mais resta debout.

— J'ai eu une journée calamiteuse. Je me sentais sale, j'étais sur les nerfs, et j'avais un mal de crâne à me rouler par terre. Je suis rentré chez moi, et elle était là, dans ma maison.

— J'ignorais que tu lui avais filé une clef. Une grande décision pour toi, Cooke.

— En fait, non. Je ne lui avais rien donné. C'est Michelle.

— Oh, oh, elle a envahi ton territoire.

Jack se figea et dévisagea Del.

— C'est mon genre, peut-être ? Allons !

— Avec les femmes, oui, tu réagis comme ça.

— Et ça fait de moi un monstre ? Un psychopathe ?

— Non, un être légèrement phobique, peut-être. Et ensuite ?

— Donc je n'étais pas dans mon assiette, et elle se tenait là, devant moi, chez moi. Elle avait décoré ma terrasse avec des pots. Ça te fait rire ?

— J'imagine juste ta tête en découvrant ça.

— Bon sang ! Elle cuisinait, au milieu des fleurs et de la musique réglée à plein volume. Ma tête allait exploser. Mais si je pouvais revenir en arrière, je le ferais. Je ne voulais pas la blesser.

— Je sais.

— Quel idiot ! Au lieu d'une dispute saine où chacun dit ce qu'il a à dire, ça s'est envenimé.

Jack pressentait un retour de migraine. Il posa la bouteille froide contre sa tempe.

— Elle m'a accusé de ne pas lui faire confiance, de ne pas l'accueillir à bras ouverts chez moi. Elle ajoute qu'elle n'a pas l'intention de s'installer dans une telle situation et qu'elle veut...

— Que veut-elle ?

— À ton avis ? Le mariage, les enfants, tout l'arsenal. J'ai essayé de réfléchir, mais elle ne m'en a pas laissé l'occasion. Elle m'a dit qu'elle en avait assez, que c'est fini entre nous ; alors elle s'est mise à pleurer. Elle pleure toujours.

Le visage d'Emma apparut dans son esprit. Il était rongé par les remords.

— Je lui ai demandé de s'asseoir une minute, pour me laisser le temps de réfléchir. Elle a refusé. Au lieu de ça, elle m'a annoncé qu'elle ne voulait plus me voir. J'aurais préféré qu'elle m'abatte plutôt qu'elle me regarde de cette façon-là en me disant de lui ficher la paix.

— C'est tout ?

— Ça ne te suffit pas ?

— Je t'ai déjà posé la question, et je vais te la poser une seconde fois. Es-tu amoureux d'elle ?

Jack prit une grande gorgée de bière.

— D'accord. Oui, je crois bien que oui. Il aura fallu m'arracher les mots de la bouche, mais la réponse est oui, je suis amoureux d'elle.

— Tu veux arranger la situation ?

— Je viens de te dire que je l'aimais.

— Tu veux savoir comment ?

— Va au diable, Del ! s'exclama-t-il en buvant. Eh bien, toi qui es si intelligent. Comment est-ce que je dois m'y prendre ?

— Tu rampes.

Jack souffla un grand coup.

— Je pense que ça peut se faire.

20

Dès le lendemain matin, il commença à ramper. Dans sa tête, il avait un discours qu'il avait passé la majeure partie de la nuit à écrire, réécrire et peaufiner. La partie la plus délicate de son entreprise consisterait à se faire entendre d'elle, il le savait.

Elle l'écouterait, songea-t-il en pénétrant dans la propriété des Brown. Après tout, c'était Emma. Personne de plus doux, de plus ouvert d'esprit qu'elle. N'était-ce pas l'une des raisons – parmi tant d'autres – qui faisaient qu'il était amoureux d'elle ?

Il s'était comporté comme un imbécile, mais elle lui pardonnerait. Elle devait lui donner une nouvelle chance.

Quand il vit sa voiture garée devant le bâtiment principal, son estomac se noua : elle n'était pas rentrée chez elle. Ce n'était pas seulement une personne qu'il allait devoir affronter, mais le quatuor dans son intégralité, avec Mme Grady en renfort. Il allait passer un sale quart d'heure.

D'accord, il méritait ce qui allait lui arriver, mais fallait-il pour autant qu'elles s'y mettent à quatre ? Bon sang de bonsoir !

— Courage, Cooke, marmonna-t-il en sortant de sa camionnette.

Comme il se dirigeait vers la porte d'entrée, il se demanda si les condamnés à mort éprouvaient le même sentiment de terreur.

« Ressaisis-toi ! Elles ne vont pas te tuer. »

L'estropier peut-être, l'attaquer verbalement sans aucun doute. Mais le tuer ? Non.

Comme à son habitude, il s'apprêtait à rentrer sans frapper. Cependant il se ravisa juste à temps, se rappelant qu'il était désormais *persona non grata* dans ce logis. Il préféra sonner.

Il pensait pouvoir mettre Mme G dans sa poche, car elle l'adorait. S'il parvenait à l'apitoyer, il serait ensuite possible de…

Ce fut Parker qui ouvrit la porte. Impossible d'esquiver Parker Brown.

— Euh…

— Bonjour, Jack.

— Je veux – il faut que je parle à Emma. Je lui dois des excuses pour… presque tout. Si tu me laissais la voir quelques instants…

— Non.

Cette simple syllabe fut prononcée sur un ton glacial.

— Parker, je voudrais simplement…

— Non, Jack. Elle dort.

— Je peux revenir plus tard, ou même attendre.

— Non.

— « Non » ? C'est tout ce que tu as à dire ?

— Non, répéta-t-elle sans la moindre touche d'ironie ou d'humour. Nous avons beaucoup à dire en fait.

Mac et Laurel apparurent derrière elle. Leur plan d'attaque surpassait ses attentes. Elles l'emportaient. Il n'avait pas d'autre choix que de déposer les armes.

— Allez-y, je vous écoute. Je mérite sûrement tout ce que vous allez me reprocher. Vous voulez que j'avoue que j'avais tort ? C'est vrai. Que je suis un idiot ? Eh bien, c'est fait, je suis un idiot. Que…

— Je pensais plutôt à quelque chose du genre « enfoiré d'égoïste », commenta Laurel.

— D'accord, je l'admets. J'avais peut-être mes raisons, ma réaction pourrait s'expliquer par un concours de circonstances, mais ça ne vous intéresse probablement pas.

— Tu as vu juste, dit Mac en s'avançant. Surtout après que tu as blessé la plus douce d'entre nous.

— Si vous ne me laissez pas lui parler, je ne peux rien arranger.

— Elle refuse de te voir, répliqua Parker. Le moment est mal choisi. Je vois bien que tu te sens mal, mais je ne te plains pas. Pas encore. Tout ce qui importe là, c'est Emma. Pas toi. Elle a besoin de temps, elle a envie que tu la laisses tranquille. Ce que tu vas faire.

— Combien de temps ?

— Autant qu'il lui sera nécessaire.

— Parker, si seulement tu écoutais ce que…

— Non.

À ce moment-là, il vit Carter sortir de la cuisine. Celui-ci lui lança un coup d'œil compatissant, avant de rebrousser chemin pour disparaître de nouveau. Vive la solidarité masculine !

— Tu ne vas quand même pas me fermer la porte au nez ?

— Si, c'est exactement ce que j'ai l'intention de faire. Mais auparavant, je vais te faire une promesse, parce que je t'apprécie, Jack.

— Bon sang, Parker !

Pourquoi ne l'émasculait-elle pas ? Ce serait sans doute un moindre mal comparé à ce qu'elle lui faisait subir.

— Après tout, je ne te considère pas *comme* un frère. Tu *es* un frère pour moi. Pour nous. Donc je peux de promettre que nous finirons par te pardonner.

361

— Je ne suis pas d'accord, intervint Laurel. J'émets une réserve.

— Je te promets que nous serons de nouveau amis. Et par-dessus tout, je peux t'assurer qu'Emma te pardonnera, d'une façon ou d'une autre. D'ici là, tu vas la laisser tranquille. Tu ne l'appelleras pas, tu n'essaieras pas de la voir. Quant à ta visite de ce matin, nous ne lui dirons rien, à moins que ce ne soit elle qui demande.

— Jusqu'à ce qu'Emma aille mieux, tu ne devras plus mettre les pieds ici, Jack, continua Mac, dont la voix laissait transparaître une once de sympathie. En cas de problème sur le chantier, on réglera tout par téléphone.

— Et comment est-on censé savoir qu'Emma va mieux ? Vous croyez qu'un beau jour, elle se réveillera et vous dira : « Salut, c'est bon, Jack peut venir » ?

— Nous le saurons, répondit simplement Laurel.

— Si vraiment tes sentiments pour elle sont sincères, tu la laisseras en paix. Je veux que tu nous le promettes.

Il se passa les mains dans les cheveux.

— Très bien. Vous quatre, vous la connaissez mieux que personne. Si vous pensez que c'est mieux pour elle, vous avez ma parole. Je ne la reverrai pas avant... avant.

— Profite de ce break pour faire le point, ajouta Parker. C'est l'occasion de penser à ce que tu veux vraiment. Une dernière chose...

— Tu désires peut-être que nous scellions le pacte avec mon sang ?

— Une promesse suffira. Dès qu'elle ira mieux, je t'appellerai. Je le ferai pour toi et pour elle. Seulement si tu me promets de passer me voir avant d'aller lui parler.

— Marché conclu. Je peux juste te demander de me donner de ses nouvelles de temps en temps ? Histoire de savoir comment...

— Non. Au revoir, Jack.

Parker lui referma calmement la porte au nez.

À l'intérieur du manoir, Mac poussa un profond soupir.

— Sans vouloir paraître déloyale, j'ai de la peine pour lui. J'ai vécu la même histoire : se conduire comme un nul, être démuni face à quelqu'un qui vous déclare son amour.

Laurel acquiesça.

— Prends donc une minute pour pleurer sur son sort, ajouta-t-elle en regardant sa montre. C'est fait ?

— Oui.

— Je penserai aussi à lui, il avait l'air chamboulé. Mais n'oublions pas que le coup a été encore plus dur pour Emma, ajouta Laurel en regardant vers l'étage. On devrait aller voir si tout va bien.

— Je m'en charge, dit Parker. Quant à nous, il faut que nous reprenions notre routine. Car si Emma voit que nous négligeons l'entreprise pour cette histoire, elle se sentira encore plus mal. Toutes au travail. S'il y a le moindre accroc, essayons de la laisser en dehors pour ne pas la perturber.

— Si vous avez besoin d'un coup de main, demandez à Carter. Mon mec est le meilleur.

— Tu n'en as pas marre de te vanter ? dit Laurel.

Mac considéra la question pendant quelques secondes.

— Non, absolument pas, rétorqua-t-elle en prenant Laurel par l'épaule. Et je sais pourquoi je compatis tant avec Jack et Emma. L'amour est un business très compliqué à gérer. Une fois qu'on a compris comment s'en accommoder, on se demande alors comment on a pu vivre sans jusque-là. J'ai envie d'aller donner un baiser qui tue à Carter. Je repasse dans l'après-midi, ajouta-t-elle en se dirigeant vers la cuisine. Appelez-moi en cas de besoin.

— « L'amour est un business très compliqué à gérer » ? répéta Laurel en pinçant les lèvres. Nous pourrions presque

363

en faire notre phrase d'accroche sur le site Web de Vœux de Bonheur.

— Ça sonne bien.

— Elle a raison au sujet de Carter. Il est génial. Par contre, qu'il se tienne à distance de ma cuisine quand je travaille, Parker. Je ne tiens pas à l'amocher. Tiens-moi au courant si Emma a besoin d'une épaule ou si tu as besoin de renfort pour la guerre des mariées.

Parker acquiesça puis se dirigea vers l'escalier.

Dans la chambre à l'étage, Emma voulut se forcer à se lever. Elle était restée étendue là à s'apitoyer sur son sort. Il fallait se bouger. Mais à la place, elle étreignit son oreiller et fixa son regard absent sur le plafond.

Pour plonger la pièce dans l'obscurité et le calme, ses amies avaient tiré les rideaux. Elles l'avaient mise au lit et bordée comme si elle avait été infirme, ajoutant un oreiller sous sa tête, déposant un vase de freesias sur sa table de chevet. Puis elles l'avaient veillée jusqu'à ce qu'elle s'endorme.

Elle devrait avoir honte, songea-t-elle, d'en arriver à une telle inertie, d'en être réduite à une telle faiblesse. Elle remerciait d'ailleurs le ciel d'avoir eu des amies si promptes à combler ses moindres désirs.

Cependant, un nouveau jour se levait. Il fallait qu'elle se mette un coup de pied au derrière et qu'elle affronte enfin la réalité. Un cœur brisé finissait toujours par guérir. Les stigmates du chagrin seraient à jamais présents, en filigrane, comme une cicatrice, mais ils s'estomperaient au fil du temps. On vivait et on travaillait, on riait et on mangeait, on marchait et on parlait malgré ses cicatrices. Beaucoup de cœurs meurtris finissaient même par retomber amoureux.

En même temps, comment s'en remettre quand votre ex faisait partie intégrante de votre vie ; Emma allait devoir supporter la présence de Jack jour après jour ; il était comme le fil d'une tapisserie. Qu'on découse ce fil et tout l'ouvrage tombait en pièces. En somme, elle n'avait la possibilité ni de l'éviter, ni de limiter leurs entrevues.

C'était précisément pour cette raison que les relations entre collègues de travail étaient semées d'embûches. Si elles battaient de l'aile, on devait alors vivre avec le rappel quotidien de son échec amoureux sous le nez, sans pouvoir l'esquiver. De neuf heures à cinq heures, cinq jours par semaine. Une autre solution consistait à démissionner pour ensuite changer de ville. Échapper au trouble pour mieux le surmonter.

Ce qui n'était pas une option pour elle…

La Jamaïque ! La proposition d'Adele.

Non seulement changement de bureau, ou changement de ville, mais aussi changement de pays. Un nouveau départ. Elle pourrait continuer à exercer sa vocation tout en partant sur de nouvelles bases. Pas de relation amoureuse complexe, pas de fil entremêlé. Pas de Jack à affronter à la maison, s'il décidait d'y faire un saut, ou au supermarché, s'ils avaient le malheur de s'y trouver en même temps. Ou à une fête, s'ils étaient tous deux sur la liste des invités.

Et pas de regards compatissants de la part de ceux qui connaissaient son chagrin, si discret fût-il.

Elle ferait du bon travail avec toutes ces fleurs tropicales comme matière première. Un printemps perpétuel. Une petite maison sur la plage d'où elle écouterait le bruit des vagues, la nuit venue. Seule.

La porte s'ouvrit ; elle se retourna.

— Je suis réveillée.

— Un café ? proposa Parker en lui présentant la tasse.

— Merci, Parker.

— Et tu te laisserais tenter par un petit déjeuner ? reprit Parker qui écartait les rideaux pour laisser entrer la lumière.

— Non, je n'ai pas faim.

— Je comprends. Tu as réussi à dormir ?

Parker s'était assise sur le bord du lit et dégagea le visage d'Emma des quelques mèches qui le couvraient.

— Oui, curieusement. C'était une solution de facilité, comme une échappatoire. Maintenant, j'ai l'impression d'avoir été confinée et d'être toute rabougrie. Et stupide. Je n'ai pas de maladie incurable, d'os cassé ou d'hémorragie interne. Personne n'est mort. Et pourtant, je n'arrive pas à me lever.

— Ça ne fait même pas un jour.

— Tu vas me dire qu'il faut que je me donne du temps, que tout va rentrer dans l'ordre.

— Tout à fait. Certains disent que le divorce ressemble au deuil. Ce que je veux bien croire. Et à mon avis, dans ton cas, quand on aime si fort quelqu'un, la douleur est peut-être aussi forte. Le chagrin est inéluctable.

Elle regardait Emma avec compassion.

— Si seulement j'avais la haine ! Le salaud, le bâtard, peu importe ! Si seulement le chagrin pouvait directement supplanter la colère ! Nous pourrions sortir en boîte toutes les quatre, boire et lui cracher dessus.

— Ça ne te ressemblerait pas, Emma. Si ça pouvait t'aider, nous partirions sur-le-champ, nous boirions tout notre soûl et déverserions notre venin sur Jack.

— Tu ferais ça pour moi ? dit Emma en se redressant. Juste avant que tu n'entres, j'étais perdue dans mes pensées, je considérais la proposition d'Adele. Je pourrais partir en Jamaïque, où je l'aiderais à lancer son entreprise. Je

366

sais comment tenir les rênes, je me débrouillerais bien. Ou alors, je m'arrangerais pour trouver les bonnes personnes pour ce rôle. Ce serait un nouveau départ. Je pourrais faire fructifier son business.

— Je n'en doute pas, répliqua Parker en se levant pour ajuster les rideaux. Cependant, c'est une grosse décision, tout particulièrement quand tu viens de subir un choc émotionnel.

— Je me suis demandé comment je pourrais m'en sortir en voyant Jack tout le temps. En ville, lors des événements – il est fréquemment invité aux mariages que nous organisons. Nos vies sont tellement intriquées, nous fréquentons les mêmes personnes. Même quand j'arrive à nous imaginer sans avoir envie...

Elle fit une pause pour se ressaisir.

— ... sans avoir envie de pleurer. Comment gérer la situation dans un tel contexte ? Je savais que c'était un risque, mais...

— Mais...

Parker acquiesça avant de lui tourner le dos.

— C'est là que je me suis prise à considérer la proposition d'Adele. La plage, le temps de rêve, un nouveau défi en perspective. J'y ai pensé pendant cinq minutes. Peut-être moins, trois. Mais voilà, c'est ici chez moi ; ma famille, toi, nous. C'est ici que j'existe. Il va donc falloir que je m'en accommode.

— Désormais, j'ai une bonne raison de lui en vouloir. Que tu envisages de nous quitter ne serait-ce que trois minutes !

— Si telle avait été ma décision, tu n'aurais pas d'autre choix que de me laisser partir.

— J'aurais au moins essayé de te faire changer d'avis. J'aurais abattu tous mes atouts : graphiques, cartes, de nombreuses listes, et un DVD.

Les larmes rejaillirent.

— Je t'aime tellement, Parker.

Parker se rassit et enlaça fermement Emma.

— Je vais me lever, me laver, m'habiller. Et commencer à penser comment régler cette situation.

— Très bien.

Elle réussit à tenir ce jour-là, puis celui d'après. Elle montait des compositions florales, créait des bouquets, rencontrait des clients. Elle craqua. Quand sa mère vint lui rendre visite, elle versa encore des larmes. Mais elle était forte.

Elle gérait des situations d'urgence, arrivait à supporter la compassion muette ou franche de ses amies quand elles posaient le décor d'une cérémonie. Elle observait les mariées porter leur bouquet vers l'autel, où les attendait l'homme de leur vie.

Elle vivait, travaillait, riait et mangeait, marchait et parlait.

Même si elle avait l'impression d'avoir un gouffre énorme dans la poitrine, que rien ne pouvait combler, elle lui pardonna.

Ce fut avec quelques minutes de retard qu'elle débarqua au briefing de milieu de semaine.

— Désolée. J'ai préféré attendre la livraison de l'événement de vendredi soir. Tiffany s'occupe de préparer les fleurs mais il fallait que je vérifie les callas. Nous allons utiliser beaucoup d'amaryllis. Je voulais voir ce que ça donnait avec les orchidées avant de venir.

Elle se dirigea vers le buffet pour y prendre un Coca light.

— Qu'est-ce que j'ai manqué ?

— Rien du tout. En fait, tu peux même ouvrir la réunion, répondit Parker. Puisque notre gros événement de la semaine s'avère être celui de vendredi, et que les fleurs viennent d'être livrées... Un problème quelconque ?

— Avec les fleurs ? Non. La commande est complète. Les fleurs sont en bon état. La mariée a demandé une atmosphère ultra-contemporaine avec une touche de funky. J'ai opté pour des lis calla verts, des cymbidiums – très sympas dans les tons vert-jaune – avec quelque lis blancs qui feront ressortir les autres fleurs dans un bouquet. Chacune de ses demoiselles d'honneur portera un bouquet composé de trois amaryllis. Quant à la petite demoiselle d'honneur, elle portera une orchidée dans les cheveux et un petit bouquet de lis blancs. Les deux belles-mères se contenteront d'une orchidée au lieu de l'habituel bouquet de corsage. Des vases seront en place sur les tables dans la salle de réception.

Emma fit défiler l'écran à l'aide de la souris.

— Quant aux vases dans l'entrée, j'y placerai des amaryllis, agrémentées de bambou, d'orchidées et d'amarantes.

Elle rabattit l'écran de son ordinateur portable.

— J'aimerais laisser de côté le business pendant une minute pour passer en mode privé. Tout d'abord, pour vous dire à quel point je vous aime. J'ignore comment je m'en serais sortie sans vous cette semaine. Vous avez dû en avoir marre de m'entendre geindre et pleurer.

— Moi oui, dit Laurel en levant la main, ce qui fit rire Emma. En réalité, tu es loin d'être une geignarde aguerrie ; quant aux larmes, il va falloir y travailler. C'était lamentable. J'espère que tu feras mieux à l'avenir.

— Je ferai mon possible ! Entre-temps, je me sens beaucoup mieux. Vu que Jack n'a pas tenté une seule fois de me contacter, par e-mail ou par téléphone, j'imagine que vous l'avez menacé ?

— Oui, répondit Parker.

— Merci pour ça aussi. J'avais besoin de ce répit pour m'éclaircir les idées. Et comme je n'ai pas vu l'ombre de Del depuis quelque temps non plus, je suppose que vous lui avez demandé de prendre le large ?

— Ça nous semblait plus opportun, répliqua Mac.

— Peut-être bien. Le fait est que nous formons un groupe d'amis. Nous sommes une famille. Il serait temps de le redevenir. Donc, si vous avez mis au point un signal, vous pouvez l'envoyer. Jack et moi, nous nous éclipserons s'il le faut. Et tout redeviendra comme avant.

— À partir du moment où tu es sûre d'être prête.

Emma acquiesça.

— Oui, absolument. Passons maintenant à la décoration du vestibule, reprit-elle.

Dans un café, Jack était installé à une table isolée.

— Merci d'avoir accepté de me retrouver, Carter.

— J'ai l'impression de jouer le rôle d'un espion, ou d'un agent double, répondit celui-ci en considérant son thé vert. Ça ne me déplaît pas.

— Comment va-t-elle ? Que fait-elle ? Quoi de neuf chez les Brown ? Dis-moi tout ce qui te passe par la tête, Carter. Dix jours sans nouvelles. Je n'ai le droit ni de lui parler, ni de l'appeler, ni de lui envoyer un sms ou un e-mail. Combien de temps encore...

Il s'interrompit, fronça les sourcils.

— Je ne me reconnais plus !

— Pourtant, c'est bien toi.

— Nom d'un chien ! Ces derniers temps, je ne me supporte plus. De la morphine, une double dose, ajouta-t-il à l'intention de la serveuse.

Elle pouffa de rire.

— Essaie plutôt le thé, suggéra Carter.

— Je ne suis pas encore tombé si bas. Un café, s'il vous plaît. Comment va-t-elle, Carter ?

— Ça va. Elles sont surmenées en ce moment. Le mois de juin est… une période de folie. Emma travaille d'arrache-pied, comme les trois autres. Elle passe énormément de temps chez elle. Les filles s'arrangent toujours pour que l'une d'entre elles passe la voir dans la soirée. Sa mère lui a rendu visite. Apparemment, beaucoup de larmes ont coulé – d'après Mac. D'où mon rôle d'agent double. Emma ne se confie absolument pas à moi. Elle ne me voit pas comme un ennemi, toutefois…

— Je comprends. J'ai évité la librairie ces derniers temps, car Lucia n'a sûrement pas très envie de me voir. J'ai l'impression d'être un paria.

Agacé et malheureux, Jack s'effondra contre le dossier de son fauteuil.

— Del est également interdit de séjour. C'est ce que Parker a décrété. Bon sang ! Ce n'est pas comme si je l'avais trompée ! Comment exprimer mon repentir si on ne me laisse pas lui parler ?

— En attendant, profites-en pour répéter ce que tu as l'intention de lui dire, jusqu'à ce que le moment se présente.

— C'est ce que je fais.

— Pour la récupérer, il faut lui donner une bonne raison. Ce que tu lui diras, c'est une chose, mais ce que tu feras, c'est ce qui compte. D'après moi.

Jack acquiesça. Puis, comme son portable sonnait, il le sortit de sa poche pour répondre.

— C'est Parker. Allô ? Elle a… Comment ? Désolé. Oui, merci. Parker… oui. Je serai là.

Il rangea son téléphone.

— La voie est libre, j'ai le droit d'y retourner. Il faut que j'y aille, Carter, il y a certaines choses que je dois…

— Vas-y, file. Je m'occupe de l'addition.

— Merci. Mince ! Je me sens nauséeux. Souhaite-moi bonne chance !

— Bonne chance, Jack.

— Je vais en avoir besoin.

Il se leva et se précipita vers la porte.

Jack arriva chez Parker pile poil à l'heure qu'elle lui avait indiquée. Il ne voulait surtout pas la froisser. Le crépuscule tombait peu à peu, empli du parfum des fleurs. Il avait les mains moites. Pour la deuxième fois de sa vie, il sonna à la porte. Parker lui ouvrit, encore vêtue de sa tenue de travail, tailleur gris et chignon impeccablement noué sur la nuque. Un regard lui suffit pour se rendre compte à quel point elle lui avait manqué. Elle était si fraîche, si propre, si adorable.

— Salut, Parker.

— Bonsoir, Jack.

— J'avais peur de ne jamais plus t'entendre prononcer ces mots.

— Elle est prête à te parler ; quant à moi, je suis prête à te permettre de lui parler.

— On ne sera donc plus jamais amis, toi et moi ?

Elle le dévisagea, puis, lui prenant le visage dans les mains, elle lui posa un baiser délicat sur la joue.

— Tu as une mine épouvantable. Ce qui joue en ta faveur.

— Avant de parler à Emma, laisse-moi te dire que j'aurais été dévasté si je vous avais perdues. Toi, Laurel et Mac. Ça m'aurait achevé.

Cette fois, elle l'enlaça. Elle le serra fort avant de le relâcher.

— Quand on est une famille, on pardonne. Quel autre choix a-t-on ? Voici deux options, Jack. À toi de choisir. Soit tu ne l'aimes pas...

— Parker...

— Non, laisse-moi finir. Si tu ne l'aimes pas, si tu ne te sens pas capable de répondre à ses attentes, romps une bonne fois pour toutes. Elle t'a d'ores et déjà pardonné ; elle acceptera ta décision sans broncher. Surtout ne lui fais pas de promesses que tu ne pourras pas tenir. Par contre, si tu l'aimes, je peux te dicter la conduite à tenir pour la reconquérir.

— Je t'écoute.

Il était tard et elle travaillait seule, comme la plupart des soirs, ces temps-ci. Elle devrait bientôt y remédier car tout lui manquait : la compagnie des autres, leur conversation, l'effervescence. Elle se sentait presque prête à sortir de sa bulle de protection, à parler sans retenue. Bref, à être de nouveau Emma.

L'Emma d'avant lui manquait. Elle s'en rendait compte.

Après avoir porté les arrangements floraux terminés dans la chambre climatique, elle se mit à nettoyer son plan de travail.

Elle s'arrêta net quand on frappa à la porte. Avant même d'ouvrir la porte, elle savait que c'était Jack. Parker ne perdait jamais de temps.

Il avait les bras chargés de dahlias rouges. Elle se sentit défaillir.

— Bonsoir, Jack.

— Emma, dit-il le souffle court. Emma. Je t'ai apporté des fleurs pour me faire pardonner. Ça peut te sembler superficiel.

— Elles sont magnifiques. Merci. Rentre donc.

— J'ai beaucoup de choses à te dire.

— Je vais chercher un vase, dit-elle en allant dans la cuisine. Je comprends que tu veuilles parler, mais laisse-moi te dire en premier ce que j'ai sur le cœur.

— Très bien.

Elle commença à couper l'extrémité des tiges sous l'eau.

— Tout d'abord, je tiens à m'excuser.

— Ne joue pas à ce jeu-là, dit-il légèrement sur les nerfs.

— Pour ce que j'ai dit, pour la façon dont j'ai réagi. J'ai compris, après coup, que ce soir-là tu étais fatigué, tu n'étais pas dans ton état normal, et j'ai eu le malheur de pousser le bouchon un peu trop loin.

— Je ne suis pas venu quémander des excuses !

— Pourtant, c'est ce que je t'offre, alors tu vas devoir faire avec. J'étais en colère parce que tu ne répondais pas à mes attentes, reprit-elle en arrangeant les fleurs dans le vase, une par une. J'aurais dû respecter ton territoire. Certes, tu t'es montré méchant, mais j'avoue t'avoir poussé à bout. Toutefois, le pire dans cette histoire, c'est que nous nous étions promis de rester amis quoi qu'il arrive. Or, je n'ai pas tenu parole. Je suis navrée.

Elle le regarda droit dans les yeux.

— Je suis vraiment désolée, Jack.

— Tu as fini ?

— Pas du tout. Nous sommes toujours amis. J'avais juste besoin de temps pour me faire à cette idée. C'est crucial pour moi que nous restions amis.

— Emma.

Il tenta de lui prendre les mains, sur le bar, mais elle les retira aussitôt pour trifouiller les fleurs.

— Elles sont vraiment très belles. Où les as-tu trouvées ?

— Ton grossiste. J'ai appelé, supplié, et j'ai mentionné que c'était pour toi.

Elle sourit mais garda ses mains hors de portée.

— Après un tel geste d'affection, comment refuser d'être ton amie ? Je t'en prie, pas de rancœur. Laissons le passé derrière nous.

— C'est ce que tu souhaites ?

— Oui.

— Très bien. Je pense qu'il est temps de parler de ce que moi je désire, à présent. Allons faire un tour. J'ai besoin de prendre l'air.

Sur le pas de la porte, Emma mit les mains dans les poches. Certes, elle pouvait tenir le coup, elle allait se promener avec lui. Mais s'il essayait de lui prendre la main, elle ne répondrait plus de rien. Elle n'était pas encore prête à cela.

— Ce soir-là, j'avais beau être exténué et à bout de nerfs, tu n'avais pas complètement tort. Jusque-là, je ne m'étais jamais rendu compte que je me protégeais à ce point, et que je m'imposais toutes ces limites. Et pourquoi ? Depuis, j'ai eu le temps d'y penser. Ça remonte au divorce de mes parents. Quand je vivais avec mon père, et que je trouvais toutes les choses que des femmes – des inconnues – laissaient derrière elles, dans la salle de bains ou ailleurs, ça me mettait dans tous mes états. D'accord, ils étaient séparés, mais...

— Ils restaient tes parents. Tu avais toutes les raisons d'être remué.

— Je ne me suis jamais remis de leur séparation.

— Oh, Jack !

— Eh oui, un cliché de plus. Pourtant, c'est la vérité. J'étais encore un enfant. Un jour, ils s'aimaient ; et le lendemain, ils se quittaient.

— Ce n'est jamais si simple.

— Oui, mais toi tu raisonnes avec ton cerveau d'adulte. Ce que je ressentais, enfant, c'était autre chose. Récemment, j'ai compris qu'ils avaient réussi à se comporter de manière civilisée. Ils sont parvenus à faire leur vie chacun de leur côté sans se faire la guerre ou même me mêler à leurs histoires. J'ai pris alors le problème à l'envers. Pour empêcher ce genre de situation, il fallait éviter de faire des promesses, et surtout d'envisager l'avenir car les sentiments changent et peuvent disparaître.

— Dans un sens, tu as raison, mais…

— … mais – permets-moi de terminer la phrase pour toi – si tu n'es pas capable de faire confiance à tes sentiments, de tenter le coup, à quoi bon ? Or, pour faire le grand saut, il faut être sûr à cent pour cent.

— Je comprends mieux maintenant.

— Désolé de t'avoir traitée comme une intruse chez moi. Désolé que tu penses avoir transgressé une frontière alors que tu essayais simplement de me faire plaisir. Surtout que j'ai apprécié – j'apprécie toujours. J'arrose mes plantes.

— Pas mal.

— Tu étais… Et zut ! Tu m'as vraiment manqué. J'ai beau avoir préparé mon discours et répété comme un dingue, quand je te regarde, je n'arrive plus à articuler deux mots. Tu avais raison sur toute la ligne. Je n'ai pas su t'apprécier à ta juste valeur. Je t'en prie, donne-moi une autre chance.

— Jack, on ne peut pas revenir en arrière.

— Non, je ne te demande pas de reculer mais d'aller de l'avant.

Il prit le bras d'Emma et se plaça face à elle.

— Donne-moi une seconde chance. C'est toi que je veux. J'ai besoin de ton rire, de ton corps, de ton intelligence. Ne me repousse pas.

— Nous n'attendons pas la même chose d'une relation. Nous ne sommes pas sur la même longueur d'onde ; nous perdrions tous deux notre temps et notre énergie. Je ne peux pas.

Ses yeux s'emplirent de larmes. Il l'attira à lui.

— Je suis prêt à sauter le pas avec toi, Emma, parce que je crois en nous. Et j'arrive enfin à me projeter dans l'avenir ; le moment présent n'est plus suffisant. Je veux penser à demain. Je t'aime.

Une larme coula le long de sa joue.

— C'était tellement énorme que je n'ai rien vu venir. Reste avec moi.

— Je suis avec toi. Je veux… Qu'est-ce qui te prend ?

— Je te fais danser, dit-il en lui baisant la main. Dans le jardin. Au clair de lune.

Elle frémit et sentit son cœur gonfler. Toutes les cicatrices semblaient s'évanouir.

— Jack.

— Je te propose de passer le restant de tes jours avec moi. Même si j'ai mis du temps à comprendre ce qui m'arrivait, je te demande de faire de moi un homme comblé. Épouse-moi.

Il la fit tournoyer, puis il l'embrassa.

— Que je t'épouse ?

— Épouse-moi. Viens vivre avec moi. Réveille-toi à mes côtés, le matin, plante des fleurs qu'il faudra me rappeler d'arroser. Nous ferons des projets, puis nous les transformerons au fur et à mesure. Nous penserons à l'avenir. Je te donnerai tout ce que je possède et si ce n'est toujours pas suffisant, je remuerai ciel et terre pour trouver davantage à t'offrir.

Le saut ne lui avait pas semblé si terrible. L'atterrissage s'était fait en douceur.

Dans la bouche de Jack, Emma avait reconnu ses propres paroles, qui lui revenaient comme un écho dans l'air parfumé du soir, sous la lune, tandis que l'homme qu'elle aimait la faisait lentement valser.

— Tu viens de m'offrir mon rêve.

— Dis oui.

— Tu es sûr de toi ?

— Tu me connais ?

D'un sourire, et d'un battement de cils, elle réussit à chasser les larmes accumulées dans ses yeux.

— Assez bien.

— À ton avis, je te demanderais de m'épouser sans être certain de mon coup ?

— Non. Certainement pas. Et toi, Jack, à quel point me connais-tu ?

— Assez bien.

Elle déposa ses lèvres sur la bouche de Jack et savoura cet instant de grâce.

— Alors, tu auras deviné ma réponse.

À la terrasse du second étage, les trois jeunes femmes observaient la scène en se tenant par la taille. Derrière elle, Mme Grady rêvassait.

Parker fouilla dans sa poche pour en tirer un paquet de mouchoirs en papier qu'elle tendit à Mac, qui reniflait, ainsi qu'à Mme Grady. Elle en prit également un pour elle.

— C'est beau, parvint à dire Mac. Ils sont émouvants. Regardez-moi cette luminosité, cette lueur argentée, l'ombre des fleurs, et la façon dont se découpent leurs silhouettes.

— Tu traites ça comme une photo, dit Laurel en se frottant les yeux. Eh ! C'est une histoire sérieuse qu'on a devant les yeux.

— Non, plus que le caractère esthétique, c'est l'instant qui m'intéresse. L'instant d'Emma. Son papillon bleu à elle. On ne devrait peut-être pas regarder. S'ils nous voient, ça rompra le charme.

— Ils sont trop absorbés l'un par l'autre pour faire attention au reste.

378

Parker prit la main de Mac, celle de Laurel, et sourit quand elle sentit le contact de Mme Grady sur son épaule. L'instant était magique. Parfait.

Elles continuèrent à admirer Emma qui dansait au clair de lune par cette douce nuit de juin, dans le jardin, au bras de celui qu'elle aimait.